Yasmine Galenorn vit aux États-Unis où sa série *Les Sœurs de la lune* est un best-seller. Elle et son mari ont changé leur nom de famille pour Galenorn, un terme inspiré du *Seigneur des Anneaux* et qui signifie « arbre vert ». En revanche son mari s'appelle Samwise et c'est son vrai prénom ! Yasmine est considérée comme une sorcière accomplie au sein de la communauté païenne. Elle collectionne les théières, les dagues, les cornes et les crânes d'animaux et cultive une passion pour le tatouage.

Du même auteur, chez Milady :

Les Sœurs de la lune :
1. *Witchling*
2. *Changeling*
3. *Darkling*
4. *Dragon Wytch*
5. *Night Huntress*

www.milady.fr

À Keeter et Luna, passées de l'autre côté du Rainbow Bridge.
Vous manquez à Samwise autant qu'à moi.
Mais lorsque dame Bastet vous a rappelées à ses côtés,
C'est avec amour, malgré nos larmes,
Que nous vous avons confiées à elle.

Remerciements

Merci à mon mari, Samwise, avec tout mon amour. Tu m'accompagnes depuis maintenant vingt et un livres. Merci également à Meredith Bernstein, mon agent, et à Kate Seaver, mon éditrice. Je n'aurais pas pu trouver meilleure équipe. Je tiens également à remercier Tony Mauro, qui a réalisé les illustrations de couverture. À partir de mes mots, vous avez donné vie à mes personnages sur papier glacé. C'est un talent rare, et une véritable inspiration.

Merci aux blogueuses Witchy Chicks pour leur soutien. Papouilles et grattouilles à mes petites, les filles Galenorn, qui sèment leurs poils dans mon imprimante et sur mes vêtements mais m'entourent d'amour, de ronrons d'encouragement, de bisous sur le nez et de petits coups de tête amicaux quand je me sens triste et que j'ai besoin de leur soutien. À mes gardiennes spirituelles vénérées, Ukko, Rauni, Mielikki et Tapio.

Merci à mes lecteurs, anciens comme nouveaux. Votre soutien garde les auteurs en verve et nourrit leur amour du conte. Croyez-moi, j'apprécie chacun des petits mots que vous me laissez sur MySpace, ou que vous m'envoyez par mail ou par courrier. Retrouvez-moi sur Internet sur Galenorn En/Visions : www.galenorn.com (site en anglais) ou sur MySpace (www.myspace.com/yasminegalenorn). Vous pouvez également m'écrire (voir mon site web ou mon éditeur). Si vous voulez une réponse, n'oubliez pas de joindre une enveloppe timbrée avec vos nom et adresse.

« … car depuis toujours, l'amour n'apprend sa propre profondeur qu'à l'heure de la séparation. »

Khalil Gibran

« Ne posez pas sur ce monde un regard plein de haine et de peur. Affrontez bravement ce que les dieux vous offrent. »

Morihei Ueshiba, *L'Art de la paix*

Chapitre premier

Depuis mon lit, je contemplais la lune scintillante à son dernier quartier. Un banc de nuages bas, ombre lumineuse contre le noir du ciel, faisait courir sur elle ses doigts d'encre graciles. J'avais laissé la fenêtre entrouverte afin de profiter de l'air exceptionnellement doux de cette nuit d'avril. Sans un bruit, je me levai en remerciant Iris pour le tapis tressé qu'elle avait récemment déniché dans une petite boutique vintage.

Je soulevai le panneau, m'accoudai au montant, et scrutai l'obscurité du jardin. Ma sœur Camille passerait la nuit dehors, avec ses deux époux, Morio et Flam (un démon renard et un dragon, respectivement), dans les bois qui entouraient le tumulus où vivait ce dernier. Ce soir encore, ils tenteraient d'unir leur magie pour rappeler l'un des nôtres jusqu'à nous. Trillian, l'amant alpha de ma sœur, demeurait introuvable. Nous savions qu'il était toujours en vie, mais ça s'arrêtait là. Il avait complètement disparu, et tous les rapports s'accordaient à dire qu'une bande de gobelins lui avait mis le grappin dessus en Outremonde. Nous pressentions le désastre… pour lui autant que pour nous.

Mon autre sœur, Menolly, qui tenait le bar *Le Voyageur*, ne tarderait plus à rentrer du travail, si ce n'était déjà fait. De ma fenêtre, on ne voyait pas l'allée où elle garait sa Jaguar.

Je reportai mon attention sur le lit. Chase avait décidé de passer la nuit là. Il dormait comme un loir, étendu en travers du matelas, la couverture rejetée de côté. Cet homme avait le sang chaud. Cela le rendait très coopératif la nuit, lorsque je piquais toute la couette, le laissant complètement dénudé. *Tiens*, songeai-je. *En parlant de nudité…* De toute évidence, il appréciait son rêve. Ou bien il y incarnait un cadran solaire…? Je me léchai les lèvres. L'heure était venue de le réveiller d'une façon très spéciale. À condition de faire bien attention…

Je remontai avec souplesse sur le lit et, d'une langue prudente, parcourus la longueur de son érection.

Il gémit :

— Erika ?

Je me figeai, la langue toujours pointée, sourcils froncés. Erika ? C'était qui, ça ?

Soudain, la porte s'ouvrit à la volée.

— Delilah, viens vite !!

Chase s'éveilla en sursaut, je tombai en avant : mon croc gauche déchira sa peau fine sur deux bons centimètres, traçant une ligne rouge où de petites gouttelettes perlèrent immédiatement. *Oh, merde !*

— Putain, mais qu'est-ce que tu fous ?! s'écria-t-il d'une voix anormalement aiguë tout en reculant à la hâte.

Son expression n'était franchement pas celle que j'avais espérée.

— Oh, Chase ! Je suis désolée…

— Nom de Dieu !

Il se prit le pied dans le couvre-lit et s'effondra sur le sol avec un grand bruit sourd, en lâchant une bordée de jurons.

Je m'élançai vers lui tandis que Menolly, auréolée de lumière, ricanait depuis l'encadrement de la porte. Des bulles de sang lui sortaient par le nez, ruisselaient vers sa bouche.

— Pense à frapper, la prochaine fois ! grondai-je. (Je l'observai plus attentivement et secouai la tête.) Je vois que tu sors de table.

Elle toussota. En apercevant l'étincelle d'hilarité qui brillait dans ses yeux, j'eus toutes les peines du monde à m'empêcher de rire. Je me sentais quand même un peu mal vis-à-vis de Chase, pour la blessure, surtout, mais en même temps, j'avais l'impression d'être Lucy Ricardo, l'héroïne de la série *I Love Lucy*, prise en flag au beau milieu d'un de ses stratagèmes farfelus.

Je ne voulais pas qu'il me voie sourire. Mon policier en avait vu des vertes et des pas mûres ces derniers jours, et son sens de l'humour était aux abonnés absents. Son travail – ou plutôt, toutes ses différentes casquettes – commençaient à le rendre fou.

Sans compter que Zachary Lyonnesse se faisait de plus en plus présent. Chase était débordé depuis un mois, au point, souvent, de ne pas pouvoir venir dormir ici. En l'apprenant, le puma-garou avec qui j'avais couché une fois, et qui souhaitait me conquérir, avait multiplié les visites. Il n'essayait pas de me presser, non, mais je sentais bien l'électricité qui passait entre nous. Nous faisions, l'un et l'autre, comme s'il n'en était rien – moi plus que lui, peut-être – mais l'alchimie restait incontestable, même si mon cœur appartenait à Chase.

Celui-ci, je le savais, s'irritait de cette situation, mais il avait également l'intelligence de ne pas me poser d'ultimatum. C'était une bonne chose, parce que j'appréciais sincèrement Zachary, et que nous devions de toute façon travailler ensemble à constituer les bases d'une communauté surnaturelle en pleine croissance.

Je passais mon temps à lui répéter que je l'aimais, et que je n'irais pas voir ailleurs sans l'avoir préalablement consulté. Mais nous n'avions fait l'amour que quatre fois en six semaines, ce qui n'arrangeait rien. Insatisfaits et frustrés l'un comme l'autre, nous avions l'impression d'être complètement déphasés.

Menolly enjamba délicatement le tas de vêtements qui avait poussé au milieu de ma chambre. Iris me tannait pour que je range, mais je n'étais vraiment pas fan des paniers à linge. Oui, oui, je sais, un chat-garou comme moi devrait logiquement être une créature méticuleuse et soignée. Eh bien, ça ne risquait pas d'arriver. Je voulais m'améliorer, vraiment, mais en vérité j'étais une sale flemmarde, et je le resterais sans doute à jamais malgré tous mes efforts.

Ma sœur tira un mouchoir de la boîte qui se trouvait sur ma table de nuit et s'en tamponna le nez en reportant son attention sur nous. Ses yeux, d'un bleu si clair qu'il en devenait presque gris, s'illuminèrent dans la pénombre en se braquant sans vergogne sur Chase. Du bout de la langue, elle se lécha les lèvres.

J'allais la remettre vertement à sa place quand je me rendis compte que ce n'étaient pas les régions inférieures de mon policier qui l'intéressaient. Non. Elle flairait l'odeur du sang. Menolly était un vampire, et bien qu'elle sache, en général, très bien se contrôler, la poigne de fer qui retenait ses émotions pouvait, parfois, faiblir un peu quand elle était surprise.

Chase prit conscience de l'étude approfondie dont il était le sujet au même moment que moi.

—Ne fais pas un pas de plus! ordonna-t-il en tirant hâtivement le drap sur ses parties intimes. Si tu crois que tu vas planter tes crocs dans ma… n'importe où, je te conseille d'y réfléchir à deux fois!

Elle se reprit.

—Pardon, je ne voulais pas te mater. C'est juste…

—Menolly, fis-je en me levant. N'oublies pas où tu te trouves.

Elle posa les yeux sur moi, puis sur Chase, et secoua la tête.

—Non, vraiment, je n'avais pas l'intention d'être impolie. Ça va, Chase?

Sans attendre la réponse, elle se tourna vers moi en affichant un sourire béat.

—Il faut que tu descendes, sinon tu vas tout rater!

—Rater quoi? demandai-je en enfilant ma chemise de nuit. Qu'est-ce qui se passe? Il faut que je m'habille? Il y a des démons dans le jardin? Une brigade de gobelins qui défile dans la cuisine? Une autre licorne venue nous rendre visite?

Avec notre chance, c'était peut-être tout ça à la fois… Voire plus terrible encore.

—Non, il ne s'agit pas de bagarre, répondit-elle en battant des mains. Je viens de rentrer. Iris est réveillée. Maggie a dit ses premiers mots! On dirait qu'on ne peut plus l'arrêter! Bon, c'est encore beaucoup de charabia, mais sérieux, elle sait dire certains trucs! Iris est en train d'immortaliser ça sur Caméscope. Magne-toi d'amener tes fesses!

Quand la porte se referma sur elle, Chase se leva, tourna un moment sans rien faire, puis se rassit au bord du lit en observant son sexe. Le sang ne coulait plus, mais la petite boursouflure écarlate restait en souvenir de l'endroit lacéré par ma dent.

Je grimaçai en cherchant mes pantoufles dans le monticule de linge.

—Ça doit faire mal…

—Non, tu crois? rétorqua-t-il avec un regard noir. Ça te dirait, un jour, de prévenir? On a déjà tenté cette manœuvre plusieurs fois, Delilah. Mes cicatrices le prouvent, merci bien! (Il soupira.) Je t'ai dit que j'étais d'accord pour laisser tomber les pipes. Franchement, chérie, qu'est-ce qui a bien pu te donner une idée pareille?

Il secoua la tête en manipulant avec précaution sa fierté blessée. Je grondai doucement.

—Ça va, pas besoin de t'énerver comme ça! Je n'avais pas l'intention de te « tailler une pipe », je voulais juste te réveiller tout doucement pour qu'on s'amuse un peu. Tout se serait très bien passé si Menolly n'avait pas débarqué. Bon sang, Chase, on ne se touche presque… (Un coup d'œil suffit à me convaincre d'en rester là. Vu sa tête, ce n'était pas le moment d'aborder ce sujet.) Je t'ai dit que j'étais désolée, d'accord? Attends, je vais chercher la pommade.

J'entrai dans la salle de bains qui jouxtait ma chambre et, munie de l'antiseptique, revins bientôt m'agenouiller près de lui. Radouci, il me laissa faire. Alors que j'appliquais une fine couche de produit sur sa blessure, je croisai son regard. Il se pencha et m'embrassa, doucement, lentement, avec beaucoup de tendresse. Je fus tentée de garder les premiers mots de Maggie pour les rediffusions matinales. On pourrait peut-être quand même se livrer à quelques jeux torrides sans que ça lui fasse trop mal… Mais brusquement, il s'écarta.

—Allez, faut qu'on s'habille. (Il enfila un boxer couleur bourgogne et la robe de chambre en velours qu'il laissait ici.) C'est à peu près la seule bonne nouvelle qu'on ait eue depuis un bout de temps. On ne va pas rater ça.

Ayant enfin retrouvé mes chaussons, je les enfilai à la hâte et m'élançai après lui. Je savais qu'il adorait Maggie. Mais au point de faire passer un truc comme ça avant le sexe…

16

Non, quelque chose n'allait pas. Et de toute évidence, il ne souhaitait pas partager ce secret avec moi.

Menolly était agenouillée près de Maggie sous l'œil attentif du Caméscope. Ma sœur avait pris notre gargouille tachetée sous son aile, et jouait autant que possible les mères de substitution. Nous aimions tous ce petit bout, mais un lien très spécial s'était tissé entre ces deux êtres déracinés, arrachés de force à leur élément par les émissaires du mal qui arpentaient le monde.

Maggie ressemblait au produit d'un croisement entre un lutin et un gros chat. Son corps se couvrait d'une fourrure rase, duveteuse, de couleur noire, blanche et rousse. Elle avait une moustache, et les oreilles pointues. Ses ailes étaient encore trop petites pour supporter son poids.

Pour tout dire, elle en était toujours à l'apprentissage de la marche. Ses premiers pas remontaient à quelques mois seulement. Menolly lui avait montré comment se servir de sa longue queue, terminée par une touffe de poils, comme d'un balancier. Elle pouvait désormais se tenir debout un instant sans prendre appui sur la table basse, et même faire quelques pas. En général, les choses se corsaient peu après. Ses jambes flageolaient; elle essayait, d'instinct, de battre des ailes, et se retrouvait *illico* sur les fesses. Bien sûr, elle ne se faisait jamais mal, mais ses « Mouf! » étonnés lui valaient immanquablement une petite friandise, un morceau de rosbif, ou un rab de sa boisson à la crème.

Je m'agenouillai devant le bébé Crypto, qui leva vers moi ses yeux couleur topaze. Quelle langue parlerait-elle? Celle de ce pays? Le dialecte Fae que nous utilisions fréquemment entre nous? Ou autre chose encore?

Je jetai un coup d'œil à Iris.

—Alors?

—Je crois qu'elle fait une pause. Je te jure, au moment où elle a dit le premier mot, elle s'est littéralement ouverte. Comme une percée dans les nuages. Elle n'arrêtait plus de babiller. Mais ne sachant pas si je pouvais venir te déranger, j'ai préféré attendre que Menolly arrive.

Elle porta de nouveau le Caméscope à ses yeux et zooma sur Maggie tandis que je tendais les bras vers elle.

—Non ! dit la petite en secouant la tête.

Surprise, je me rassis et j'attendis.

—Pas s'assire ! Pas s'assire sur moi, Deyaya !

Je me retins de rire. Maggie se montrait extrêmement sensible à tout ce qui pouvait, même de loin, ressembler à de la moquerie.

—C'est encore un peu à l'envers, mais elle parle, c'est sûr.

Menolly s'assit sur la table basse.

—Ouais, et elle connaît tous nos noms. Quand je suis entrée, elle m'a appelée « Menny ».

—Menny ! confirma Maggie, visiblement très fière d'elle. Menny, Deyaya, Cami. Où, Cami ? demanda-t-elle en promenant son regard confus dans la pièce.

—Camille rentrera un peu plus tard, lui répondit ma sœur en lui glissant les mains sous les ailes pour l'asseoir sur ses genoux. Et lui, c'est qui ? ajouta-t-elle en désignant Chase qui avait souvent joué les baby-sitters.

Maggie se mit à glousser et à taper des mains.

—Musslor !

Je me tournai vers l'inspecteur.

—Euh, attends… C'est quand même pas « monsieur » qu'elle essaie de dire, là ?

—« Musslor » !

Chase s'empourpra jusqu'au bout des oreilles.

—Non, je ne crois pas.

—Mais alors pourquoi… Oh… Grands dieux! Tu lui as dit que tu t'appelais Musclor ?!

Il leva les yeux au ciel. Je pouffai.

—J'ai cru que c'était une bonne idée, sur le coup. (Il tourna vers Iris un regard suppliant, mais elle se contenta de serrer les lèvres avec un petit sourire.) Je n'aurais pas pensé qu'elle s'en souviendrait, et encore moins qu'elle le répéterait !

Menolly haussa les sourcils.

—On a découvert ton secret, Johnson ! Tu te la joues superhéros ! Enfin, on sait maintenant que la petite se développe normalement… Du moins, je crois. Même si les démons l'ont traitée comme du bétail, elle paraît en mesure de saisir des concepts de base…

Elle fut interrompue par un violent tintamarre venu de l'extérieur, suivi d'un craquement sec, plus près de la maison.

—Delilah, viens avec moi ! lança-t-elle en tendant aussitôt Maggie à Iris. Vous deux, vous attendez ici.

Sans un mot de plus, elle se coula vers la cuisine et, un doigt sur les lèvres, ouvrit prudemment la porte de derrière. Silencieuse comme le chat que j'étais, je la suivis sur la pointe des pieds jusqu'au porche. Un autre bruit sourd se fit entendre. On entendait les branches céder.

Je lui tapotai l'épaule pour lui faire signe de reculer. Alors qu'elle s'exécutait, je me focalisai sur le centre de mon être, le noyau où toutes mes facettes se fondaient en une seule avant de se disjoindre de nouveau.

Le monde parut se replier sur lui-même. Les ombres se firent ténèbres puis se dégradèrent en niveaux de gris. Comme entraînée par une spirale, je sombrai en moi-même. Mes membres et mon torse fusionnèrent, se mélangèrent, se séparèrent encore, adoptant une forme nouvelle. On ne me croyait jamais lorsque je disais que la métamorphose était totalement indolore. Du moins, tant qu'elle se déroulait sans heurt, et lentement.

Pieds et mains devinrent pattes. Ma colonne vertébrale s'étira, mon torse rétrécit. Je rejetai la tête en arrière et la laissai rouler sur mes épaules, savourant la sensation des vagues de magie qui déferlaient dans tout mon corps et me façonnaient autrement.

Un parfum de brume, l'odeur lointaine des feux de joie… Mais Panthère ne vint pas. Mon maître, le seigneur de l'automne, attendait, silencieux, immobile. Cette fois, c'était d'un chat qu'on avait besoin. Ma fourrure dorée frémissant dans la brise, j'agitai brièvement la queue et clignai de l'œil, avant de m'élancer à travers la chatière.

Sous cette apparence, je pourrais partir en éclaireur sans trop attirer l'attention. Celui ou ceux qui étaient occupés à fouiner dans les bois délimitant notre propriété n'avaient pas besoin de savoir que nous étions sur le coup.

Tandis que j'avançais à pas feutrés sur la terre silencieuse, les effluves de cette fin de printemps manquèrent de peu de submerger mes sens. J'avais du mal à contrôler mon instinct, quand je jouais au chat. Le moindre battement d'ailes poudrées m'attirait, et tout ce qui fleurait le repas ou le jouet me donnait envie de courir l'explorer. Mais j'avais une mission ; je ne manquai pas de me le rappeler alors que j'écrasai un faucheux d'un coup de patte, le reniflai et le gobai tout rond avant de m'élancer vers la source du bruit.

Celui-ci, déjà fort sous ma forme de bipède, devenait ainsi quasi assourdissant. Passant en mode furtif, je rasai le sol et me coulai d'une ombre à l'autre. J'avançais sous le vent, aussi l'intrus, à moins d'avoir un odorat extrêmement développé, ne pourrait-il normalement pas repérer mon approche.

Je progressais, quasiment à plat ventre, entre les herbes hautes quand je sentis une présence familière. C'était Misha, la souris avec qui j'entretenais une sorte d'amitié. Je la pourchassais encore, parfois, mais uniquement pour jouer, et elle-même disait que ça l'aidait à rester vigilante et à entretenir sa forme. Elle avait sauvé mes fesses quand ma queue s'était prise dans un buisson de ronces plein d'épines durant l'hiver dernier, et depuis, nous étions parvenues à transcender nos instincts pour forger une alliance bizarre, certes, mais viable.

Surgissant de son trou, elle s'élança vers moi.

— Delilah, il y a quelque chose dans ces bois qui ne devrait pas être là !

Quand j'étais chat, je pouvais communiquer avec les autres bêtes. Bien sûr, cela ne ressemblait pas aux vocalisations que j'utilisais en tant que femme : il existe une langue commune, mélange d'attitudes et de sons, que la plupart des animaux reconnaissent.

Je hochai légèrement la tête.

— Je suis au courant, mais je ne sais pas ce que c'est. Je n'ai repéré aucune odeur. J'allais justement enquêter.

Elle frissonna.

— C'est une chose méchante, et affreuse. Elle est immense, et toute noire, et elle mange les souris, et les petites créatures. Tu ferais bien d'être prudente. Elle se les met dans la bouche, et elle mâche, elle mâche, elle mâche…

Ce n'était peut-être pas une si bonne idée que ça d'y aller sous ma forme de chat…

— Tu as déjà vu ce genre de monstre auparavant ?

Misha renifla.

— Non, jamais. Il est horrible. Il bave. On dirait un bipède cassé, mais en gris, et pas aussi grand, ni aussi large, très laid, avec des cheveux qui lui tombent dans le dos, et un gros bidon tout boursouflé. Oh, il a de la fourrure, ça oui. Mais pas aux bons endroits. Pas copain.

Dans le petit monde de Misha, les autres créatures, animaux et oiseaux, se divisaient en deux catégories : « copain » et « pas copain ».

Elle se hâta de rejoindre son trou, en s'arrêtant pour me jeter un dernier regard.

— Fais bien attention à toi. Il pourrait te casser comme une brindille.

Sur ce, elle s'empressa d'aller retrouver ses enfants.

Je lui laissai le temps de rejoindre ses pénates avant de reprendre prudemment ma progression, une patte après l'autre. Si cette chose était capable d'attraper et de manger de petits animaux, j'avais intérêt à me tenir sur mes gardes. J'étais plus susceptible de me faire tuer sous cette forme. Alors que j'approchais du coude du sentier qui s'enfonçait dans les bois en direction de l'étang aux bouleaux, je me figeai, patte en l'air. Quelque part devant moi, les buissons bruissèrent et un rameau craqua. L'intrus, quel qu'il soit, s'était considérablement rapproché.

J'atteignais la source du vacarme lorsque le vent tourna, poussant vers moi un effluve effroyable, mélange d'odeur d'excréments, aussi écœurante que le parfum douceâtre des fruits trop mûrs, et de testostérone, dense, musquée. Et par-dessus tout cela flottait l'odeur propre à celui qui se délecte de la souffrance d'autrui. Les animaux sont capables de sentir les intentions, y compris celles des humains, et la cruauté de notre visiteur m'apparut très clairement. Misha avait vu juste. Ce truc encore indéterminé était du genre vicieux.

J'écartai un long brin d'herbe pour révéler une petite clairière. Un rayon de lune, traversant les mèches de nuages, éclairait suffisamment les lieux pour me permettre de distinguer l'origine du désordre.

Une créature d'environ un mètre vingt griffait sauvagement deux troncs d'arbres tombés l'un sur l'autre, sans doute lors du dernier orage. D'entre eux s'élevait un gémissement.

Attends une seconde ! Je connaissais cette voix ! C'était Rapido, le basset des voisins. Il s'échappait parfois pour s'aventurer sur nos terres. Alors que je le cherchais du regard, il m'apparut qu'il s'était glissé dans une brèche entre les deux troncs et qu'il n'arrivait plus à ressortir. Mais cette cage naturelle représentait également une chance salvatrice. La créature, du genre démon, soupçonnais-je, peinait à la tâche. Elle était parvenue à glisser sa longue main tordue dans l'ouverture, mais Rapido semblait disposer de suffisamment d'espace pour rester hors d'atteinte.

Le monstre ne tarderait sans doute plus à comprendre qu'en déplaçant le tronc du dessus, il attraperait enfin le délicieux Happy Meal tout chaud qui lui échappait de si peu. Vu son air balourd, ce n'était probablement pas une lumière, mais même le plus abruti des démons n'est pas assez stupide pour ignorer l'évidence, du moins pas longtemps. Si je ne faisais rien, on pouvait dire adieu à ce pauvre vieux Rapido.

Je jaugeai mon adversaire. Je ne pouvais pas l'affronter sous ma forme de chat. S'il m'attrapait, il ne ferait de moi qu'une bouchée. J'arriverais probablement à le vaincre toute seule, mais je devais me transformer au plus vite. Pendant la métamorphose, j'étais absolument sans défense, et si le démon m'apercevait à ce moment-là, tout serait fini.

En silence, je reculai pour me tapir derrière un sapin tout proche, au milieu d'une touffe de fougères et de myrtilles. Les épines risquaient de me blesser une fois que je serais transformée, mais j'en avais vu d'autres. Grâce aux dieux ce n'était pas la pleine lune, sans quoi je serais restée piégée sous cette forme féline jusqu'au lendemain matin.

Je pris une profonde inspiration et me visualisai en train de redevenir femme. Un mètre quatre-vingt-cinq, athlétique, quelques cicatrices çà et là en souvenir des batailles de ces derniers mois, des cheveux d'un blond doré et des yeux couleur émeraude, identiques à ceux que j'avais sous ma forme de chat.

Je m'accrochai à l'image en souhaitant que la métamorphose soit rapide. Pour une fois, mon corps m'obéit : je heurtai le sol dans un « whoosh » étourdissant alors que mon collier redevenait vêtements. Cela fit, effectivement, un peu mal – j'étais allée trop vite – mais sans plus. Un peu comme si on m'avait tapé dessus avec un maillet en caoutchouc. Dès que je fus sûre d'être complètement transformée, je bondis du buisson de myrtilles et secouai les frondes qui se prenaient à moi.

—Dégage de là, le macaque ! ordonnai-je en m'élançant vers le démon, prête à lui botter le train.

Au moment où j'avais retrouvé mon corps, toutes mes craintes s'étaient évaporées. Mon esprit ne criait plus qu'une chose à présent : *là, ça me gonfle, t'as intérêt à déguerpir vite fait !*

La créature se retourna d'un air abasourdi, et en un clin d'œil balança son horrible patte griffue vers moi. J'esquivai, de justesse. Cette espèce de brute était bien plus rapide que je l'aurais cru. Elle avait bien failli m'égratigner.

—Tu crois que je vais te laisser déchiqueter mon jean tout neuf ? (Je venais d'acheter trois taille-basse indigo dans mon magasin préféré, et je n'avais certainement pas l'intention d'y faire de trous pour l'instant.) N'y compte pas trop, pépère !

Cela dit, je pivotai sur un pied en balançant l'autre dans sa face crasseuse.

— Merde !

Quand je le touchai, ma jambe trembla. Comme si je venais de shooter dans un mur de briques. Bon, peut-être pas de briques. Mais pas loin. Coriace, le petit ! Ça s'annonçait plus difficile que je l'aurais cru. Inquiète, je donnai un autre coup. Mon pied rebondit encore, cette fois contre son ventre.

— Delilah, fais gaffe !

Je sursautai, surprise, mais, habituée aux situations de combat, j'obéis sans réfléchir et m'éloignai d'une roulade. Bien m'en prit. Au moment où je posai le genou à terre, le démon rota dans une gerbe de flammes. J'entendis crépiter les brindilles tandis que je me relevai.

Quelques débris d'écorces flambaient au pied d'un tronc. À côté se tenait un homme à la peau claire et aux cheveux sombres, vêtu d'un long manteau noir.

Jugeant apparemment qu'affronter deux adversaires à la fois n'était pas une idée si géniale que ça, le démon tourna les talons et s'enfonça dans la forêt. Il cherchait sans doute à rejoindre les limites de notre terrain, qui donnaient sur une zone humide protégée.

— Sois prudent, Roz ! C'est un dur à cuire ! le prévins-je avant de me mettre à courir.

— Je le sais, crétine ! rétorqua-t-il en me dépassant.

Rozurial faisait partie des rares créatures capables de nous surpasser en vitesse, mes sœurs et moi. C'était un incube, donc techniquement un démon mineur, mais qui traînait dans cette région délicieusement ombragée de l'éthique dans laquelle nous avions tous glissé. Il était de notre côté, ça ne faisait aucun doute. Mais ne nous méprenons pas : il restait incube jusqu'à la moelle.

Toutefois, vu qu'il nous aidait à combattre l'Ombre Ailée, le puissant chef suprême démoniaque qui projetait de s'emparer de la Terre et d'Outremonde, nous acceptions de fermer les yeux sur sa tendance à courtiser – et séduire – dames et jouvencelles plus ou moins nubiles. Roz aimait les femmes, quels que soient leur âge, leur taille, leur forme ou leur couleur. Son plus grand plaisir était de séduire celles qui pensaient savoir se contrôler. Il adorait voir les fortes volontés succomber à ses charmes. Apparemment, il était doué dans ce qu'il faisait, mais je n'avais pas l'intention d'en juger par moi-même.

Je contournai une souche calcinée, en espérant de toutes mes forces que le feu, derrière nous, ne ferait rien de plus maintenant que s'éteindre, et en trois bonds, franchis une série de troncs couverts de mousse. Roz s'élança sans hésiter, et franchit gracieusement la totalité de l'obstacle, son long manteau flottant derrière lui.

Au bout d'un moment, il s'arrêta pour scruter les profondeurs des bois.

—J'ai perdu sa trace. L'odeur de cèdre est trop forte.

Je humai l'air. Cèdre, en effet. Et sapin. Et l'arôme moelleux de la terre encore un peu humide après la dernière pluie. Je penchai la tête en essayant de percevoir un son. J'avais l'ouïe fine du chat, quoiqu'un peu moins aiguë sous ma forme mi-humaine, mi-Fae. De petits animaux couraient dans l'herbe haute. Un avion passait lentement dans l'obscurité du ciel. Au loin, le clapotis de l'eau, sur l'étang aux bouleaux, annonçait une brise prochaine. Mais de démon, point.

—Et merde! On l'a perdu!

Je promenai mon regard alentour en me demandant s'il fallait ou non continuer la poursuite. Il y avait de fortes chances pour qu'il soit déjà loin. Peut-être qu'il reviendrait.

Peut-être pas. Une chose, en tout cas, ne faisait aucun doute : il avait traversé les protections magiques de Camille, qui, malheureusement, n'était pas là pour nous le faire savoir. Il fallait absolument y remédier, créer une sorte de système, qui nous prévienne même en son absence si nos défenses tombaient.

Dégoûtée, je secouai la tête.

— Je ne suis même pas capable de tuer un simple démon, marmonnai-je. Je me ramollis.

Roz s'avança dans l'intention de me passer un bras autour des épaules, mais mon regard sévère l'arrêta. Il connaissait les règles : nous l'accueillions volontiers à la maison, tant qu'il ne posait pas ses pattes sur Camille ou sur moi.

Notons qu'il avait brusquement cessé de poursuivre ma sœur de ses assiduités après s'être frotté d'un peu trop près à Flam. Une main mal placée sur le postérieur de Camille pendant que le dragon le regardait avait suffi à étouffer toute tentative future. Sous sa forme naturelle, Flam était capable de transformer Roz en bacon grillé d'un seul éternuement. Et même quand il adoptait son apparence d'homme, magnifiquement sexy, d'un mètre quatre-vingt-douze, il restait plus fort que l'incube. L'attrapant par la peau du cou, il l'avait traîné à l'extérieur pour le passer à tabac. Il avait fallu deux semaines, et une tonne de glace, pour que Roz se remette de cette rouste.

Cela ne l'empêchait pas de flirter constamment avec Menolly, qui répondait, plus ou moins. Il avait essayé avec moi, aussi, une fois ou deux, jusqu'à ce que je le menace de lui donner un bon coup de dents à l'endroit où ça comptait le plus. Depuis, il me laissait tranquille, et me traitait comme un copain.

— Faut pas t'en vouloir, dit-il. C'était un blurgblurf. T'aurais jamais pu en venir à bout sans aide. Malgré leur gros bide et leurs membres rachitiques, ils sont aussi rapides que l'éclair. (Il fit un geste en direction du sentier.) Allez viens, on doit s'assurer que le feu est éteint avant d'aller informer les autres.

—Un «blurgblurf»? Du genre démoniaque, je suppose?

Roz hocha la tête.

—Oui. Ça grogne, principalement. Ces trucs-là ont tendance à préférer traîner sur Terre qu'en Outremonde. Je pense que plusieurs nids étaient cachés ici quand les portails des Royaumes Souterrains se sont fermés. On dirait qu'ils ont entretenu la lignée. D'habitude, on les trouve surtout dans les grottes profondes et les cols rocailleux des montagnes. Je ne vois pas trop ce que celui-ci foutait là.

Génial. Formidable. Encore un monstre dont je n'avais jamais entendu parler et qui courait dans la nature. Qu'est-ce qu'il nous voulait?

En dépit des explications de Roz, je ne doutais pas un instant qu'il nous ait été envoyé. Peut-être qu'une nouvelle escouade de Degath avait réussi à passer. Ou que l'Ombre Ailée nous préparait un autre tour de derrière les fagots. Quoi qu'il en soit, nous nous apprêtions manifestement à plonger une fois de plus dans le terrier du lapin blanc.

CHAPITRE 2

A vant de rentrer, nous nous assurâmes, par un rapide
crochet dans l'allée et le jardin, que personne ne se
cachait près de la maison. Mais seulement une poignée
de souris, quelques ratons laveurs et autres habitants du
royaume animal rôdaient dans les parages.

Je me laissai tomber sur le sofa près de Chase, tandis que
Roz s'affalait dans un fauteuil à côté de Menolly. Iris, ayant
couché Maggie, faisait chauffer de l'eau pour le thé.

—C'était un démon, commençai-je. Un blurgblurf,
d'après Roz. Je n'ai pas la moindre idée de ce qu'il voulait, à
part se faire un sandwich au Rapido. Sa peau est aussi dure
que du cuir tanné. Malheureusement, nous l'avons perdu.
(Je me laissai aller contre le coussin.) Il s'est enfui dans les
sous-bois. Au fait, il rote des flammes. Charmant détail,
vous ne trouvez pas?

—Un blurgblurf? grimaça Chase. C'est aussi moche
que ça en a l'air?

—Pire. (Je me tournai vers Menolly.) Ça te dit quelque
chose?

Elle secoua la tête.

—Blurgblurf? intervint Iris en entrant dans la pièce.
Grands dieux, je n'avais plus entendu ce nom depuis bien
longtemps! Ces créatures pullulaient littéralement dans les

royaumes du Nord, et j'en ai souvent croisé en Finlande, après cela.

— « Les royaumes du Nord » ? m'écriai-je en même temps que ma sœur. Tu as vécu là-bas, comme Flam ?

Nous ignorions encore bien des choses au sujet de l'esprit de maison qui partageait notre toit. Elle ne nous avait avoué son statut de prêtresse d'Undutar, déesse finnoise des brumes et de la neige, qu'au bout de six bons mois, et elle ne voulait – ou, comme elle disait, ne *pouvait* – toujours pas en parler.

La Talon-Haltija hocha la tête, mais son regard voilé m'indiqua que le sujet était clos.

— Oui. J'y ai passé toute une partie de ma jeunesse – après avoir atteint l'âge de femme, mais avant d'aller travailler pour les Kuusi. Les créatures malfaisantes, comme les kobolds ou les blurgblurfs, sont légion sur ces terres. Elles n'évoluent pas nécessairement dans les Royaumes Souterrains. Il se peut donc que cette visite n'ait pas de rapport avec l'Ombre Ailée.

— J'en doute, marmonnai-je. Avec notre tableau de chasse ? En sachant ce qu'on affronte ? Je ne crois pas qu'il faille négliger la possibilité d'une mission d'espionnage.

— Peut-être, concéda Menolly. Mais ça, Karvanak s'en est déjà chargé, et comme on le sait, il fait ses rapports au grand Méchant lui-même. Admettons-le : on est passés à l'étape supérieure. L'Ombre Ailée ne nous enverra plus de troufions, maintenant qu'il possède un sceau.

Cela jeta un froid sur la conversation. Quelque temps plus tôt, l'Ombre Ailée, le puissant démon qui régnait sur les Royaumes Souterrains, s'était emparé du troisième sceau par le truchement d'un de ses généraux, Karvanak, un Rākṣasa. Ce n'était pas bon. Pas bon du tout. Nous ignorions s'il pouvait faire quoi que ce soit avec cette seule partie, mais la bataille devenait beaucoup plus dangereuse maintenant qu'il avait mis la main dessus.

Neuf sceaux spirituels. Neuf pierres précieuses, autrefois réunies dans un ancien artefact, dont la destruction volontaire avait provoqué la Grande Séparation des royaumes – compliquant ainsi sérieusement la tâche des démons qui tentaient d'assaillir Outremonde ou la Terre.

Or, si les pièces se trouvaient de nouveau réunies, les portails interdimensionnels voleront en éclats. Les mouvements reprendront librement entre les mondes, les laissant vulnérables et ouverts à n'importe quel assaut. Nous avons, jusqu'ici, retrouvé deux de ces pierres, mais nous courons contre la montre, car l'Ombre Ailée les cherche pour déchirer les voiles et mettre Outremonde et la Terre à feu et à sang.

Catapultés sur la ligne de front, mes sœurs et moi, ainsi que notre étrange assortiment d'amis, sommes les seuls à nous dresser sur sa route.

En apprenant notre mutation pour la Terre, Camille, Menolly et moi avions perçu la chose comme un exil masqué. Il faut dire que nos employeurs de l'OIA – la CIA outremondienne – nous avaient souvent laissé entendre qu'ils ne nous trouvaient pas douées. Tout ça parce que notre sang d'êtres mi-humains mi-Fae dérègle un peu nos pouvoirs… Enfin, nos supérieurs pensaient ainsi avoir trouvé un bon moyen de nous mettre au placard, sans pour autant recourir à un licenciement.

Mais quelques mois à peine après notre arrivée, l'Ombre Ailée avait commencé à avancer ses pions. Au même moment, une guerre civile éclatait dans notre ville natale d'Y'Elestrial. Peu après notre père, membre de la garde Des'Estar, disparaissait subitement.

Aujourd'hui, le chaos règne sur nos vies et nous sommes coincées ici, à combattre une force capable de détruire humains et Fae par millions. Notre opiomane de reine ayant mis nos têtes à prix, il nous est impossible de rentrer chez nous, bien que nous ayons, heureusement, toujours accès au reste d'Outremonde. Nos alliés, rares et fragiles, sont un mélange hétéroclite de HSP, ou humains au sang pur, de Fae, de Cryptos et de démons, sans oublier un dragon, qui ne s'entendent pas nécessairement entre eux.

Mes sœurs et moi formons nous-mêmes un trio disparate. Nous vivons actuellement à Belles-Faire, une banlieue miteuse de Seattle.

Camille est une sorcière sensuelle et passionnée, dévouée à la Mère Lune. En plus de son récent hyménée avec Flam et Morio, un puissant lien sexuel et magique la rattache toujours à Trillian, un Svartan – un des Fae noirs aux charmes envoûtants. Il a disparu depuis quelques mois alors qu'il cherchait notre père. La magie de ma sœur, très aléatoire, fait que ses sorts se retournent souvent contre elle. Mais en tant qu'aînée, elle veille sur nous tous et tient les rênes de notre petite organisation de guérilleros.

Menolly, notre cadette, a été torturée et transformée en vampire par l'un des pires suceurs de sang de l'histoire. Nous avons récemment réduit son sire en poussière, mais les cicatrices qui couvrent son corps resteront à jamais. Depuis quelque temps, elle s'engage plus activement dans la vie politique auprès des vampires et des créatures surnaturelles terriennes. Elle contribue d'ailleurs à la mise en place d'une police souterraine, visant à garder un œil sur l'activité des buveurs de sang du coin.

Quant à moi, je m'appelle Delilah et je suis un chat-garou. En cherchant le second sceau, j'ai croisé le chemin d'un faucheur, le seigneur de l'automne. C'est un immortel et un élémentaire. En échange de son aide, il a fait de moi une de ses fiancées de la mort. Peu après cette rencontre, une autre forme de garou a commencé à émerger en moi : une panthère noire, sur laquelle je n'ai aucun contrôle.

Je l'ai d'abord cru responsable de cette manifestation, jusqu'à ce qu'on évoque l'idée que j'aurais pu avoir une sœur jumelle, morte à la naissance. Dans ce cas, je suis peut-être en train d'hériter de ses pouvoirs. Mais Camille ne peut rien confirmer, et notre père n'est pas là pour que je lui pose la question. Alors je garde cette idée dans un coin de ma tête, et m'interroge : avais-je une jumelle ? Si oui, que lui est-il arrivé ? Pourquoi est-elle morte ?

— Étape suivante ? s'enquit Menolly.

— Je ne sais pas pour vous, mais moi j'ai besoin de dormir encore une heure ou deux, bâilla Chase. J'ai deux jobs à gérer, vous vous souvenez ? Depuis que ce troll a tué Devins, je n'ai pas eu un moment pour souffler, et encore moins pour prendre plus de quelques jours de congé. En plus, le FH-CSI est en plein remaniement, et c'est moi qui dois superviser tout ça.

Cette équipe était le bébé de Chase. À travers tout le pays, les autres brigades avaient pris modèle sur son prototype de Seattle.

— Va, monte, lui dis-je en posant doucement mes lèvres sur les siennes.

Alors que je prolongeais le baiser, je crus voir passer une étincelle de doute dans ses yeux. Soudain nerveuse, je l'attirai contre moi et l'embrassai plus farouchement. Après une seconde d'hésitation, il me rendit mon baiser – avec une mesure que je sentis. Inquiète, mais trop fatiguée pour lui demander ce qu'il y avait, je me contentai d'ajouter :

— Je te rejoins bientôt.

Il se leva. Nous faisions la même taille – un mètre quatre-vingt-cinq – mais il était aussi hâlé que moi j'avais la peau claire. Il coiffait ses cheveux bouclés en arrière avec du gel. Il ne pouvait pas les porter longs, et de toute façon, ce n'était pas son style. Ses yeux sombres lui donnaient cependant un air un peu dangereux, sans compter qu'il prenait soin de lui et de sa personne. En ce moment, il se laissait pousser la moustache et une barbiche, et je dois dire que ce nouveau look me plaisait plutôt bien. Toujours tiré à quatre épingles, il aimait les costumes haute couture et les chaussures vernies. Nous étions, par bien des aspects, aux antipodes l'un de l'autre, mais ces différences ne faisaient que pimenter notre relation. Du moins, je me plaisais à le penser.

Tandis qu'il disparaissait dans l'escalier, je me tournai vers les autres.

—Nous devons parler à Camille. Il doit bien y avoir un moyen de savoir si ses protections tombent. On pourrait peut-être trouver un truc, Morio et moi. Je deviens plutôt bonne dans les technologies d'ici, et notre démon renard sait leur apporter une touche de magie.

—Vanzir a appelé quand tu étais dehors. Il sera là à la première heure, annonça Menolly. Cela fait plusieurs jours qu'il explore les environs, et il dit avoir trouvé un truc dont on ferait bien de s'occuper. Vous allez avoir besoin de Camille et des garçons, parce que je ne vais pas pouvoir vous accompagner sur ce coup. D'après lui, le meilleur moment pour les attaquer, c'est pendant la journée. Et non, je ne sais pas à qui ou à quoi «les» se réfère. J'ai laissé un message sur le nouveau portable de Camille.

Vanzir, un démon chasseur de rêves, avait brusquement rejoint nos rangs lors du premier combat qui nous avait opposés à son maître, Karvanak. Cela ne faisait pas pour autant de lui le parfait boy-scout. Loin de là. Mais il ne tenait pas à ce que l'Ombre Ailée s'empare de la Terre. Je n'étais pas tout à fait sûre de comprendre pourquoi. Il devait avoir ses raisons. De toute façon, il nous avait juré obéissance. S'il nous trahissait, il mourrait.

— Je crois que je ferais bien d'aller dormir un peu, moi aussi, grimaçai-je en m'étirant. Mais comment être sûres que le blurgblurf ne va pas revenir et essayer d'entrer dans la maison ?

Je me sentais toute courbatue, comme si j'avais enchaîné les nuits blanches en avalant trop de caféine – choses auxquelles je n'étais pourtant pas encline.

Menolly m'indiqua l'escalier.

— Va dormir, chaton. Toi aussi, Iris. Roz et moi monterons la garde jusqu'au lever du jour. Reposez-vous bien. Je sens que vous allez en avoir besoin.

L'esprit de maison s'éloigna vers sa chambre alors que je gravissais péniblement l'escalier. Dans quoi Vanzir allait-il encore nous fourrer ? Depuis quelques mois, au lieu de tuer une poignée de méchants de temps en temps, nous nous retrouvions à patrouiller constamment les rues à la recherche de démons, de vampires et de monstres.

Comme si ça ne suffisait pas, des portails intempestifs et pas toujours stables s'ouvraient tout seuls çà et là, laissant les citoyens d'Outremonde entrer sans s'annoncer.

Cerise sur le gâteau, les Cours Fae terriennes se relevaient sous l'impulsion de Morgane, Aeval et Titania, générant une tension palpable entre les Fae d'Outremonde et ceux d'ici. Aucun côté n'avait vraiment confiance en l'autre, et je priais pour qu'ils n'entament pas une autre guerre civile, au beau milieu de Seattle cette fois.

La vie, autrefois simple et légère, se transformait en suite de cauchemars sanglants. Je soupirai en atteignant mon étage, le deuxième. Impossible de faire marche arrière. Je le savais bien. On ne pouvait plus rentrer chez nous, que ce soit au sens propre ou au figuré. Et cela me donnait envie de pleurer.

Quand je me levai, à six heures moins le quart, je vis que Chase m'avait laissé un petit mot glacial sans même me réveiller pour me dire au revoir. Je fronçai les sourcils. C'en était trop! Que ça lui plaise ou non, il allait vraiment falloir qu'on se parle.

En bas, je trouvai tout le monde en pleins préparatifs. Assis à la table du petit déjeuner, Camille, Flam et Morio discutaient tactiques et stratégies à voix basse.

Ils faisaient une sacrée paire, ses maris. Morio, japonais, plutôt petit, coiffait ses longs cheveux en queue-de-cheval et ne portait que du noir ou du gris. Une lueur rieuse dansait perpétuellement dans ses yeux. C'était un véritable allié dans notre combat contre les démons.

En face, Flam, un mètre quatre-vingt-douze, presque albinos, des cheveux couleur d'argent dotés d'une volonté propre qui lui arrivaient aux chevilles, et un regard capable de faire geler de l'eau en pleine ébullition. Il se focalisait sur Camille. Oh, il nous aidait, bien sûr, mais si elle n'avait pas été là, je pense qu'il ne nous aurait même pas donné l'heure.

Menolly avait réintégré son antre et Maggie somnolait dans son parc. Roz aidait Iris à mettre la table. Dans un coin, Vanzir feuilletait un tas de papiers qui ressemblaient à de vieilles cartes.

Je devais bien admettre qu'il paraissait humain, avec sa touffe de cheveux blond platine et son long visage hâve qui lui donnaient un air de rocker héroïnomane. Mais le feu de ses yeux trahissait son héritage démoniaque. Il portait un jean et un sweat, et le collier vigilant qui encerclait sa gorge, juste sous la peau, scellait le rituel de soumission qui le liait à nous. S'il tentait de revenir sur son serment, son tour de cou le réduirait en cendres.

Je me versai un verre de lait et me hâtai de libérer le passage pour l'incube, qui apportait un plat de pancakes et de bacon à table, suivi d'Iris avec des œufs brouillés. En me glissant à ma place, je tapotai le genou de Vanzir. Je ne l'aimais pas particulièrement, mais il se révélait fidèle à sa parole – par peur, peut-être, de l'annihilation ? Enfin, puisqu'il tenait sa part du contrat, je faisais de mon mieux pour être polie.

— Quoi de neuf ?

Il leva paresseusement les yeux vers moi.

— J'attendais que tu te lèves.

— Eh bien, ça y est, comme tu vois. Allons-y ! fis-je en empalant une pile de petites crêpes.

Iris en avait confectionné une quantité impressionnante, en plus du bon kilo de bacon frit. Il n'en resterait pas une miette à la fin du petit déjeuner.

Camille tartina ses crêpes de beurre et de miel puis attaqua le tout en se penchant sur la table de sorte à éviter que le liquide coule entre ses seins généreux, qui lui servaient quasiment de ramasse-miettes.

— Tu t'es acheté un nouveau soutif ou quoi ? lui demandai-je. Je te trouve bien guillerette, ce matin. (Le doigt pointé vers sa poitrine, je reniflai.) Heureusement que tu as deux hommes, avec tout ce que tu dois te trimballer !

— Trois, se rembrunit-elle.

— Trois, répétai-je d'une voix douce. Je suis désolée. Je n'oublie pas Trillian, crois-moi.

— Moi non plus, murmura-t-elle.

Ma petite plaisanterie était tombée aussi à plat qu'un hérisson sous une roue de 4 x 4. Je me raclai la gorge et me retournai vers Vanzir, qui s'essuyait délicatement les lèvres. Il mangeait très peu, et je m'interrogeais sur sa forme d'alimentation naturelle. Toutefois, je ne pris pas le risque de poser la question. Je n'aurais sans doute pas aimé la réponse.

— Vas-y. On t'écoute.

Devant le hochement de tête général, il commença :

— OK, voilà : j'ai repéré un nid de vénidémons. Je ne sais pas trop comment ces saletés de bestioles sont arrivées là. D'habitude, elles se cantonnent aux Royaumes Souterrains.

Et merde ! Des vénidémons. Des mouches venimeuses démoniaques aussi grosses que ma tête, et vachement rapides pour leur taille. Dans la blessure produite par leurs mandibules, elles injectaient une soupe toxique capable de paralyser leur victime en quelques secondes à peine. Sans parler des œufs qu'elles balançaient avec, et qui devaient éclore vingt-quatre heures plus tard pour commencer à dévorer leur hôte de l'intérieur.

— Beurk, des parasites ! dit Camille en grimaçant. J'ai horreur de ça !

Flam repoussa tendrement une mèche qui lui tombait sur la joue.

— Je ne les laisserai pas te faire de mal, lui assura-t-il, avant de revenir à son petit déjeuner.

Elle haussa les sourcils et me lança un sourire rapide. S'il s'écoutait, il l'escamoterait secrètement pour la cloîtrer dans son tumulus, à l'abri des visites malvenues… et d'autres prétendants. Mais les Stones ont raison : on n'obtient pas toujours satisfaction. Aussi avait-il choisi de se joindre à nous, quoiqu'il n'accorde que peu d'intérêt à tout ce qui n'était pas l'objet de son entichement. Les dragons font de grands mercenaires, si on y met le prix. Apparemment, la main de Camille nous assurait son aide.

—Crotte. Je suppose qu'on va devoir les dégager. Ils sont libres de faire ce qu'ils veulent, ou quelqu'un les surveille?

—Malheureusement, oui, ils ont un gardien. Je ne sais pas trop ce que c'est – un fantôme, peut-être, ou un nécrophage. En tout cas, il est puissant, et il ne vient pas des Royaumes Souterrains.

—Super! commençai-je en plantant ma fourchette dans un morceau de pancake. Ça donne envie, tout de suite… (Le téléphone sonna, coupant court à mes bougonnements. Je me levai d'un bond pour décrocher.) Oui allô?

—J'aimerais parler à Chase Johnson.

La voix, douce, féminine et sexy, ne me disait rien. Je regardai un moment le combiné sans répondre, puis, tout en sachant très bien que ce n'était pas elle, je demandai:

—Sharah?

—Je m'appelle Erika, et je cherche Chase Johnson. On m'a dit que je pourrais le joindre à ce numéro, reprit la voix, rauque, légèrement haletante, qui exhalait le sexe, le cognac et les fringues haute couture.

… Hé, une minute! *Erika?* Ce n'était pas ce prénom qu'il murmurait dans son sommeil avant que je lui mette le croc dessus…?

Oh là, mais qu'est-ce que…?!

Je marquai une seconde de silence en me demandant quoi dire.

—Je suis désolée. Chase n'est pas disponible. Il est probablement au travail. Est-ce que je peux prendre un message?

Elle partit d'un grand éclat de rire qui chantait les nuits d'été sulfureuses.

—Non, je sais où se trouve son bureau. Merci quand même. (D'une voix presque émue soudain, elle ajouta:) Je suppose que vous êtes Delilah, son *amie*?

Je retins ma respiration et comptai jusqu'à trois.

— Sa *petite* amie. Et vous êtes ?

Pour la première fois depuis le début de cette conversation, le ton de mon interlocutrice durcit.

— Je suis son ex-fiancée. Enfin, merci. Je lui parlerai bientôt.

Sur ce, elle raccrocha.

Lentement, je reposai le combiné. Chase n'avait jamais évoqué ces fiançailles – ni, d'ailleurs, mentionné de relation sérieuse. Je ne devrais pas être jalouse. J'étais à demi Fae. Le sang de mon père me protégeait de ce sentiment de possessivité ! Pourtant, il bouillonnait au creux de mon ventre, me grignotait comme un petit ver, dont la seule envie était de trouver cette Erika et de lui arracher les yeux. Et d'abord, pourquoi mon mec rêvait-il d'elle ? L'aurait-il revue, sans daigner me le dire ? Ou s'agissait-il d'une de ces étranges coïncidences qui font passer la vie pour une garce de première… ?

Quoi qu'il en soit, ce n'était pas le moment de m'inquiéter de ça. Nous devions nous débarrasser d'un nid de vénidémons. Alors, seulement, je pourrais céder au monstre aux yeux verts qui me taraudait vraiment.

CHAPITRE 3

— C' est Henry qui tient la boutique aujourd'hui ? demanda Camille tandis que nous nous équipions pour le combat, ce qui, en fait, revenait à ramasser tout ce qui ressemblait de près ou de loin à une arme.

Henry était un HSP que ma sœur avait engagé pour s'occuper du *Croissant Indigo* quand Iris et elle ne pouvaient pas y aller.

Afin de parfaire notre couverture, l'OIA nous avait trouvé du travail en nous envoyant sur Terre. Camille passait très ostensiblement pour la propriétaire de la librairie. Je tenais une petite agence de policier de seconde classe, et Menolly était barmaid de nuit au bar-grill *Le Voyageur*.

Or aujourd'hui, le *Croissant Indigo* appartenait réellement à Camille, mes affaires étaient au mieux irrégulières, et Menolly était la patronne du bar. Si les ressources humaines de l'OIA revenaient un jour à leur gloire bureaucratique d'antan et qu'elles se penchaient de nouveau sur ce qui se passait sur Terre, je ne vous dis pas le choc.

Iris hocha la tête.

— Oui. Je lui ai demandé d'y passer la journée. Étant donné que ce blurgblurf a réussi à faire tomber tes barrières magiques, j'ai décidé de faire quelques recherches de mon côté. Je sais qu'il existe des repoussants naturels contre ces créatures et leurs semblables, mais l'époque où je devais protéger les terres des Kuusi est bien loin à présent, et je ne sais plus trop de quels produits il s'agit. J'ai rendez-vous avec Bruce à midi. Je me suis dit que je ferais un saut à Alysin te Varden avant de le voir. Je trouverai peut-être quelque chose. J'emmène Maggie.

Cette nouvelle bibliothèque de prêt faisait partie des établissements consacrés aux Fae qui fleurissaient depuis peu à Seattle. Elle tenait son nom d'une elfe de Portland, dans l'Oregon, violée et tabassée à mort par un gang d'Anges de la Liberté. Les traces d'ADN retrouvées sur la victime avaient permis à l'équipe de notre cousin Shamas d'appréhender les coupables, mais ils étaient mystérieusement morts dans leur cellule avant le début du jugement.

Le centre culturel devait son existence à l'impulsion conjointe de trois Fae d'Outremonde vivant dans les déserts du sud. Par ailleurs, ils appartenaient chacun à l'une des Cours Fae récemment rétablies : Cour de lumière, de l'ombre, et la petite dernière, du crépuscule. Deux membres de la troupe de pumas de Rainier et autant d'orques de la baie d'Elliott leur apportaient leur soutien.

Ces derniers – des baleines tueuses-garou – venaient de sortir à leur tour du placard surnaturel. Face à la montée en puissance du projet de communauté surnaturelle que je menais, ils avaient non seulement décidé de se faire connaître, mais de prendre les rênes d'un projet d'assainissement du Puget Sound.

Le gouvernement du comté de King ne pouvait plus ignorer l'état de pollution des baies et des bras de mer, encore moins maintenant que tout le monde les savait habités par des créatures sensibles. En réaction, les anticonservationnistes de tout poil tendance super-extrême droite avaient couru s'enrôler en masse chez les Chiens de Garde et les Anges de la Liberté, mais c'était à prévoir. Chaque mouvement de balancier en appelle un semblable dans l'autre direction.

Ensemble, les Fae et les créatures surnaturelles avaient donc rendu publique tout une collection d'ouvrages spécialisés dans leurs diverses cultures, en procédant à la réimpression et à la distribution massive de tomes qui pour la plupart dormaient dans des niches secrètes depuis quelques centaines, voire des milliers d'années. Tandis que les Anges de la Liberté se livraient à des autodafés de livres, l'idée de cette bibliothèque de prêt faisait des émules dans les grandes villes de la nation.

—Bonne idée, répondit Morio. Pendant que tu y es, vois si tu peux trouver quelque chose sur les nécrophages et les spectres. Si le gardien des vénidémons se révèle trop puissant pour nous, nous pourrions avoir besoin d'informations.

Sur ce, il enfila une veste légère et resserra sa queue-de-cheval.

La tenue de Camille était pour le moins modeste. Je supposai qu'elle ne souhaitait pas encourager les vénidémons plus que nécessaire. Elle portait un pull à col roulé, des collants noirs et une jupe en rayonne à hauteur de genoux, ainsi qu'une superbe ceinture rouge en cuir verni. Une paire de bottines à l'ancienne couvrait le bas de ses jambes. Flam vint se placer près d'elle. Comme toujours, il avait revêtu un jean blanc et une chemise bleu pâle sous son long manteau immaculé, vêtements qui conservaient leur inexplicable éclat de propreté, même au sortir des pires combats. Malgré la crasse et le sang, le bonhomme ne se salissait jamais.

J'avais enfilé un jean épais, des bottes de motard, un pull à manches longues, et ma veste en cuir. Roz gardait sa tenue habituelle : long manteau noir et jean assorti. Vanzir passa une veste en jean épaisse. Nous étions prêts à partir.

—Où est le nid? demandai-je en attrapant mon sac à dos et mes clés. Est-ce que tu sais combien d'ennemis nous risquons d'affronter?

Vanzir secoua la tête.

—Ça, aucune idée. Je n'ai pas vraiment pu les compter. Mais je dirais une quinzaine. Quant au nid, il se trouve dans une maison abandonnée près de Boeing, au milieu d'un bon hectare de terrain. Elle donne l'impression d'être en vente depuis un sacré bout de temps.

Je soupirai.

—Je n'aime pas du tout ça. On est en train de se jeter tête baissée dans le danger sans rien savoir sur ce qui nous attend, ni le nombre d'adversaires, ni leurs spécificités, et encore moins qui les mène!

—Tu veux dire, comme d'habitude? dit Camille en souriant.

—… T'es une maligne, toi… Bon, allez, qu'on en finisse. (Je glissai ma longue lame d'argent dans l'étui passé à ma cuisse.) Iris, tu prends un taxi pour aller à la bibliothèque?

La Talon-Haltija était trop petite pour conduire, et nous n'avions pas eu le temps de commander de nouvelle voiture spécialement équipée pour répondre à ses besoins. Mais c'était sur notre liste de choses à faire.

Elle secoua la tête.

—Siobhan va venir me chercher. Elle m'apporte un seau de palourdes. En échange, je lui donnerai des jeunes carottes et de la laitue nouvelle.

Siobhan Morgan était une amie selkie, un phoque-garou qui évoluait toujours incognito dans la société humaine. C'était une bonne alliée si nous avions besoin que quelqu'un cherche pour nous des informations normalement inaccessibles aux créatures surnaturelles et aux Fae. À sa plus grande joie, elle était également enceinte. Grâce à cela, son petit ami Mitch, un selkie également, avait reçu de ses aînés le droit de l'épouser. Le mariage était prévu pour juillet, et le bébé pour novembre.

— OK. Mais sois prudente quand tu sortiras. Et garde un œil sur Siobhan. Les protections sont désactivées. On pourrait voir débarquer n'importe quoi.

Camille soupira.

— Je m'en occuperai en rentrant. De toute façon, seuls Morio et moi sommes capables de savoir si elles ont été endommagées ou désactivées pour l'instant. Tant que nous n'aurons pas établi un moyen de vous le faire savoir, ça ne change pas grand-chose que je les remette ou pas. Si le blurg-blurf a réussi à les faire tomber, c'est soit qu'il est très fort, soit qu'on l'a aidé. Sans quoi il n'aurait jamais pu passer.

— Je pencherais pour la deuxième solution, intervint Morio. Ces barrières étaient solides.

— Bon, fis-je, inutile de tergiverser plus longtemps. Tu prends la corne?

Ma sœur avait reçu un rare artefact magique – une corne de licorne noire – et elle faisait de son mieux pour apprendre à l'utiliser.

— Oui, répondit-elle en hochant la tête. Mais je ne m'en servirai qu'en cas d'absolue nécessité. Il faut attendre la nouvelle lune pour pouvoir la recharger, et je préfère éviter de la vider complètement. Sauf si ces vermines sont trop fortes pour nous.

— OK, alors c'est parti. Vanzir et Roz, vous venez avec moi. Flam et Morio avec Camille. Vanzir, tu as une carte pour eux?

Le démon tendit à ma sœur un plan imprimé de Google maps. Elle la passa à son tour à Morio, toujours préposé à ce genre de détails. Je les quittai devant ma Jeep en leur adressant un signe de la main. L'incube s'assit à l'avant, et le chasseur de rêves à l'arrière.

Belles-Faire se situait à la périphérie nord de la ville. Quand ça roulait bien, on rejoignait le centre-ville en un rien de temps. Par contre, il arrivait aussi qu'on reste coincés des heures durant dans les embouteillages. Heureusement, si tôt, l'heure de pointe n'aurait pas encore commencé.

Je pris la I-5. Pour atteindre au plus vite le sud de Seattle, il fallait emprunter l'autoroute qui longeait Georgetown, un cimetière de tronçons de voie ferrée et de wagons de marchandises, jusqu'à la zone industrielle. Construite sur les anciennes vasières d'Elliott Bay, celle-ci était sujette à la liquéfaction. Les bâtisses s'abîmaient facilement lors des tremblements de terre.

Je lançai un coup d'œil vers l'ouest. Des nuages d'orage approchaient. La période des ondées printanières battait son plein et Mandy Tor, la folle qui présentait la météo sur *K-Talk*, annonçait une saucée pour le début d'après-midi. Je me fiais davantage aux prédictions de Camille et d'Iris, mais celles-ci concordaient : nous serions trempés jusqu'aux os avant l'heure du goûter.

—Rappelle-moi, Vanzir, demandai-je en me faufilant entre deux semi-remorques, un qui transportait du diesel, l'autre de l'essence. (Oui, ça ferait une belle combinaison en cas d'accident. Boum ! Un grand feu de joie.) Qu'est-ce que tu nous as dit sur les vénidémons ? C'est quoi déjà, leurs faiblesses ?

Il nous avait briefés avant de quitter la maison, mais, trop occupée à maudire Erika, je n'avais écouté qu'à moitié. Il s'avança, posant les coudes autour de l'appuie-tête de Roz.

—Ces créatures sont extrêmement dangereuses. En matière de sorts, seule la glace parvient à les blesser. Le gel les rend amorphes et les empêche de voler. Elles meurent si les températures tombent en dessous de moins dix.

—Tu parles en… comment ça s'appelle déjà… degrés Fahrenheit ? demandai-je en doublant rapidement une autocaravane qui se traînait.

La Lexus de Camille nous suivait comme une ombre couleur gris acier.

—Ouaip.

—Mais alors c'est parfait ! Flam est un pur produit des royaumes du Nord : dragon blanc par son père et argenté par sa mère, ce qui lui offre un dangereux éventail d'attaques de glace et d'électricité. Heureusement qu'il est de notre côté !

—On aurait dû emmener Iris, commenta Roz. Elle gère bien les magies de la glace et de la neige.

Merde, pourquoi est-ce que je n'y avais pas pensé ? Ni Camille, d'ailleurs ? Nous avions tellement l'habitude de laisser la Talon-Haltija aux commandes de la maison que nous en oubliions combien elle pouvait être efficace au combat.

—Pourquoi t'as rien dit plus tôt, abruti ?

—Parce qu'on ne m'a rien demandé, répondit-il avec un clin d'œil. (J'en bafouillai d'indignation.) Ça va. Relax. Je n'ai rien dit parce que ce qu'elle fait a également son utilité. Et, comme tu le soulignais, on a un dragon avec nous. Nos rangs sont un peu affaiblis en ce moment, surtout avec la disparition de Trillian. Il faut faire le meilleur usage possible des ressources et des alliés disponibles.

Je grimaçai. Il avait raison. Nous avions, certes, plus de soutien qu'au tout début de cette guerre, mais les problèmes qui s'entassaient diluaient peu à peu notre puissance de frappe. Notre cousin Shamas ne pouvait pas se battre à nos côtés : Chase avait trop besoin de lui au FH-CSI. Quant aux garous qui avaient exprimé leur envie de nous rejoindre, ils s'étaient finalement orientés vers le Conseil de la communauté surnaturelle, qui se débattait avec ses propres problèmes.

Les vampires, pour leur part, mettaient toute leur énergie au service de Wade et des Vampires Anonymes, afin de contrôler la zone de Seattle et de couper court à toutes les frénésies sanguinaires. Mais une poignée de clubs de suceurs de sang, notamment *Le Dominique* et *Le Fangtabula*, n'entendaient pas les choses de cette oreille, et Menolly nous avait expliqué que la montée graduelle des tensions ne saurait finir qu'en affrontement.

Je ne pouvais pas vraiment leur en vouloir. Après tout, une bonne partie des créatures surnaturelles et des vampires ignorait toujours la menace qui pesait sur nous. Ce n'était pas le genre de nouvelles qu'on pouvait répandre à la légère. Si la population HSP avait vent du danger, la panique éclaterait dans les rues, nous laissant un chaos monstre à gérer. Ce qui, bien sûr, entraînerait l'intervention de l'armée, laquelle ne pourrait cependant pas y faire grand-chose avec son armement actuel.

Parfois, même les armes nucléaires n'ont aucun effet sur les hordes démoniaques. Mais on risquait de galérer sévère pour convaincre les gouvernements de troquer leurs automatiques contre des épées d'argent.

Je parvins à traverser trois voies de trafic modéré à temps pour prendre la sortie qui menait au cœur de la zone industrielle.

Cette partie de la ville n'était pas exactement flambant neuve. Les bâtiments de béton nu et de métal, aussi gris que le ciel, jouxtaient des parkings capables de contenir des milliers de voitures. Les voies ferrées couraient çà et là comme un puzzle fou. En suivant cette route un peu plus longtemps, nous finirions par tourner de nouveau vers le nord et rejoindre les ports secondaires de Seattle. Mais notre chemin n'allait pas si loin. Nous devions prendre vers le sud, et Lucile, puis naviguer dans les ruelles étroites jusqu'au sud-ouest de l'avenue Finley.

La zone industrielle adoptait des visages très différents le jour et la nuit. En pleine lumière, ces tonnes de ciment et d'acier étaient juste déprimantes. La nuit, l'endroit donnait franchement la chair de poule. Il faut dire, ce qui n'arrangeait rien, qu'il accueillait désormais la plupart des clubs de créatures surnaturelles – notamment l'infâme *Fangtabula* qui comptait parmi les plus populaires du nord-ouest du Pacifique.

Roz le désigna en passant. Des bandes noires et blanches, vigoureuses, ornant une bâtisse aussi dense qu'un abri antiatomique.

— Menolly n'aime pas ce club.

— Elle a bien raison. Le proprio est une source d'ennuis. Ce Terrance n'est pas un vampire de la vieille école, genre goth en cape noire, mais ça ne fait pas non plus de lui le candidat idéal pour les Vampires Anonymes.

— Pourquoi ? demanda-t-il alors que nous longions le bâtiment désert, où les premiers signes de vie apparaîtraient au coucher du soleil.

— Il aime vivre dangereusement. Menolly a un très mauvais pressentiment à son sujet. Elle le voit très bien devenir le nouveau Dredge, dans plus ou moins mille ans. La rumeur dit que le club propose un service de putes à sang, mais on n'a aucune preuve. On ne peut rien faire pour le forcer à fermer. Si le patron marche du mauvais côté de la loi, il couvre drôlement bien ses traces.

— Qu'est-ce qui te fait croire qu'il se passe quelque chose de louche ?

Je me mordis la lèvre. Nous surveillions *Le Fangtabula* depuis plus d'un mois maintenant.

— Des bruits courent à propos de soirées douteuses faisant intervenir des HSP mineures. On parle de viols, de festins de sang, mais bizarrement personne ne se souvient jamais des détails, et sans plainte officielle, Chase ne peut rien entreprendre contre eux. Les vampires flairent le flic en civil à trois kilomètres, et ils s'arrangent pour tout faire disparaître. Menolly et les V.A. accordent une attention toute particulière aux potins, dans l'espoir de trouver quelque chose sur quoi bondir.

Je tournai dans l'avenue Finley. Camille m'imita. Vanzir se pencha derechef.

— À trois pâtés de maisons en descendant, m'indiqua-t-il, puis sur la gauche. Une baraque d'un étage avec des moulures marron et une peinture rose toute pelée. Les vénidémons et leur sentinelle sont à la cave.

La maison ressemblait à n'importe quelle bicoque pourrie d'un quartier décrépit, mais quand je me garai de l'autre côté de la rue, les poils de ma nuque se hérissèrent. Même si je n'avais pas su à quoi m'attendre, mon corps m'aurait prévenue de la présence de créatures intrinsèquement mauvaises. Tandis que je contemplais les lambeaux de peinture qui se décollaient sur les côtés, j'eus l'impression que quelque chose nous observait derrière les fenêtres couvertes de lourdes tentures grises.

La Lexus s'arrêta derrière ma Jeep, et nous nous rejoignîmes devant nos véhicules.

— Ce n'est pas bon, annonça ma sœur en désignant la construction. Je n'ai jamais rencontré de vénidémons, mais je ne pensais pas qu'ils auraient d'aussi mauvaises vibrations.

Vanzir secoua la tête.

— Ce n'est pas le cas. Je veux dire ouais, ces trucs-là sont vicieux, et la rencontre est parfois fatale. Mais ça…

C'est trop puissant pour venir d'eux. Peut-être de l'esprit, mais n'y comptez pas trop. Je crois bien qu'on devrait se préparer au pire.

— Le pire, ce serait l'Ombre Ailée, et ce que je ressens là n'est qu'une miette de la puissance qui doit émaner de lui, rétorqua ma sœur.

— Ça fait au moins un point positif, lâcha Roz en s'adossant à la Lexus. Mais je sens les ennuis se profiler.

Camille hocha la tête.

— Idem.

Flam et Morio la regardèrent.

— Formation de combat ?

Camille me fit signe.

— Tu te bats mieux que moi, mais j'ai besoin d'espace pour préparer mes sorts. Pareil pour Morio. On devrait rester tous les deux du même côté.

Je hochai la tête.

— OK, je prends la gauche avec Roz. Morio et toi à droite. Flam et Vanzir à l'arrière. Vous êtes rapides. Vous pourrez passer à l'avant en cas de nécessité.

— Ça me paraît bien, déclara Roz, en ouvrant son manteau pour étudier l'arsenal qu'il promenait toujours comme un vendeur à la sauvette psychotique.

… Comment ce mec arrivait-il à passer les détecteurs de métaux ?…

Des poches intérieures de son armurerie portative, il tira deux orbes qui ressemblaient étrangement à des balles de golf.

— Ce sont des bombes de glace, expliqua-t-il. Je m'en servirai quand on atteindra les vénidémons. Ça balancera une onde glacée devant nous, ce qui devrait nous donner une petite marge de manœuvre. L'effet dure au moins soixante secondes, et les monstres mettront un moment avant de reprendre leurs esprits.

— Le temps est froid et bruineux, remarqua ma sœur. Je peux tenter un sort de pluie glacée. Morio ?

Elle ferma les yeux en s'apprêtant à invoquer la magie de la lune.

Le démon renard hocha la tête.

— Je leur lancerai une vague de confusion. Ça devrait ajouter une petite touche de chaos à la fête.

— Eh bien, dis-je, je pense qu'on est prêts. J'ai ma dague, Roz a son attirail. Flam, je t'ai vu te battre. Je n'ai même pas besoin de te demander comment tu vas te défendre. Toutefois, si tu avais quelque chose à proposer dans la famille glaçon, ça serait drôlement bien. Vanzir, je crois comprendre que tu fonceras dans le tas ?

Il hocha la tête.

— Je ne connais que quelques sorts de feu mineurs, mais les vénidémons les goberaient tout rond comme des bonbons.

Il n'y avait rien à ajouter.

— Dans ce cas, on est prêts. C'est parti ? (Comme ils attendaient, je pris la tête avec Camille.) Je suppose que la porte d'entrée est une voie d'accès aussi valable que d'autres, marmonnai-je en traversant la rue.

Camille renifla.

— Oui, tant qu'il ne faut pas jouer les représentantes d'Avon. Hors de question de confier mes secrets de maquillage à une bande de mouches à viande de l'enfer !

— Bon, on leur vend les Tupperware, alors ? répondis-je, en ricanant nerveusement. (Nous étions à présent dans la cour, et nous approchions à pas méfiants de la bâtisse.) J'ai comme l'impression qu'on nous observe, murmurai-je.

— Ce n'est pas une impression. Tu peux parier qu'ils nous attendent de pied ferme. Je suggère donc qu'on entre sans faire de chichis et qu'on s'en débarrasse.

— Vous êtes prêts, les gars ? demandai-je en atteignant le porche. (Hochement de tête général.) Alors c'est parti, allons jouer les exterminateurs !

Camille avait raison : les vénidémons savaient qu'on arrivait, et nous savions qu'ils le savaient. Aucune raison de tourner autour du pot.

Je montai les marches quatre à quatre et pivotai en atteignant la porte. J'avais choisi de bonnes grosses bottes, avec des semelles épaisses et des talons ferrés. Sur un puissant cri de guerre, je lançai le pied vers la serrure, et souris en voyant le bois se fendiller. La porte s'ouvrit à la volée dans un tourbillon de poussière. Waouh ! Mes cours de kick-boxing commençaient à payer !

Bondissant à l'intérieur, je balançai le rai de ma lampe alentour, narines dilatées. Un remugle écœurant flottait dans l'air. Camille s'élança de l'autre côté pour laisser entrer les garçons. Soudain, dans un violent bruit de tissu déchiré, la lumière inonda la pièce. Ma sœur avait attrapé un rideau et tiré assez fort pour décrocher jusqu'à la tringle, laissant ainsi entrer la luminosité de cette journée couverte.

Eh bien, en tout cas, ça réglerait son compte à l'éventuel vampire qui aurait eu l'idée de s'aventurer dans le salon. Et peut-être même aussi aux spectres sensibles à la lumière. Nous nous trouvions dans une grande pièce au parquet éraflé. Des tableaux, sans doute piqués dans un motel, pendaient çà et là de guingois. La peinture s'écaillait en plusieurs endroits. Deux arches, dans le mur du fond, constituaient les issues.

Dans un coin, un canapé défoncé faisait face à une table basse couverte de boîtes de plats à emporter tellement dégueulasses que je faillis rendre mon petit déjeuner. Elles puaient le pourri et grouillaient de vers. Mais au fond de moi, je savais que l'odeur infâme ne venait pas de là. Une horrible pensée me traversa l'esprit, du genre de celles qu'on ne veut pas explorer, mais dont on ne peut pas se défaire.

Camille et les garçons embrassèrent brièvement les lieux du regard.

— Il n'y a rien, ici, dit-elle. On se sépare. (Elle fit signe à ses maris.) On prend la sortie de droite. Vous, essayez celle de gauche.

Roz et Vanzir sur les talons, je me coulai vers l'arche et me plaquai contre le mur en même temps que Camille. Passant une tête prudente dans l'ouverture, je découvris un long couloir aux nombreuses portes de chaque côté. Personne.

Ma sœur en fit autant, puis recula en secouant la tête.

— C'est la cuisine, murmura-t-elle. (Étant tous ici dotés d'une ouïe hors du commun, sa voix nous parut aussi claire que si elle avait parlé d'un ton normal. Malheureusement, il y avait des chances pour que nos adversaires bénéficient eux-mêmes d'une acuité accrue.) Elle a l'air vide. Il n'y a qu'une porte, qui donne probablement sur le porche.

— Je ne tiens pas à ce qu'on se sépare, dis-je en lui faisant signe. On fait ça ensemble.

Je me méfiais des pièges.

— Ça a de bonnes oreilles, les vénidémons ? demanda-t-elle.

Vanzir fronça les sourcils.

— Je ne sais même pas s'ils entendent. Mais le fantôme, là, ou le spectre, lui, il sait probablement qu'on est là.

— On y va ensemble ! insistai-je.

Je regardai mon aînée. D'habitude, c'était elle qui dirigeait les opérations. Mais cette fois, j'avais un étrange pressentiment, et je ne tenais pas à découvrir qu'il était fondé. Elle fronça les sourcils.

—S'il te plaît, suis-moi juste sur ce coup, insistai-je.

Lentement, elle hocha la tête.

—Comme tu voudras, chaton. Mon instinct ne me parle pas beaucoup, je dois dire, en dehors bien sûr du truc sinistre que j'ai senti en arrivant. Morio, Flam, qu'est-ce que vous en pensez?

Le démon renard ferma les yeux.

—Ça grouille. L'énergie semble se tortiller partout dans la maison. Je n'arrive pas à la localiser.

—Cela empeste le démon et l'énergie des profondeurs, ici, renchérit le dragon, les yeux rivés sur le mur.

Les profondeurs – terre d'origine des spectres, des nécrophages et des fantômes. Tout se confirmait. Bien que liées aux royaumes inférieurs, la différence entre les deux était considérable.

Ces derniers formaient un endroit globalement tranquille, bien que sombre, où quantité d'esprits séjournaient un temps après avoir quitté leurs enveloppes mortelles. Les premières, quant à elles, grouillaient d'âmes errantes, de morts enragés, et d'esprits furibonds. Bien sûr, les vampires et les goules faisaient également partie de la grande famille des morts-vivants, mais ils avaient plutôt tendance à traîner avec les démons.

Un jour, quelqu'un devrait écrire un guide de recensement des monstres et de leurs habitats. En fait, si je me souvenais bien de mes années d'études au sein de l'OIA, j'avais eu un cours à ce sujet. Mais impossible de me rappeler quoi que ce soit.

—C'est réglé. On reste groupés.

Je fis signe à ma sœur et nous entrâmes dans le couloir, suivies de Roz et de Morio. Flam et Vanzir fermaient la marche. Devant la première porte, j'avalai ma peur et posai la main sur la poignée en regardant les autres.

Camille opina.

—Vas-y.

—Allez, en avant mauvaise troupe ! lançai-je en l'ouvrant.

Un courant d'air froid s'échappa de la pièce, me couvrant à l'instant de chair de poule. Figée, j'observai l'intérieur. Je me croyais pourtant prête à toutes les éventualités, mais là c'était le pompon. Non, je n'aurais jamais cru tomber sur un portail grand ouvert, donnant directement, à en croire l'énergie, au cœur même d'un glacier. Hmm… La visite d'agrément commençait plutôt mal.

CHAPITRE 4

— Nom d'un chien ! jura Morio. Où est-ce que ça peut bien mener ?

Flam se racla la gorge.

— J'ai d'abord pensé aux royaumes du Nord, mais l'énergie semble souillée. Je dirais les profondeurs.

— Et merde ! lâcha Vanzir. Ça veut dire qu'on risque à tout instant d'être envahis par une bande d'ectoplasmes de la pire espèce ! De ceux capables d'invoquer des vénidémons… Quoi que je ne sois pas sûr qu'on leur doive ceux qui nous amènent.

— Super. (J'observais la bouche d'énergie scintillante en me demandant quel genre de décharge je risquais de recevoir en y posant la main.) Alors le monde des esprits a lui aussi décidé de prendre résidence sur Terre…

Camille croisa nerveusement les bras sur sa poitrine en regardant l'ouverture.

— Qui va-t-on appeler maintenant pour surveiller celui-là ? Je ne connais pas beaucoup de créatures surnaturelles capables de gérer les habitants des profondeurs. Ce n'est pas comme s'il s'agissait d'assommer un troll ou un gobelin d'un bon coup sur la tête. Les esprits peuvent être très dangereux, à plusieurs niveaux.

Je louchai en me demandant qui pourrait nous aider.

— Je peux demander à Vénus, l'enfant de la lune, proposai-je. Il connaît peut-être quelqu'un.

Le chaman de la troupe de pumas de Rainier possédait une puissance incroyable. Si quelqu'un savait comment appréhender les fantômes et les esprits, c'était bien lui. Il avait reçu un entraînement intensif dans sa jeunesse, et il me donnait l'impression d'être revenu de l'enfer à plusieurs reprises.

— Bonne idée, acquiesça Morio.

— Entre-temps, il ne nous reste plus qu'à trouver les vénidémons et le truc répugnant qui les protège. À en juger par l'endroit où mène vraisemblablement ce portail, ça pourrait être… eh bien, n'importe qui ; ou quoi. (Je glissai un regard dans le couloir.) On parie que ces maudites créatures sont sous terre ? En tout cas moi, si j'étais une mouche géante des enfers, je me planquerais dans la cave.

— Dix contre un que tu as mis dans le mille, bébé, répondit Roz en m'envoyant un clin d'œil. Étape suivante : trouver l'escalier.

Je l'ignorai. Je ne me sentais pas d'humeur badine. Ce portail supplémentaire présageait de nouveaux ravages à contrecarrer, et les profondeurs n'étaient pas un parc d'attractions panoramique pour âmes désincarnées. Non. Il y avait là-bas des créatures capables d'avaler votre âme entière et d'en recracher une coque vide et noircie.

Je passai devant lui en faisant signe à ma sœur.

— Tu prends le côté droit du couloir et moi le gauche. Contente-toi de glisser un œil dans les pièces et de claquer la porte si quelque chose tente de sortir. Que tout le monde reste sur ses gardes. Nous ne savons pas ce qui nous attend. Ça pourrait très bien être un esprit démoniaque.

Vanzir frissonna.

— Ouais, c'est possible. Je suis un chasseur de rêves et ces trucs-là me fichent une frousse bleue. Certains d'entre eux absorbent toute l'énergie psychique qui se trouve sur leur chemin. Camille et Morio feraient mieux de se tenir prêts à courir. Si vraiment c'est un esprit démoniaque, quoi que vous fassiez, ne le laissez surtout pas vous toucher.

— Pourquoi ? dit Camille en frémissant.

— Parce que ça leur permet de s'arrimer à ton mental et crois-moi, c'est l'enfer après pour les en déloger. C'est comme ça qu'ils se nourrissent. Un peu comme des sangsues, quoi. À la différence qu'ils sont nettement plus futés que celles qui vivent dans les marais. Et beaucoup plus dangereux.

Je levai la main.

— Dans ce cas, Roz, tu prends la place de Camille. (M'adressant à elle :) Je ne veux pas que Morio et toi soyez devant. Reculez un peu. Je ne prendrai pas le risque de vous perdre. (Ma sœur commençait à protester. Je la fis taire d'un geste.) Écoute-moi bien : tu nous es plus précieuse vivante que morte. C'est clair ?

Elle me sourit.

— Limpide, mon général ! OK. Pendant qu'on attend, Morio et moi pourrions joindre nos forces pour tenter de découvrir ce qu'il en est. Si c'est un esprit démoniaque, peut-être qu'il sentira notre énergie et qu'il se montrera. Tiens d'ailleurs, comment est-ce qu'on les tue ?

Vanzir leva les yeux au ciel.

— Je commence vraiment à me demander si vous y connaissez quoi que ce soit aux démons ! dit-il en soupirant. (Devant la vacuité de nos expressions, il reprit :) En dehors du fait que vous voulez tous nous tuer, j'entends. Très bien. Il est possible d'anéantir un esprit démon, mais la plus mauvaise façon de procéder, c'est d'utiliser la magie. Les sorts sont comme des douceurs pour eux. Comme du carburant.

L'argent est efficace, bien sûr. Un coup porté sur le plan physique les affecte aussi psychiquement. Par ailleurs, une sorcière expérimentée peut leur tendre un…

— Bon sang, mais c'est bien sûr ! l'interrompit Morio en claquant des doigts. Un sortipiège ! S'ils y pénètrent, l'énergie crée une barrière qu'ils ne peuvent pas absorber, et qui les retient captifs. C'est un peu comme quand un tisse-leurre accroche sa toile à celle d'une araignée.

Je le regardai.

— Des araignées, hein ? Je ne veux même pas y penser !

Morio me renvoya un grand sourire.

— Le sujet te rend un peu nerveuse, je crois ?

Je frissonnai. Quelques mois auparavant, nous avions affronté une bande d'araignées-garous – des Hobo, qui plus est. Je flippais encore chaque fois que je voyais un arachnide galoper sur le plancher. Heureusement, le sort répulsif que le technomage de la reine Asteria avait lancé sur la maison faisait encore son œuvre. Sa majesté savait choisir ses collaborateurs.

— Ouais, répondis-je. Et alors, c'est quoi un tisse-leurre ? Je n'en ai jamais entendu parler. On n'en a pas, en Outremonde.

— Ils ne sont pas non plus endémiques de la Terre, fit Flam. En fait, personne ne sait d'où ils viennent. J'ai toutefois entendu dire qu'on en trouve dans les tumulus des Fae les plus anciens.

— Exact, continua Morio. Le tisse-leurre se nourrit d'araignées. Cela ressemble à un croisement entre un mille-pattes et une mante religieuse. En général, il tisse sa toile autour de celle de sa victime, en imitant le motif, puis il attend. L'araignée, le croyant pris à son piège, s'empresse d'aller le croquer, mais au moment où elle pose la patte sur l'autre toile, paf, elle est collée.

Camille s'adossa au mur.

—Alors le sortipiège est comme cette toile. Il ressemble aux formes d'énergies que l'esprit peut absorber, mais une fois au milieu, il découvre qu'il ne peut ni la toucher, ni s'enfuir. En somme, ça en fait une proie facile.

—Tu as tout compris, la félicita-t-il. Après quoi, il ne reste plus qu'à le cueillir.

—Tu saurais faire ça? lui demanda-t-elle, songeuse, en fronçant les sourcils. Je crois que j'ai une vague idée de la marche à suivre, mais pour rien au monde je ne me fierais à mes pouvoirs, sauf si je sais exactement quoi faire, et encore! Je serais sous alerte rouge.

Le *Yokai* soupira.

—En théorie, oui, j'en suis capable. Mais j'aurais besoin de ton aide. On ne peut pas le poser ici, au milieu du couloir, ni le lancer quand on est en mouvement. Nous devons trouver un coin tranquille où je puisse me concentrer.

—Dans le salon? proposa ma sœur en lançant un coup d'œil vers l'arche. On pourrait remettre le rideau pour que nos potes les effrayants trouvent l'endroit plus à leur goût.

Il hocha la tête.

—Allons-y.

—Eh, attendez une seconde! intervins-je en secouant vigoureusement la tête. Personne ne va nulle part sans le consentement du groupe! On ne sait même pas si c'est bien un esprit démoniaque. Et si vous vous trompiez? Et si c'était quelque chose qui décidait de vous prendre à revers pendant que vous êtes concentrés sur l'élaboration du piège?

—Et si nous avions raison, et que c'était le seul moyen de combattre cette créature? rétorqua ma sœur.

Un coup sourd vint soudain mettre un terme à nos chamailleries.

—Oh, merde, qu'est-ce que c'est que ça? demandai-je en me retournant.

Au même moment, un second coup fit trembler la dernière porte du couloir. De toute évidence, l'autre, derrière, n'était pas un gringalet. Je remarquai alors le cadenas posé sur la porte.

—La serrure a l'air faiblarde, dis-je. M. Barouf là-bas n'est peut-être pas si fort que ça…?

—Ne vend pas la peau de l'ours avant de l'avoir tué, chaton, me conseilla ma sœur. Elle est renforcée par un sort.

Ah, crotte! Dans ce cas, nous n'avions aucun moyen de deviner ce qui se trouvait derrière. En tout cas, ça voulait sortir, et à en juger par la façon dont le bois se fendillait autour des gonds, son vœu n'allait pas tarder à s'exaucer. Je me rapprochai de la porte.

—Venez! Il va bientôt se libérer. Tenez-vous prêts.

Roz et moi nous postâmes à l'avant, en laissant assez d'espace entre nous pour que Camille et Morio puissent lancer leurs sorts.

—Euh, d'ailleurs, repris-je. À quoi ça ressemble, un esprit démoniaque?

Un kriss à poignée d'os apparut dans la main de Vanzir. Je grimaçai. Ce machin-là devait laisser de vilaines cicatrices, s'il ne tranchait pas net le membre qu'il frappait.

Voyant mon expression, il renifla d'un air de mépris.

—Quoi, tu t'attendais que j'utilise une jolie petite dague ciselée en argent? Je suis un *démon*, fillette, même si je n'en ai pas l'air. Il va falloir que tu t'y fasses.

Je rencontrai son regard. Ses yeux, tourbillonnant comme un kaléidoscope de couleurs, se teintèrent de dureté et de sauvagerie. Chaque fois qu'ils faisaient ça, je tremblais comme une feuille.

—Contente-toi de répondre à ma question, rétorquais-je en élevant la voix pour couvrir les coups répétés qui résonnaient dans le hall.

Soit le gardien de notre ami frappeur était allé se dégourdir les jambes, soit il lui adressait un laïus d'encouragement avant de le lâcher sur nous.

—D'ac. La plus sûre façon de distinguer un esprit démon d'un fantôme, c'est qu'il a des yeux brillants de la couleur des flammes. Il présente aussi un trou, de la taille d'un petit melon, à l'emplacement du cœur. En fait, c'est un vortex. Ça ressemble à un banc de brume tournoyant. C'est par là qu'il tète l'énergie. Des tentacules en sortent pour s'agripper à l'aura de sa victime. Oh putain, il était costaud, celui-là ! s'écria-t-il en sursautant après un coup particulièrement violent.

La créature allait se libérer d'un instant à l'autre. Je songeai brièvement à faire sauter le cadenas pour qu'on en finisse, mais comment savoir s'il n'était pas piégé ? Et puis, pour cela, il faudrait que je m'approche, et je me retrouverais en pleine zone de tir. Non. Mieux valait laisser la montagne venir à nous.

Camille n'était manifestement pas de cet avis. Elle se dirigea vers la porte.

—Allez, débarrassons-nous de ça !

—Reste où tu es ! ordonnai-je. (Elle se retourna vers moi.) Écoute, je suis un chat-garou, pas vrai ? (Hochement de tête.) On sait quand il faut bondir et quand il faut attendre. Sois patiente. Je sais que c'est dur, mais crois-moi, mon instinct me dit de ne pas attaquer les premiers. Il y a sûrement une bonne raison pour que personne ne lui ait ouvert en nous entendant arriver.

En le disant, j'en fus convaincue. Ce truc, derrière la porte, était si mauvais que même son gardien rechignait à le fréquenter de trop près. Je lançai un coup d'œil à Vanzir.

— Tu es sûr que tu n'as rien vu hier, en espionnant ?

Il secoua la tête.

— Je savais que des miasmes malsains imprégnaient cet endroit, mais je n'imaginais pas rencontrer quoi que ce soit de ce genre. Je pensais qu'on devrait affronter une poignée de vénidémons et leur gardien, moi, termina-t-il en bougonnant.

Je vis bien qu'il se reprochait son manque de préparation. Donc, il devait dire la vérité. D'ailleurs, son serment l'empêchait de nous conduire intentionnellement dans un piège. S'il avait menti, il serait déjà mort. Son collier symbiote lui aurait broyé la trachée.

D'un seul coup, la porte céda sous les coups de la créature qui débola dans le couloir. Nous reculâmes en bloc. La chose devait bien mesurer dans les deux mètres quinze, sans compter ses trois têtes, aux babines retroussées sur d'énormes crocs étincelants, qui lui donnaient un air de rottweiler mutant. Lorsqu'elle nous aperçut, une de ses gueules poussa un glapissement strident.

— On ne passe pas ! ordonna la deuxième, tandis que la troisième grognait.

— Un cerbère ! m'écriai-je.

Brusquement tiraillée entre mon côté chat qui me hurlait de fuir, et Panthère qui brûlait de lacérer l'ennemi, je dus me faire violence pour ne pas me transformer.

— Merde, fit Morio, lâchant immédiatement son sac. J'y vais sous ma vraie forme. Aucun de mes sorts n'aura d'effet sur lui.

— Eux non plus n'aiment pas le froid ! cria ma sœur alors qu'il se transformait.

En un éclair, Flam passa devant elle et se jeta sur le monstre pendant que je reprenais péniblement le contrôle de moi-même. D'une main aux ongles devenus serres, il frappa le chien tricéphale, en parvenant à peine à lui égratigner le dos. Comme il reculait pour éviter d'être mordu, je levai ma dague et m'élançai.

La tête de gauche, celle qui nous avait ordonné de nous arrêter, fit claquer la mâchoire dans ma direction. Je parvins de justesse à éviter ses canines acérées.

—Tu feras un excellent repas pour mes petits! se réjouit-elle en éclatant de rire.

—Ne sois pas si pressé, face de caniche!

Je m'apprêtais à attaquer quand j'aperçus Morio. Sous sa forme native, il mesurait dans les deux mètres cinquante. Ses yeux dorés brillaient comme des topazes, et son corps se couvrait d'une légère fourrure duveteuse couleur de cuivre poli. À ce stade, son visage était encore plus ou moins reconnaissable, hormis son nez qui, s'allongeant, se transformait en truffe humide et noire. De la fumée lui sortait par les narines. Il ouvrit la bouche, révélant une rangée de dents brillantes et pointues comme des aiguilles. Le démon renard gardait des pieds et des mains humains, malgré leur pilosité rousse et leurs griffes bombées. Un sexe de la taille de mon godemiché préféré lui pendait lourdement du bas-ventre.

—Oh putain! J'aimerais bien savoir faire *ça*! s'écria Vanzir, en balançant son arme vers l'arrière-train du monstre, qu'il effleura du bout de la lame.

Le cerbère se dressa sur ses pattes arrière pour accueillir Morio. Ma sœur poussa un petit cri et s'élança, arme brandie, dans un tourbillon de jupes.

J'en profitai pour m'accroupir et rouler jusqu'aux pieds de la créature, pour lui assener un grand coup à l'arrière du genou. La tête de droite hurla tandis que je m'éloignais d'une autre roulade. Je me relevai à temps pour découvrir le *Yokai* et le cerbère engagés dans un combat de titans. Le chien faisait à peu près la même taille que le renard. Ils devaient être de force égale.

—Hors de mon chemin, fillette!

Flam me poussa pour balancer un grand coup de griffe sur le flanc de l'ennemi. Des cinq rayures écarlates et sanglantes, le sang goutta, fumant, et consuma le bois du parquet sur lequel il tombait, en laissant derrière lui des auréoles noires.

—C'est de l'acide! criai-je en pivotant pour chercher une issue.

Camille poussa un petit cri et bondit en arrière. Sa main fumait. Elle lâcha son arme en se pliant en deux.

—Bon sang, c'est pire que de l'argent! gémit-elle.

Alors que le cerbère se retournait vers elle, Flam émit un grondement sourd qui fit trembler le hall. D'un seul mouvement, nous reculâmes, à part Morio, qui s'élança pour entraîner ma sœur hors du chemin. Le dragon avait atteint le point de non-retour.

Il rejeta la tête en arrière, sa longue tresse s'enroulant autour de ses épaules comme un serpent d'argent. Ses yeux prirent la teinte et l'apparence des glaciers et des toundras depuis longtemps oubliées du soleil. Il leva les bras, et entonna une incantation aussi incompréhensible que prégnante.

En quelques secondes, la température tomba à moins un. Les mains de Flam vibraient, ses griffes luisaient telles des stalactites. Soudain, il attrapa la tête du milieu, et, les traits déformés par la fureur, se mit à gronder en la transformant peu à peu en bloc de glace, qui bientôt explosa.

Les deux têtes restantes poussèrent un cri, de surprise ou de douleur, je l'ignore, et le cerbère recula. L'acide gelé faisait comme un petit lac sur son moignon central. Mais lorsque Flam se mettait en colère, il le restait jusqu'à ce que l'objet de son courroux plonge tête la première vers l'oubli, ou qu'il estime avoir fait suffisamment de dégâts. C'est au moins une des choses que nous avions apprises à son sujet. Et si, en plus, on faisait du mal à Camille, alors il n'y avait plus moyen de l'arrêter.

Le dragon fondit sur le chien dans un tourbillon argentin, mais s'arrêta juste devant lui en éclatant de rire. Les yeux plissés de plaisir, il entreprit de l'éviscérer.

Le cerbère hurla une dernière fois alors qu'un nuage de fumée lui sortait par le ventre, et dans une brusque explosion de cendres et de sang, il disparut.

Je regardai l'endroit où il se tenait jusqu'alors, puis me tournai vers Flam. La joie de la bataille, l'enchantement avaient quitté son visage aussi vite qu'ils y étaient passés. Il s'élança vers Camille, que je m'empressai de rejoindre à mon tour.

Assise par terre, elle serrait les dents en laissant le démon renard palper doucement la plaie. L'acide avait brûlé une petite partie de sa main jusqu'à l'os.

—Là, là. Ça va aller. Ça va aller, lui dis-je, pendant que Flam lui caressait les cheveux.

—Putain! Je suis désolée, me répondit-elle en chassant ses larmes de colère d'un mouvement de la tête. J'ai raté mon coup, et ma main a atterri droit sur sa blessure!

—Tu ne peux pas continuer dans cet état! On reviendra un autre jour…

Elle secoua la tête.

—Non! Il ne faut pas les laisser se regrouper! Trouve-moi juste un truc pour panser ça et je resterai en arrière. (Elle lança un coup d'œil à Roz qui farfouillait dans son manteau.) Tu as encore de ce baume que tu trimballes partout?

Il leva une petite fiole.

—Le voilà, confirma-t-il en versant l'équivalent d'une bonne cuillerée sur la lésion. Ça évitera que ça s'infecte et que ça te fasse trop mal, pour l'instant. Évite juste de te salir, si tu peux.

Tirant alors un rouleau de gaze d'une autre poche, il entreprit de lui bander la main.

— Un arsenal ambulant doublé d'une infirmerie, fis-je, sans pouvoir m'empêcher de sourire. Eh ben ! Un jour j'aimerais bien voir tout ce que tu caches sous ce manteau !

Il me regarda longuement.

— Tout ? répéta-t-il d'une voix douce, avec un petit sourire.

— Oh, lâche-moi ! Tu sais très bien ce que je voulais dire ! (Je soupirai. Incube un jour, incube toujours. Enfin, heureusement, il était de notre côté.) OK, repris-je, changement de programme ! Camille, à l'arrière avec Flam. Personne ne te protégerait mieux que lui si on devait tomber sur une autre sale bête. Morio, à l'avant avec moi. Roz et Vanzir au milieu.

Le chasseur de rêves indiqua la porte défoncée par laquelle le cerbère s'était échappé.

— D'accord, mais je crois qu'on a trouvé notre nid. Quelque chose me dit que c'est la porte qui mène à la cave. Je sens très nettement l'énergie démoniaque flotter dans l'escalier.

Faiblement éclairées par une ampoule de vingt-cinq watts au plus, les marches s'enfonçaient dans des ténèbres dont s'élevait une odeur de fiente, de lait caillé et de viande avariée.

— La vache, c'est ignoble ! Mon estomac est déjà bien assez sensible comme ça ! hoquetai-je en m'approchant. Bon, bah, je présume qu'on descend ?

Vanzir hocha la tête et me tendit un balai qu'il avait trouvé dans un coin.

—Tu devrais peut-être tâter le terrain en descendant. Au cas où il y aurait un piège, ou une marche cassée. On n'a vraiment pas besoin que tu te brises la nuque en tombant.

Sur cette pensée réconfortante, je m'engageai sur le palier.

CHAPITRE 5

M a dague dans une main et mon balai dans l'autre, je tapai prudemment la première marche du bout du manche. La lumière vacilla. La vieille ampoule était sur le point de mourir. Je lançai un coup à Morio, qui progressait derrière moi.

—Est-ce que tu aurais un sort de lumière magique, au cas où ça s'éteindrait? demandai-je. Je n'aimerais pas... plonger dans des eaux sombres, pour ainsi dire.

En vérité, je n'avais aucune envie de descendre. D'une part, je m'inquiétais pour Camille. D'autre part, l'idée de m'attaquer à des bébêtes grouillantes ne me disait rien du tout – surtout depuis notre rencontre avec le clan des chasseurs de la lune. Pour finir, j'avais faim. Mon estomac grogna d'ailleurs, comme pour souligner cette pensée. Je l'ignorai.

Morio hocha la tête.

—Oui, j'ai mon feu du renard. Mais si la lumière s'éteint, vous devrez tous vous immobiliser sur-le-champ. J'avoue avoir quelque difficulté à jeter un sort en dévalant un escalier sur les fesses.

—Bien vu. (Je me raclai la gorge et coulai un regard par-dessus mon épaule.) Allez, quand faut y aller...

Je posai le pied sur la première marche, qui émit un léger craquement, sans plus. Prenant ma respiration, je frappai la suivante. Puis la troisième. La quatrième. J'allais toucher la suivante lorsque la lumière s'éteignit. L'ampoule avait rendu l'âme.

—Ne bougez plus, ordonna Morio dans l'obscurité.

J'avais l'impression de me tenir au bord d'un gouffre. L'escalier comptait plus d'une quinzaine de marches, car c'est ce que j'avais pu en voir quand la lumière vacillait encore. Une autre porte nous attendait peut-être en bas, ou un couloir, voire un garde rôdant dans les ténèbres. J'essayai de me projeter mentalement vers le pied de l'escalier, pour tenter de sentir le danger, mais mes sens paraissaient étouffés par leur propre exaltation.

Morio cria. Une lumière verte, phosphorescente, s'alluma au bout de la baguette d'une trentaine de centimètres qu'il tenait à la main, éclairant le gouffre obscur. C'était un peu mieux que l'ampoule, malgré la lueur irréelle qui nimbait toute chose. Je grimaçai en repensant aux films d'horreur de fins de programmes que j'imposais à Menolly de regarder avec moi. Ce que nous affrontions ici était dix fois pire, bien sûr, mais l'image de jeunes filles descendant, sans un brin de protection, dans des tombeaux enfouis, restait scotchée dans ma tête.

Je descendis les dix marches suivantes en les tapant une à une, et fus obligée de baisser la tête en passant sous un croisillon de poutres qui formait un petit surplomb. J'étais la plus grande du groupe, derrière Flam, et Morio sous sa forme démoniaque. Roz avait cinq centimètres de moins que moi. Vanzir et Camille étaient encore plus petits.

—Attention, poutres devant. Faites gaffe à vos têtes.

Je me baissai pour en éviter une autre. Une toile d'araignée suspendue me chatouilla la nuque. Surprise, je lâchai un petit cri.

—Ah putain, des araignées ! Qu'est-ce qu'elles fabriquent ici ? Je les déteste !

Pour tout dire, je commençais même à friser l'arachnophobie.

—Quel genre de toile ? appela Camille.

—Le pire, grimaçai-je. Ouvrez l'œil, et le bon. On dirait que des Hobo traînent dans le coin.

Morio grogna.

—Oui, c'est le genre d'endroit qu'elles affectionnent. Je croyais pourtant que nous avions détruit la majeure partie du clan des chasseurs de la lune…

Bien sûr, nous aurions voulu éliminer toutes les araignées-garous lors de ce combat, mais certaines avaient sans doute réussi à s'enfuir, et elles n'étaient probablement pas très contentes après nous.

—On ne peut pas en être sûrs, répondis-je. Restez vigilants, un point c'est tout.

À mesure que nous nous enfoncions dans les régions inférieures de la cave, d'autres marches apparurent. Enfin, après deux mètres supplémentaires, nous aperçûmes le bas de l'escalier, ainsi qu'une porte, qui jouxtait une niche. De cette distance, je sentais déjà une odeur de viande pourrie en émaner. Elle avait juste la bonne taille pour accueillir le cerbère. À en juger par l'épaisse chaîne d'argent qui traînait sur le sol, celui-ci devait faire office de chien de garde. Les maillons étaient gros et solides, comme neufs. Quelqu'un avait dû lâcher le monstre sur nous, sans prendre le temps d'ouvrir la porte du haut. Manifestement, il effrayait même ceux qu'il était censé protéger.

La porte semblait solide. Alors que je prétendais continuer ma descente, son énergie vint me frapper en plein visage. Enfer ! Une sorte d'alliage de fer entrait dans sa composition, en quantité un peu trop grande pour notre confort général.

— Merde, de l'acier. Je ne peux pas la toucher. Camille non plus. Et toi, Morio ?

Je m'immobilisai sur ma marche. Hors de question d'aller plus loin tant que nous n'aurions pas décidé quoi faire.

Le *Yokai* regarda la porte.

— Je ne devrais pas avoir de problème, dit-il. Et toi, Flam ?

— J'aimerais voir le morceau de fer capable de m'arrêter ! répondit celui-ci d'une voix sourde.

Je le dévisageai un instant.

— Tu es vachement sûr de toi, quand même.

Il me renvoya un regard glacé.

— Douterais-tu de moi ?

Marche arrière, toute !

— Non, non… Pas du tout. (Qu'il soit le mari de Camille ne l'empêcherait pas d'écrabouiller du chaton, voire du gros félin, et je ne souhaitais pas mettre sa patience à l'épreuve. Énervée par tous les événements du jour, je me tournai vers Roz :) Et toi ?

— Je n'aime pas ça, c'est clair. Mais ce n'est pas encore cette fois que je finirai grillé.

Sur ce, il me dépassa pour aller étudier la serrure.

Je regardai Vanzir, qui hocha la tête.

— Les démons aiment le fer. En fait, on s'en sert même beaucoup dans les Royaumes Souterrains. Autant que du plomb et de l'uranium.

— Quoi ? s'étrangla Flam. Vous possédez de l'uranium ?

Vanzir haussa les épaules.

— Ouais. C'est une drogue. Son énergie nous correspond bien. Enfin, elle ne me manque pas tant que ça, à moi. La plupart de mes congénères sont immunisés contre ses dangers, mais d'autres deviennent complètement accros. Et nos sorciers ont même réussi à en invoquer les élémentaires.

Je clignai des yeux. Des élémentaires d'uranium ? Pile poil ce qu'il nous fallait sur Terre, ça : une bande d'entités givrées lâchées dans la nature qui empoisonnent tout le monde !

— C'est charmant, fis-je.

Soudain, Roz se releva.

— Je peux faire sauter la porte, annonça-t-il.

— La maison ne risque pas de s'écrouler sur nous ? m'enquis-je.

Décidément, cette journée s'éclairait un peu plus à chaque instant !

— Pas si j'utilise la juste quantité d'explosifs. Par contre, je vous conseille de vous tourner. Il risque d'y avoir de la fumée, voire de petits éclats. D'ailleurs, vous feriez peut-être même mieux de remonter un peu dans l'escalier. (Ouvrant son manteau, il en tira deux fioles remplies de poudre, rouge pour l'une, noire pour l'autre.) Poudre de myocine et composé d'alostar, expliqua-t-il en suivant mon regard.

Je fis immédiatement signe aux autres de se retrancher dans l'escalier.

— Remontez au moins jusqu'à la moitié, ordonnai-je en poussant Morio.

La poudre de myocine et son comparse, le composé d'alostar, étaient fabriqués par les nains des montagnes Nebelvuori d'Outremonde. Ils avaient tous les avantages de la poudre à canon. Mélangés dans les bonnes proportions, ils devenaient extrêmement volatiles. Un simple coup de crayon pouvait tout faire péter.

Je me souvenais encore du nain unijambiste que j'avais vu lorsque j'étais enfant. Il devait cette infirmité à une mine antipersonnel en myocine, dont les gobelins se servaient dans leur croisade contre eux. Peu après, les petits êtres s'étaient lancés à la chasse au crâne de brute, lesquelles avaient très vite renoncé à envahir leurs terres. Aujourd'hui, les mines servaient d'explosifs dans les carrières.

—Ça alors! Où est-ce que tu as bien pu trouver ça? s'écria Camille, qui s'appuya aussitôt contre Flam en grimaçant.

De toute évidence, elle souffrait le martyre. Mais je savais qu'elle refuserait de partir tant qu'on n'en aurait pas fini.

—Je les ai achetés à Terial, dans une petite boutique de produits de minage. On y trouve tout ce qu'il faut pour jouer les spéléologues. (Il éclata de rire en lui lançant un regard brûlant.) J'adore explorer de nouveaux tunnels, si tu vois ce que je veux dire… (Flam se hérissa. L'incube baissa les yeux.) Heu, enfin, peu importe.

—J'aime mieux ça, commenta le dragon en se détendant légèrement.

Il s'assit sur les marches et attira Camille sur ses genoux. Les traits plissés par la douleur, elle posa la tête sur son épaule.

Roz glissa encore quelques grains de poudre noire dans la serrure, puis il ajouta une pincée de l'autre avec mille précautions. Enfin, il tira de son manteau une baguette de la taille d'un crayon, qu'il déploya d'un geste de la main. Fine, mais solide, elle mesurait environ un mètre vingt. Il recula vers les marches et tendit prudemment le bras en visant la serrure.

—Ah, d'accord! dis-je. Je comprends ce que tu fais.

—Oui, eh bien, je vous conseille fortement de vous retourner. Mieux vaut éviter de regarder par là lorsque ça va péter, répondit-il, en se contorsionnant à moitié pour se tourner vers les marches.

Nous perçûmes un frottement métallique, puis un silence profond suivi d'une explosion retentissante qui remplit l'escalier de fumée noire et poisseuse.

Je me retournai en toussant.

— Euurk! C'est dégueu!

Une espèce de limon graisseux recouvrait nos vêtements, mais la porte était entrebâillée. Je lançai un coup d'œil à Flam. Impeccable, comme toujours.

— La vache, mais comment tu fais? m'écriai-je.

— Faire quoi? répondit-il d'un air perplexe.

— Ça, ton manteau, ton jean, ta chemise…! Tu ne te salis jamais! Tu n'as jamais la moindre tache de boue, de crasse, ou d'huile, apparemment! Bon sang, mais c'est quoi ta lessive? (Je baissai les yeux vers mon jean, désormais plein de charmantes auréoles.) Je veux la même!

Il se contenta de sourire en aidant ma sœur à se relever, et l'aida à descendre les marches.

— Peux-tu me dire pourquoi personne ne s'est jeté sur nous? me demanda-t-il en se rembrunissant. On a fait plus de bruit qu'une bande de pillards et de violeurs débarquant de leur drakkar.

— Euh, rappelle-moi ce qu'a fait le cerbère…? commençai-je.

Mais Vanzir secoua la tête et leva une main.

— Non, il a raison, dit-il. Et je ne vois qu'une seule réponse : parce qu'il n'y a plus personne pour nous arrêter, à part l'espèce de spectre ou de revenant qui veille sur les vénidémons en train d'éclore. En fait, je dirais même qu'on se dirige tout droit vers une nursery. Je vous parie qu'ils comptaient sur le cerbère pour arrêter tous ceux qui prétendraient passer. (Il étudia le couloir qui s'étirait derrière la porte.) L'énergie démoniaque court ici comme une rivière en crue.

Camille ferma les yeux, et frissonna.

— C'est vrai. Elle est partout. Elle ondule comme une vague.

— Dans ce cas, on ferait mieux de se bouger. Si tu as raison, continuai-je en regardant le chasseur de rêves, les mouches démoniaques et leur protecteur nous attendent à deux pas d'ici.

— N'oubliez pas qu'ils sont dangereux, même s'ils viennent de naître. Les larves ne peuvent peut-être pas encore injecter leurs œufs, ça ne les rend pas inoffensives pour autant. Ceux qui maîtrisent la magie du froid devraient passer en première ligne avec toi, Delilah.

— Je refuse de laisser Camille sans protection, rétorqua Flam.

Morio se retourna vers lui.

— On a besoin de toi. Ne t'inquiète pas, je veillerai sur elle. (Voyant que le dragon hésitait encore, il ajouta :) Je suis son mari, moi aussi. Tu sais bien que je donnerais ma vie pour la protéger.

Camille lâcha un long soupir.

— Allez, ne fais pas ta tête de cul ! Passe à l'avant avec Delilah. Morio pourra très bien me défendre. (Flam demeurant inflexible, elle continua :) Tout ira bien. Je ne suis pas assez bête pour monter au front dans mon état, mais je ne vais pas non plus tomber dans les pommes ! La main me brûle. Ce n'est pas l'agonie.

Flam haussa les épaules d'un air résigné en échangeant sa place avec Morio.

— « Tête de cul » ? murmurai-je en lui souriant de toutes mes dents.

Il renifla.

— Qu'est-ce que tu veux que je dise ? Tu connais ta sœur.

Soudain, je regrettai terriblement que Chase ne soit pas là. Le côté réconfortant, habituel, de notre relation me manquait. Je me mordis la lèvre. Tous les couples passaient par des moments difficiles. Je l'avais appris en observant Camille et ses hommes. Pourtant, d'un seul coup, je lui enviai ses manières faciles et sa confiance en elle. Moi, je n'avais pas la moindre idée de ce que je faisais. Je m'appliquais, vraiment, mais je découvrais encore à peine la vie à deux.

D'ailleurs, j'apprenais à peine à me connaître ! Notre rencontre avec le seigneur de l'automne avait complètement chamboulé mon univers, et depuis, les règles semblaient changer chaque fois que je tournais le dos. Enfin, une chose en tout cas était sûre : dès qu'on aurait réglé cette affaire de vénidémons, Chase et moi allions avoir une sérieuse discussion – notamment à propos d'Erika.

Je secouai la tête, frustrée, et me retournai vers les autres.

—On est prêts ? (Hochement de tête général.) OK, alors c'est parti.

Vanzir nous laissa passer devant lui en nous tenant la porte. Puis il la referma doucement et me rejoignit à l'avant.

Le couloir dans lequel nous nous faufilions était noir comme de l'encre, mais le feu magique de Morio nous permettait de voir qu'il tournait vers la droite. Je m'aperçus bientôt qu'il ne s'agissait pas d'une cave ordinaire. Elle ressemblait plutôt à un réseau de tunnels, apparemment ajoutés longtemps après la construction de la maison elle-même. Cela signifiait sans doute qu'un éclaireur de l'Ombre Ailée avait acheté les lieux afin de les transformer en planque pour que leurs espions puissent y faire… euh, leurs trucs.

Les murs, ici, étaient humides et luisants de moisissure. Malgré la fraîcheur du tunnel, je sentis une source de chaleur quelque part à l'avant. En atteignant le coude du passage, je fis signe aux autres de s'arrêter pendant que je glissais un œil derrière le mur.

Le couloir se terminait quatre mètres plus loin sur une porte de fer. Les températures, ici, semblaient nettement plus élevées. Je repris ma route, les autres sur les talons.

Vanzir posa la main sur la surface d'acier. Je grimaçai, par réflexe, mais ce contact ne semblait effectivement pas le gêner outre mesure.

— Les vénidémons sont là, expliqua-t-il.

— Roz, tu vas devoir nous faire entrer. Soyez tous sur vos gardes quand nous rencontrerons le gardien. Un simple fantôme ne nous aurait pas fait cet effet ; ça doit être autre chose. Sachant où donne probablement le portail qu'on a là-haut, il y a des chances pour que cette créature ne soit pas jolie jolie. Pas plus que le cerbère, qui venait sans doute des profondeurs, voire des Royaumes Souterrains…

Roz lança un coup d'œil à Flam.

— Il y a bien un moyen de les prendre par surprise, mais je ne suis pas sûr que Flam y consente. Pour ma part, je serais disposé à tenter le coup… Mais une fois de plus, nous n'avons aucun moyen de savoir où nous mettons les pieds.

— Qu'est-ce que tu veux dire ? De quoi est-ce qu'il parle ? demandai-je, confuse, au dragon.

Il posa sur l'incube un regard glacial.

— C'est une plaisanterie, j'espère ? Nous ignorons ce qui se trouve derrière cette porte. Nous pourrions très bien les précipiter dans un lac de lave ou un nid de larves qui les attaqueraient à l'instant.

Camille s'étrangla.

— C'est donc comme ça que tu fais pour te déplacer si vite ! dit-elle à Roz. Je savais pour Flam, mais toi… Comment peux-tu…

—Ça suffit, coupa le dragon. Nous n'allons pas le tenter, alors n'en parlons plus. (J'ouvris la bouche, mais il secoua la tête.) Garde tes questions pour plus tard. Rozurial, occupe-toi de cette porte. Si tu ne le fais pas, j'aurai moi-même raison de cet obstacle.

L'intéressé le regarda en secouant la tête.

—Tu as les chevilles qui vont exploser, mec. Ça va ! Laisse tomber ! ajouta-t-il alors que Flam faisait mine de passer à l'action. Je m'en occupe, c'est bon ! Y a pas de souci.

Sur ce, il tira de nouveau de ses poches les flacons de poudre de myocine et de composé d'alostar.

—Tu m'as caché des choses ! murmurai-je à Camille. Tu voudras bien me raconter tout ça un peu plus tard ? Je veux dire, si tu arrives à t'arracher à Groucho et Chico, là.

—Oui, bien sûr. C'est juste que nous n'avions encore jamais mis le sujet sur le tapis. (Soudain elle grimaça en se tenant la main.) Putain, ça fait mal ! Je n'ai qu'une envie, me débarrasser de ces bestioles et dégager d'ici !

Je lançai un coup d'œil à Roz, qui reculait, baguette en main.

—Je pense que ce souhait est en passe de se réaliser. Formation : Flam et moi, Roz et Vanzir, Camille et Morio.

Là-dessus, l'explosion fit trembler le couloir.

—Poussez-vous, ordonna le dragon en ouvrant grand la porte.

À en juger par son intonation, il n'était pas là pour plaisanter. D'un seul mouvement, nous nous projetâmes de côté alors qu'une énorme bourrasque s'engouffrait avec lui dans la pièce. Dans un grincement sonore, l'air se chargea d'une lourde odeur d'ozone, tandis que des flocons de neige passaient la porte en tournoyant.

Je m'élançai après lui. Il devait avoir lancé une sorte d'attaque glacée, car une épaisse couche de neige et de givre recouvrait le sol, ensevelissant quelque chose comme une dizaine de nids épars, qui tous contenaient des vénidémons à divers stades de maturité. Ici, des larves grouillantes, semblables aux vers géants des profondeurs marines. Là, des adultes aussi gros que ma tête. Tous se déplaçaient avec une molle lenteur. J'en vis un ou deux battre des ailes, trop lentement toutefois pour parvenir à s'envoler.

Un frisson violent me parcourut. J'avais l'impression d'être entrée dans un congélateur. Flam devait avoir fait tomber la température à moins un, ralentissant ainsi efficacement les créatures. Mais pour combien de temps ? L'effet n'était sans doute que temporaire, mais pour l'instant, cela nous donnait l'avantage.

D'un coup d'œil circulaire, je découvris que nous nous trouvions dans une grande pièce aux murs d'acier, qu'éclairait une dalle de granit posée par terre au centre. La pierre brillait d'une lueur orangée. Si d'aventure j'y posais une main, celle-ci se transformerait instantanément en charbon rabougri. Le froid semblait l'avoir figée dans sa fonte. Elle luttait, crachotante, contre le gel environnant.

À côté, on avait creusé un trou peu profond, dans lequel s'entassait un méli-mélo de restes. Reliquats de quoi, ou de qui, je l'ignorais, mais une chaussure de tennis trônait là près d'un amoncellement d'os encore recouverts de bouts de chair un petit peu trop juteuse, et de lambeaux de muscles. Des morceaux de vêtements, et des ossements, bien mûrs pour certains, lisses et brillants pour d'autres, traînaient également çà et là. Je combattis le besoin subit de soulager mon estomac.

— Bon, bah j'ai plus faim, marmonnai-je.

Du coin de l'œil, je perçus un changement de luminosité. Je me retournai, dague dressée. Une silhouette d'homme se dirigeait vers nous. Il était presque invisible, et le deviendrait complètement s'il se mettait de profil. À la lueur hésitante du feu magique de Morio, je distinguai les contours fantomatiques d'un visage émacié, et sentis son regard inflexible et glacial braqué sur moi.

— Par la grande Bastet ! C'est un revenant !

Je murmurai rapidement une prière de protection à l'attention de la mère de tous les félins et reculai, en me cognant à Roz qui se tenait derrière moi.

Flam poussa un profond soupir.

— Le froid n'aura aucun effet sur lui. Au mieux, il risque d'apprécier ce changement de température.

Les revenants, entités rarissimes, hantaient plus fréquemment les profondeurs et la Terre que les ruines d'Outremonde, mais je savais les ravages qu'elles pouvaient causer. Leur seul contact provoquait une crise cardiaque chez les HSP. L'effet était, bien sûr, différent chez les Fae, mais les dommages restaient considérables.

— Qu'est-ce qu'on peut faire ? chuchota ma sœur d'une voix rauque de frayeur en quittant brièvement la créature des yeux pour regarder Morio.

Il la prit par sa main valide.

— *Reverente destal a Mordenta*, répondit-il.

Hochant la tête, elle joignit les pieds et glissa sa main blessée dans la poche de sa jupe. Je me demandai si elle cherchait la corne. Mais quand elle joignit sa voix à l'incantation que Morio entonnait doucement, je compris qu'ils préparaient un sort de magie de la mort.

Flam parut sur le point d'éloigner Camille de force. Je l'attrapai par la manche. Il se retourna vers moi en plissant les yeux. Je désignai l'ombre.

— Nous avons besoin de toute l'aide possible. Fais quelque chose, n'importe quoi ! Je n'ai rien. Je ne sers à rien contre ces trucs-là !

Roz fouillait frénétiquement dans son manteau. Le revenant se dirigeait vers moi. Vanzir s'interposa.

— Il me fera moins de mal qu'à toi, me dit-il par-dessus son épaule. Reste derrière moi.

Je soupirai en espérant que nous trouverions un moyen de nous débarrasser de l'esprit avant que les vénidémons aient vaincu le froid qui leur embrumait le cerveau. S'il fallait combattre tout le monde en même temps, ce serait un vrai désastre.

Flam suivit le doigt que je pointais vers un nid. Une mouche s'était dégagée de la neige et elle était quasiment dans les airs. Il secoua la tête.

— Je ne pourrai pas réutiliser ce sort avant quelque temps. La magie des éléments est usante, surtout sous ma forme humaine. Je l'attaquerai si elle vient par ici.

Il était nerveux. Je n'aurais jamais pensé qu'il puisse avoir peur de quoi que ce soit. Mais en le regardant, je compris qu'il s'inquiétait non pas pour lui-même, mais pour nous. Et *ça*, c'était franchement terrifiant.

D'un seul coup, Vanzir pivota et me poussa vers l'autre bout de la pièce. Je clignai des yeux. Qu'est-ce qui lui arrivait ? Je m'aperçus alors que le revenant s'en était pris à lui, ou plutôt, qu'il avait tenté de le contourner pour m'atteindre. Le chasseur de rêves tenta d'attraper l'ombre, et ses bras passèrent au travers. L'esprit l'esquiva rapidement pour reprendre sa traque.

Merde !! Je tentai de me calmer pour chercher une issue. Pourquoi s'intéressait-il autant à moi ? Qu'est-ce que j'avais de si spécial ? Flam se jeta sur lui en balançant sa main griffue, qui le traversa, inoffensive elle aussi. Soudain, je me retrouvai nez à nez avec la créature. Elle tendit la main vers moi. Camille cria, et tout devint confus. La pièce parut se creuser tandis que mon corps se tordait sur lui-même, adoptant de nouveaux os, muscles et tendons.

Je me retrouvai à quatre pattes, couverte de fourrure noire et soyeuse. Mon souffle, épais, se figeait dans l'air glacé de la pièce.

Et *il* se tenait derrière moi. Une couronne de feuilles d'érable roussies flamboyait à son front, et ses cheveux noirs comme le jais coulaient sur ses épaules. Ses yeux étaient tels que je m'en souvenais, comme deux diamants dans une tapisserie de velours noir. Sa cape, couverte d'un kaléidoscope de feuilles et de flammes, flottait autour de ses bottes noires. Du givre lui tombait des talons. Son odeur de poussière de cimetière, de vieux livres et de feux de joie m'envahit. Il resserra sa poigne sur une chaîne d'argent reliée au collier passé à mon cou.

Le seigneur de l'automne se tourna vers le revenant, qui trembla devant lui.

— Couche-toi, chien! ordonna-t-il d'une voix qui fit trembler la pièce. Mes fiancées ne sont pas pour toi et tes semblables!

Tandis que l'esprit reculait, je lançai un coup d'œil à mon maître. Il se pencha sur moi.

— Delilah. Chère, chère Delilah. J'ai une mission à te confier. Et je ne laisserai pas un pauvre spectre interférer.

Sur un éclat de rire éraillé, il agita une main, et l'ombre disparut avec un petit cri dans un tournoiement de couleurs.

CHAPITRE 6

Une mission? Les mots résonnèrent dans mon esprit embrumé par les arômes entêtants. Je sentis soudain que je me transformais. Quelques secondes plus tard, je me tenais devant le seigneur de l'automne dans un nuage de brume scintillante et de fumée. Je ne voyais pas les autres, mais je savais d'expérience qu'ils étaient toujours là, et que je me trouvais dans une dimension légèrement différente.

Une fois remise de mes changements de forme successifs, je regardai mon vis-à-vis. Les seigneurs élémentaires étaient, semblait-il, toujours grands, au point de dominer même quelqu'un de ma taille.

Je ne l'avais pas revu, à part en rêves, depuis mon combat contre Kyoka, un chaman diabolique de la tribu des araignées-garous vieux de plus de mille ans. Je m'agenouillai devant lui. Après tout, même si je ne l'avais pas choisi, il était mon nouveau maître, et le tatouage noir en forme de croissant de lune que je portais sur le front me le rappellerait à jamais. Nous étions liés. Je lui devais le respect.

— Je ne sais pas trop comment vous appeler, soufflai-je.

Il baissa les yeux vers moi. Une étrange lumière jouait sur son visage. Sous cet angle, je le trouvai beau. Sombrement séduisant. Je sentis mon souffle s'accélérer. Était-ce pour cela que ses fiancées de la mort, qui le servaient après leur décès, devenaient également ses épouses? Du charme, il en avait. Mais il était si… différent que je ne pensai même pas à me demander s'il était bel homme.

—Nul ne connaît mon nom, répondit-il. Il ne ressemble pas à ceux que vous portez. Mais je vais t'en donner un, que toi seule pourras utiliser pour t'adresser à moi. (Il se pencha. Ses lèvres frôlèrent mon oreille, provoquant un frisson de peur qui frisait l'excitation sexuelle.) Tu peux m'appeler Hi'ran, termina-t-il en passant un doigt léger sur mes lèvres.

La fraîcheur de sa peau déclencha une myriade d'étincelles dans tout mon corps. Je n'arrivais presque plus à respirer.

—Hi'ran, répétai-je, quasi hypnotisée par son contact.

J'entrouvris la bouche. Son doigt caressa l'intérieur de ma lèvre.

—Tais-toi à présent, et écoute : tu ne répéteras jamais ce nom. Ni aux vivants, ni aux morts, pas même à ceux qui marchent hors de la tombe. Il est ce qui te lie à moi, et ne peut exister qu'entre nous.

Tandis qu'il parlait, une fine brume apparut au bout de ses doigts pour se glisser entre mes lèvres. Un goût de fumée de cigare, de brandy et de feu crépitant roula dans ma bouche. Je l'aspirai, profondément. L'énergie coula dans tout mon corps, aiguisant mes sens. J'eus envie de lui tomber dans les bras, de sentir ses lèvres sur les miennes. Il était si déconcertant, et pourtant tellement séduisant… Mais alors la brume se fondit dans ma gorge et ma langue, et je sus que je ne pourrais jamais prononcer son nom devant personne, ni l'écrire, ou le transmettre par la pensée. C'était notre secret, et ça le demeurerait jusqu'à la fin de ma vie.

Soudain, il recula. J'ignorai s'il avait ressenti le même désir que moi, mais il promena lentement le regard sur mon corps avant de le reporter sur mon visage.

—J'ai un travail pour toi. Tu devras retourner dans ton monde pour aller chercher le croc de panthère dans la forêt de Darkynwyrd.

Le croc de panthère? Darkynwyrd? Je fronçai les sourcils. Ça n'avait plus l'air si amusant, après tout. Ces bois sauvages d'Outremonde abritaient quantité de bestioles peu recommandables. Ils ne figuraient pas sur ma liste de destinations fétiches.

—Qu'est-ce que c'est?

—La *panteris phir*, m'expliqua-t-il avec un doux sourire, est une herbe qui pousse uniquement dans les forêts d'Outremonde. Tu la ramèneras pour la planter dans ton jardin. Occupe-t'en, prends bien soin d'elle, et une fois par mois, à la nouvelle lune, fais-t'en infuser une tasse, et bois-la. À mesure que ton système s'y habituera, tu contrôleras de mieux en mieux ta transformation en panthère. (Il recula d'un pas.) Fais-le avant la prochaine nouvelle lune. Et souviens-toi, Delilah : tu es ma première émissaire vivante, et tu es liée à moi.

Sur ce, il disparut et je me retrouvai parmi mes compagnons, au beau milieu d'un combat contre les vénidémons. Camille, reléguée près de la porte, cria :

—Elle est revenue à elle!

J'ouvrais la bouche pour répondre lorsqu'un vrombissement s'éleva sur ma droite. Je pivotai et me retrouvai face à face avec un spécimen adulte, qui creusait déjà l'abdomen pour me braquer son dard sur la poitrine.

Putain de merde! Hi'ran avait peut-être éliminé le spectre, mais il nous croyait visiblement capables de nous occuper nous-mêmes des démons volants. L'heure de la baston avait sonné.

Tirant ma dague, je poussai un cri retentissant et l'abattis sur l'appendice qui fondait sur moi. Cette saloperie de bestiole était coriace. Je ne parvins pas à trancher net.

Toutefois la créature tomba sur le sol avec un cri strident. Je l'empalai sans tarder, comme on pique des papillons dans un cadre. Une de moins. Mais un coup d'œil circulaire m'apprit qu'il y avait bien d'autres candidates. Je me tournai à temps pour accueillir la suivante.

Du coin de l'œil, je perçus le sillage de bouillie d'entrailles qui marquait l'avancée de mes compagnons.

Flam traversait un nid de larves en déchiquetant la masse grouillante à coups de serres. Les vers hurlaient si fort que je fus presque sûre qu'on les entendait jusque dans la rue.

Mon adversaire s'élançait d'avant en arrière en cherchant à prendre l'avantage. Irritée, je balançai ma dague d'une main à l'autre.

—Allez, pouffiasse! Viens me chercher!

Apparemment, ces créatures étaient plutôt sensibles à la provocation. Changeant à l'instant de tactique, elle fila droit sur mon flanc. L'instinct l'emporta. Je lançai le pied droit en l'air et la frappai en pleine poire. Elle fit un bond en arrière, mais je vis bien qu'elle n'était pas blessée, juste sonnée. Je m'élançai et lui plongeai ma dague dans l'abdomen. Elle s'écroula comme un insecte devant un flacon de Raid.

—Delilah, viens m'aider!

Lançant un coup d'œil par-dessus mon épaule, je découvris Morio qui empêchait deux vénidémons adultes d'atteindre Camille. Elle essayait de puiser l'énergie de la Mère Lune; je connaissais maintenant l'expression qu'elle avait quand elle l'invoquait. Mais visiblement, la douleur l'empêchait de se concentrer.

—Je prends celui de gauche! criai-je pour tenter de couvrir le vacarme du combat et les hurlements d'agonie suraigus des mouches à viande et de leurs larves qui mordaient la poussière les unes après les autres.

J'attaquai la créature, Morio se chargea de l'autre, et nous les terminâmes en un rien de temps.

—Bon sang, combien peut-il encore y en avoir? demanda Camille en abandonnant sa tentative de sort.

Elle n'avait pas l'air bien. J'aurais vraiment voulu qu'elle sorte de cette cave et se mette à l'abri.

Je désignai le reste de la pièce.

—Beaucoup trop.

Ayant tiré de sa botte une paire de dagues d'acier acéré, Vanzir pataugeait à l'intérieur d'un nid de jeunes insectes, les yeux brûlants de rage. Les plus gros pleuvaient de chaque côté de lui tandis qu'il écrabouillait les autres sous son talon.

Roz, quant à lui, affrontait un trio d'adultes qui tentaient de protéger leurs larves. Il parvenait à les tenir à distance, mais de toute évidence, le combat tournait en notre défaveur.

Je me précipitai vers Flam, qui terminait la dernière larve du nid.

—Il faut qu'on fasse quelque chose. Il en reste beaucoup trop…

Il observa brièvement la pièce et hocha la tête.

—Sortez tous d'ici. Je m'en occupe, mais vous devez quitter la maison sur-le-champ. C'est compris? (Je hochai la tête et m'apprêtais à m'élancer vers Roz quand Flam me saisit par le poignet.) Et tu as intérêt à veiller sur la sécurité de ta sœur, tu m'entends?

Je soutins son regard glacé et me figeai. S'il n'avait pas acheté Camille en espèces sonnantes et trébuchantes, c'était tout comme. Elle lui appartenait. Je le lus sur ses traits. Et bien que je ne doute aucunement de son amour pour elle, je n'ignorais pas non plus que *tous ceux* qui ne trouvaient pas grâce particulière à ses yeux se rouleraient par terre en hurlant si par malheur ils lui faisaient du mal.

—Lâche-moi, idiot. Tu sais très bien que je la protégerai.

J'avalai la boule qui s'était formée dans ma gorge. Je ne pouvais pas le laisser m'intimider. Camille ne le tolérait pas, Menolly encore moins. Hors de question que j'accepte.

Il me libéra.

— Bien sûr que je le sais. Maintenant, allez-vous-en. Je vais mettre un terme à cette affaire.

Je bondis vers l'incube et l'attrapai par le bras.

— Viens !

Sans poser de question, il se tourna et me suivit en esquivant les créatures qui commençaient à fondre sur nous. En nous voyant courir, Vanzir lança un rapide coup d'œil à Flam et nous emboîta le pas. Morio, soutenant Camille, se dirigeait déjà vers l'escalier. En passant devant la salle du portail, je jetai un rapide coup d'œil à l'intérieur et aperçus des yeux luisants au centre du vortex tournoyant. Pas le temps de s'arrêter. Je ne savais pas ce que le dragon préparait, mais ce serait sans doute efficace. Et sans doute explosif, sachant qui il était. Ou plutôt, *ce* qu'il était.

Nous ne fûmes pas déçus. Au moment où nous atteignions le salon, le sol se mit à rouler sous nos pieds. La maison vibrait comme si nous nous trouvions sur l'avenue des tremblements de terre. D'ailleurs, c'était quasiment le cas : les nombreux volcans alentour attestaient de l'instabilité de cette zone. Mais je savais qu'il ne s'agissait pas d'une vraie secousse. Non, c'était plutôt la colère du dragon.

Morio souleva Camille dans ses bras alors qu'elle trébuchait, déséquilibrée par la douleur et le mouvement subit.

— Vers la porte, vite ! hurla-t-il par-dessus le bruit de train de marchandises lancé à cent à l'heure que faisait notre beau gosse de Flam.

Je me demandai jusqu'où il était prêt à aller. Arracher les poutres, sensiblement.

Roz et Vanzir, fermant la marche, s'assurèrent que tout le monde avait rejoint la pelouse, puis l'incube, poussant le démon vers nous, fit volte-face et s'élança vers la maison.

— Je retourne l'aider, lança-t-il.

— Ne fais pas l'imbécile! Tu vas te faire écrabouiller! criai-je en secouant la tête, le doigt pointé vers mes pieds. Reviens ici tout de suite, Roz!

— T'inquiète pas pour moi. Occupe-toi plutôt de ta sœur, fit-il en s'engouffrant à l'intérieur.

J'allais m'élancer à sa poursuite quand Camille me saisit par le bras avec une force étonnante pour quelqu'un qui se trouvait sur le point de défaillir.

— Laisse-les. Ils s'échapperont sans problème.

Elle gémit et se tint le poignet. Je m'assis près d'elle. Le sol tremblait toujours, mais à cette distance, l'onde était déjà plus faible. La terre étouffait les activités mystérieuses du dragon.

Je déroulai le bandage de fortune. Malgré le baume, la blessure était purulente.

— Ça s'est infecté. Il faut qu'on te ramène à la maison. D'ailleurs, j'ai presque envie de foncer tout droit au labo du FH-CSI. Les elfes sauront sans doute guérir ça plus rapidement qu'Iris.

J'inspectai la plaie de plus près. Oui, ça allait jusqu'à l'os, et ce n'était pas beau à voir. Grâce aux dieux, ce n'étaient pas les vénidémons qui lui avaient fait ça, sans quoi la blessure contiendrait déjà toute une poche d'œufs ignobles.

— Je te prends au mot, grimaça-t-elle alors que je repositionnais le bandage.

— Au fait, qu'est-ce que tu voulais dire par «Ils s'échapperont sans problème»? Qu'est-ce que tu sais que j'ignore? (Je l'observai attentivement. Elle rougit. Ouaip, elle me cachait des choses.) Raconte-moi tout, sinon je dis à Flam que tu as embrassé Roz!

Je plaisantais, bien sûr. Mais elle pâlit.

—Oh, non, ne fais pas ça! Il le tuerait! Et ensuite il… Non, rien. Laisse tomber.

Cette marche arrière subite me mit la puce à l'oreille. Toutefois, Camille n'avait pas l'air effrayée. Non, ça ressemblait plutôt à de la gêne. Sachant qu'il en fallait beaucoup pour l'embarrasser, je soupçonnai Flam d'avoir trouvé un moyen de lui mettre la bride sur le cou – tâche ô combien ardue. Je décidai de laisser couler.

Enfin, elle soupira.

—Tu ne dis rien, d'accord? Quelqu'un pourrait utiliser l'information contre eux, alors qu'on pourrait avoir besoin de la garder comme botte secrète. Flam peut se déplacer sur la mer ionique. C'est comme ça qu'il se rend si rapidement d'un endroit à un autre. Apparemment, Roz sait comment il procède, et il le fait également. C'est ce qu'il proposait à Flam devant cette porte : de tous nous faire passer comme ça.

—La mer ionique? Alors c'était ça! Je n'y aurais jamais pensé. Ça fout un peu les jetons… hé mais attends! Oh, par la grande Bastet, est-ce qu'il t'a déjà emmenée avec lui?

J'étais terrifiée à l'idée de traverser le monde de l'astral de cette manière. L'énergie était si volatile que ça revenait presque à galoper dans un champ de mines.

En fait, la mer ionique ne se trouvait pas exactement dans l'astral. Elle l'unissait à l'éthérique et à d'autres plans d'existence tout en créant une zone tampon pour qu'ils ne se mélangent pas. Si ces champs d'énergie différents venaient à se heurter, cela pourrait créer une explosion majeure du niveau du trou noir – voire, en quantité suffisante, un *univers* trou noir. Imaginez un peu diverses formes de matière et d'antimatière qui entreraient en contact… Alors, non, pas bon, à en croire le capitaine Kirk et les sorciers élémentalistes que nous écoutions enfants.

Il s'agissait d'un endroit très rude, que seules quelques rares créatures étaient capables de traverser. Certaines, en particulier celles qui maîtrisaient les magies de la glace et de la neige, dressaient des barrières autour d'elles et pouvaient ainsi naviguer hors du temps.

Ma sœur hocha la tête.

—C'est plus étrange qu'effrayant. Mais il s'est montré très prudent. Tu n'as pas d'inquiétude à avoir.

— Et Rozurial sait le faire, lui aussi ? Remarque, ça explique certaines choses.

Je fronçai les sourcils en me demandant quel genre de tours nos supermen avaient encore dans leur sac.

—Ouais, mais je ne sais pas du tout comment, répondit-elle en s'appuyant sur mon épaule. (Je passai un bras autour d'elle et la soutins fermement.) C'est un démon. Mais j'en sais trop peu au sujet de la mer ionique pour comprendre ce qui lui donne la force de créer…

Elle fut interrompue par le rugissement de la maison qui implosait. Sous nos yeux, les murs et le toit s'effondrèrent dans le gouffre béant qui venait d'apparaître dans le sol. Je me levai d'un bond en entraînant ma sœur, et, suivies de Vanzir et Morio, nous rejoignîmes nos voitures en regardant le nuage de poussière qui s'élevait du trou. Un bref instant plus tard, une flamme géante vint caresser le ciel. Les tuyaux de gaz avaient dû exploser, ou du moins se percer.

—Flam ! hurla Camille en faisant mine de s'élancer vers le brasier.

—Je suis là. Ne t'inquiète donc pas, répondit celui-ci en sortant de derrière la voiture.

Il n'était pas là un instant plus tôt, pas plus que Roz d'ailleurs, qui le rejoignit. Le dragon écarta les bras, et j'y poussai doucement ma sœur. Il l'enferma dans son manteau toujours aussi blanc en déposant un baiser sur le haut de sa tête.

—Tu t'inquiétais pour moi ? chuchota-t-il.

Camille hocha la tête en bafouillant quelque chose que je ne compris pas. Alors que je me tournais vers la maison pour regarder brûler ce qu'il en restait, Roz vint se placer près de moi.

—J'aimerais bien que quelqu'un tienne autant à moi, dit-il avec un grand sourire.

—Arrête, sale menteur ! Tu sais bien que tu n'es pas taillé pour une petite amie régulière. (Je lui souris cependant en retour.) Et le portail ?

—Nous l'avons momentanément scellé. Techniquement, cela veut dire : braquer le tuyau de gaz dessus et allumer le fusible. Il fait froid, dans les profondeurs. C'est glacé, même. Le feu l'a… euh, quasiment cautérisé. Ça ne tiendra pas bien longtemps, mais bon, pour l'instant c'est fermé. (Il coula un regard vers Flam.) Ce grand dadais n'est pas si mal, quand on le connaît.

Je lui fis une pichenette sur le nez.

—Ouais, évite juste d'essayer de te taper sa femme, et tout ira bien. (Les cris des sirènes approchaient. Sur un dernier regard alentour, j'indiquai nos voitures.) Allez, on s'arrache. Direction les locaux de la brigade Fées-Humains. Je veux qu'ils jettent un œil à la main de Camille. Tout le monde vient, OK ? Alors on ne s'éparpille pas.

Alors que nous nous éloignions, je réalisai que nous ne savions toujours pas qui avait ouvert le portail aux vénidémons. Mais grâce à cette petite altercation, j'avais à présent une mission que je ne pouvais ignorer : aller en Outremonde me chercher une *panteris phir*. Oh, joie. Je n'étais pas la reine des jardinières, mais peut-être qu'Iris pourrait m'aider à la maintenir en vie.

Je lançai un coup d'œil dans le rétro pour m'assurer que Morio, qui avait pris le volant, suivait toujours. Le temps d'un éclair, je me retrouvai les yeux dans les yeux avec le seigneur de l'automne. Puis la route et la Lexus de Camille réapparurent.

Hi'ran n'était peut-être pas encore très exigeant, mais il était mon maître, que je le veuille ou non. Je ferais vraiment mieux de m'y habituer. Pour les seigneurs de la mort, « non » n'était généralement pas une réponse acceptable. Mais lui… Le souvenir de ses doigts sur mes lèvres ne me quittait pas, et je sentais encore l'arôme de la brume qui m'avait lié la langue. De nouveau, l'idée de me glisser dans ses bras me trotta dans la tête, mais je la repoussai. J'avais déjà suffisamment de soucis comme ça sans en plus faire du pied à la mort.

Chapitre 7

Lorsque je me garai sur le parking du FH-CSI, j'avais cessé de rêver au seigneur de l'automne pour me concentrer sur l'urgence : trouver de l'aide pour ma sœur. Alors que nous nous dirigions vers le bâtiment, elle s'effondra à mi-chemin. Je m'agenouillai en lui plaquant le dos de la main sur le front.

—Elle a de la fièvre ! Vite, il faut l'emmener à l'intérieur !

Flam la souleva dans ses bras et franchit la distance en quatre enjambées. Morio et moi courions juste derrière. Vanzir et Rozurial avaient choisi d'attendre dans la voiture. En nous voyant débouler dans le hall d'accueil, Yugi, l'empathe suédois récemment promu lieutenant, lança un bref coup d'œil à ma sœur et nous laissa passer.

La morgue se situait à la cave, trois étages plus bas, mais l'infirmerie au rez-de-chaussée. Dès qu'elle nous aperçut, la standardiste appela Sharah par l'intercom. L'elfe surgit à l'instant de la salle de repos.

—En salle d'examen numéro un ! ordonna-t-elle en s'élançant dans le couloir.

Nous entrâmes à sa suite dans la pièce stérile, dont la peinture vert pâle, prétendument apaisante, me colla surtout le bourdon.

Flam déposa Camille sur la table pendant que Sharah se lavait les mains et enfilait des gants sans latex. Le matériau ne convenait pas à sa peau d'elfe.

— Qu'est-ce qui s'est passé ? s'enquit-elle.

— Elle se battait contre un cerbère. Son sang l'a touchée. Une partie de sa main est brûlée jusqu'à l'os, expliquai-je, inquiète, en tournant en rond. Elle n'a pas voulu partir avant qu'on ait fini de faire le ménage, bien que j'aie essayé de la convaincre de laisser tomber.

Sharah leva les yeux vers moi.

— Ça ne m'étonne pas, répondit-elle en déroulant le bandage. (La blessure était franchement infectée à présent. Le pus suintait d'un trou profond.) Par la Mère de toutes les araignées, regardez-moi ça !

— Est-ce qu'elle va s'en sortir ? demanda pensivement le dragon, qui se tenait, bras croisés, au pied de la table à côté de Morio.

— Elle a dû s'évanouir de douleur. À voir cette blessure, j'imagine qu'elle était très intense. Saviez-vous que les nains des montagnes Nebelvuori utilisent l'acide contenu dans le sang des cerbères pour graver des motifs sur leurs épées magiques ? (Elle releva les yeux vers nous.) C'est un bien très prisé là-bas. Vous auriez pu vous faire une petite fortune en parvenant à lui en prélever un échantillon avant qu'il disparaisse.

— On ne pensait pas trop à se faire du fric, à ce moment-là, objectai-je.

Camille s'agita. Sharah lui avait plongé la main dans une bassine contenant une sorte de solution moussante, qui se mit à bouillonner autour de la blessure dans un mince filet de fumée tournoyante.

— J'entends bien. L'infection est topique – superficielle. Je ne pense pas qu'elle ait eu le temps de s'infiltrer jusqu'au

100

système sanguin. Elle a beaucoup de chance, ajouta-t-elle en me regardant. Encore une demi-heure, et elle serait quasiment morte. Et croyez-moi, l'agonie aurait été des plus douloureuses.

Soudain faible, je m'appuyai au mur. Je n'avais pas pensé un instant que la blessure puisse être fatale. Douloureuse, oui. Handicapante, peut-être. Mais mortelle ? Ça ne m'avait même pas effleuré l'esprit. Flam devint pâle comme un linge. Morio siffla entre ses dents.

Alors que l'elfe examinait la plaie, ma sœur gémit et s'agita. Ses paupières papillotèrent et s'ouvrirent. Elle cilla, l'air confus.

— Chut, lui ordonna Sharah. Tu t'es évanouie, mais tout ira bien. Maintenant, si tu pouvais dire à tes maris aimants et à ta sœur de bien vouloir me fiche le camp d'ici, je serais beaucoup plus efficace sans ces trois têtes inquiètes penchées par-dessus mon épaule. (Elle nous adressa un grand sourire, mais nous désigna toutefois la porte du menton.) Allez-vous-en. Elle est tirée d'affaire. Il lui faudra juste porter un bandage quelque temps. Elle gardera peut-être une vilaine cicatrice, mais c'est fini maintenant.

Avant que j'aie pu esquisser le moindre geste, Flam se faufila devant l'elfe et posa un long baiser plein de tendresse sur les lèvres de Camille.

— Je suis juste dehors, souffla-t-il.

Pour ne pas être en reste, Morio l'imita.

Alors qu'ils sortaient à contrecœur, je repoussai doucement les cheveux de ma sœur et l'embrassai sur le front.

— Guéris vite. Je vais aller trouver Chase. Je reviendrai un peu plus tard. (Je m'immobilisai devant la porte, et ajoutai :) Sharah, si elle t'embête, n'hésite pas à me le dire.

L'elfe se mit à rire.

— Pas de problème. Va. Je crois que Chase est dans son bureau.

Sur un dernier regard à ma sœur, qui paraissait complètement dans le coaltar, je me dirigeai vers la salle d'attente. Flam et Morio, assis dans ces canapés inconfortables et trop bas qu'on trouve généralement dans les hôpitaux, discutaient à voix basse. Je braquai mes pouces levés dans leur direction et m'engageai dans le dédale de couloirs menant au bureau de mon policier.

Soulagée de savoir que Camille était tirée d'affaire, je me sentais prête à discuter sérieusement avec lui de ce qui le contrariait. Je n'avais jamais été en couple auparavant, à part avec d'autres chats sous ma forme féline, et les rapports entre animaux étaient d'une nature totalement différente. Sachant, en plus, que mon petit ami était un HSP, je trouvais que je ne me débrouillais pas si mal. Menolly estimait, bien sûr, que nous n'avions aucune chance. Camille gardait ses opinions pour elle.

La porte était fermée. Comme toujours, j'entrai sans frapper.

— Coucou chéri ! Surprise !

Ce que je vis me figea. La main toujours sur la poignée, je fus prise de bouffées de chaleur. Une jolie petite brunette aux gros seins, fringuée haute couture, était assise sur le bureau. Chase, le pantalon sur les chaussures, se tenait entre ses cuisses écartées. Son bras gauche lui encerclait la taille. De la dextre, il lui caressait le clito, en s'apprêtant à lui glisser la queue dans la chatte. De surprise, il sursauta si fort qu'il lui arracha un petit cri.

— *Bordel !* lâchai-je avant même d'avoir eu conscience de parler. Mais qu'est-ce qui se passe, ici ?!

— Oh mon Dieu, je jouis ! s'écria la femme, en rejetant la tête en arrière dans un long gémissement.

Chase se retourna, les yeux écarquillés de frayeur, mais elle le retint contre elle en se tortillant.

Il finit par se dégager, en tentant vainement de cacher le sexe tendu qui écartait les pans de sa veste. De toute évidence, il avait encore une gaule d'enfer.

— Qui est-ce ? demandai-je. Réponds-moi !

Je pivotai vers la femme qui dégringolait du bureau en tirant sur sa jupe de vamp. J'eus tout de même le temps d'apercevoir un bout de cul nul, comme si j'avais besoin de ça. Lissant le tissu, elle m'adressa un petit sourire satisfait.

— Ce n'est pas…, commença Chase, qui s'interrompit aussitôt en baissant la tête. Non. Je ne vais pas te mentir. C'est exactement ce que ça paraît être. Voici Erika. C'est… Nous avons été fiancés, il y a cinq ans.

Il m'avait dit n'avoir jamais eu de relation sérieuse. Manifestement, il avait omis ce léger détail. Très bien ; mensonge numéro 1.

Furieuse, je les regardai sans plus savoir quoi dire. Erika se recoiffait, l'air ennuyé et vaguement contrarié à présent. Chase braquait sur moi ses yeux noirs, lumineux et hantés.

J'eus envie de me jeter dans ses bras, de tabasser cette pouffe, de revendiquer ma propriété. Mais en vérité, je n'avais pas le droit de faire ça. J'avais couché avec Zachary. Pourtant, Chase avait dit que je lui suffisais. Il n'avait jamais laissé entendre qu'il puisse désirer quelqu'un d'autre. Il m'avait menti, et je hais les menteurs.

Au bout d'un moment, je retrouvai la voix.

— Ça dure depuis combien de temps ?

Chase se laissa tomber dans un fauteuil et regarda Erika.

— Tu ferais peut-être mieux de partir. J'ai besoin de parler à Delilah.

Elle me regarda d'un air hautain, puis ramassa son sac à main et sortit.

—Je t'attends pour le dîner, lança-t-elle par-dessus son épaule, et quelque chose me dit qu'elle ne s'adressait pas à moi.

Lorsque la porte se fut refermée sur elle, je me tournai vers Chase.

—Quand est-ce que tu comptais me le dire?

Il se tortilla.

—Je ne sais pas. Peut-être jamais. Elle part à la fin du mois. Je suis désolé que tu l'aies découvert comme ça, bébé.

—Ne m'appelle pas bébé! murmurai-je.

Se pouvait-il que Mère ait connu cette situation avec Père? Mes sœurs et moi ne doutions pas de sa fidélité, et elle ne nous avait jamais donné de raison de le faire. Mais cette douloureuse leçon venait de m'apprendre à me méfier des évidences. Du coup, je remettais en question tout ce que j'avais cru vrai jusque-là.

Les purs Fae, comme notre père, étaient rarement monogames. Nos parents avaient-ils eux aussi connu tentation et jalousie? Père était bel homme. J'avais peine à croire qu'aucune femme n'ait jamais essayé de lui mettre le grappin dessus.

Chase déglutit.

—Erika est arrivée en ville il y a quelques semaines. Elle m'a appelé. Je ne l'avais pas revue depuis plusieurs années. Je pensais qu'on irait dîner, et qu'on en resterait là. Mais elle m'a fait comprendre qu'elle regrettait de m'avoir laissé partir; que je lui manquais. Je lui ai *dit* que j'étais avec toi, mais elle s'en foutait complètement. Elle est venue déjeuner le lendemain et les choses ont… euh… dérapé.

J'essayai de contrôler ma voix et de rester calme.

—Est-ce que tu l'aimes?

Il releva vivement la tête.

— L'*aimer*? Non!… Non. Ce que j'ai pu ressentir pour elle s'est éteint depuis longtemps. C'est juste qu'elle… J'étais tellement en manque, et tu…

— Et je *quoi*? Je n'étais *malencontreusement* pas dans le coin? Ça ne t'est pas venu à l'esprit de me demander de passer pour un petit coup vite fait entre midi et deux? Tu sais très bien que je serais venue!

J'étais vraiment en colère maintenant. Il n'était même pas foutu de trouver une excuse convenable! Irritée par son silence prolongé, je donnai un coup de poing dans le mur, en veillant quand même à ne pas laisser de marque.

— Donc, tu me dis que tu la sautes parce que c'est trop compliqué de m'appeler? Que tu es trop chaud pour attendre que j'arrive? Ah! Épargne-moi ça! (Je sentis monter des larmes et secouai la tête, furieuse de voir que cela me touchait à ce point.) Moi, au moins, j'ai eu le cran de te parler de Zachary juste après que ça s'est passé! Et je n'ai pas continué à baiser avec!

Il se leva d'un bond, les yeux brûlants.

— Tu n'as jamais promis que ça ne se reproduirait pas…!

— Je t'ai dit que la prochaine fois, je te préviendrais avant pour te laisser le temps de décider si tu le supporterais. Je n'ai jamais rien fait dans ton dos…

— Mon cul!

— Quoi?! (Je m'approchai du bureau jusqu'à ce que nous ne soyons plus qu'à quelques centimètres l'un de l'autre.) Qu'est-ce que tu dis, là? Tu me traites de menteuse?

— Ouvre les yeux, Delilah! Tes sœurs et toi êtes constamment en train de me dissimuler des informations! Ou… vous *oubliez* – comme c'est commode! – de me parler de choses que je devrais savoir! Comment crois-tu que je me sente, à côté de vous et de votre petite bande de superhéros ? Camille et ses étalons, Menolly et ses potes suceurs de sang… Vous faites vos propres règles, et chaque fois que je proteste, tout ce que j'entends c'est : « Peut-être qu'on devrait rentrer à la maison et te laisser t'occuper des démons, Chase ? » ou « Faut t'en remettre, mon vieux ! Grandis un peu ! » Est-ce qu'il vous arrive, *vraiment*, de me consulter ? Je me demande même si vous en avez quelque chose à branler, de la Terre, ou si vous vous planquez juste là parce que votre psychopathe de reine a mis vos têtes à prix !

Je n'en croyais pas mes oreilles. Pensait-il vraiment ce qu'il disait ? Comment avais-je pu passer six mois près de cet homme sans jamais soupçonner le ressentiment qu'il crachait maintenant ? Parce que c'était bien ça, qui ressortait. Ses paroles étaient empreintes de rancœur, de colère et d'envie. Incapable de répondre, je le dévisageai. Je crus un instant que j'allais me transformer, et j'en aurais presque été heureuse, mais je compris bien vite que cela n'arriverait pas.

Il ferma les yeux et s'adossa au bureau. Sa colère retombait lentement.

—Pardon. Je suis allé trop loin. Je sais que vous tenez à ce monde, et que c'est dur pour vous en ce moment… Je suis juste… (Il poussa un profond soupir.) Je n'ai pas d'excuse, Delilah. J'étais frustré par la façon dont se passaient les choses. Depuis votre arrivée, mon univers est devenu complètement fou. Je suppose qu'Erika… m'a rappelé une autre époque, plus simple. Elle était là, disponible, et j'avais envie d'elle, alors… je l'ai sautée.

Incapable de ressentir quoi que ce soit, hormis une honte cuisante que je ne m'expliquais même pas, je cherchai en vain les mots qui fuyaient mon esprit. Enfin, je me détournai.

—Il faut que je sorte d'ici. Menolly te préviendra s'il y a quelque chose. Tu pourras toujours appeler Camille ou

Iris. Je dois… J'ai juste… Je m'en vais, et je ne veux pas te parler avant un bon moment.

— Delilah, tu ne peux pas partir. Nous devons en discuter ! (Il contourna son bureau en faisant mine de me prendre la main, mais je me dégageai, glaciale. Je n'avais pas envie qu'il me touche. Pas envie de sentir sa peau sur la mienne.) Ne t'en va pas. Je t'en prie. Je suis *désolé* ! Je regrette de ne pas te l'avoir dit !

Je secouai la tête. Ouais, peut-être. Et/ou d'avoir été pris en flag. De toute façon, je ne voulais pas le savoir. Pas maintenant. Voire jamais.

— Je me casse. Sois sympa, ne me suis pas.

— Delilah, non !

Une main sur la poignée, je m'immobilisai sans le regarder.

— Au fait, Camille est à l'infirmerie, si *toutefois* ça t'intéresse. Elle a failli mourir aujourd'hui en affrontant un cerbère. Et pour ta gouverne, si nous n'aimions pas le monde de notre mère et les gens qui l'habitent, il y a longtemps que nous serions parties. Nous avons toutes payé le prix fort et reçu notre lot de souffrance et de blessures. Nous affrontons la mort chaque fois que nous mettons le nez dehors.

— Delilah…

Ce murmure fit trembler le mur de ma colère. Je pivotai en le foudroyant du regard.

— Si nous n'aimions pas cet endroit, nous l'aurions laissé sans hésiter aux cerbères, aux démons et aux tordus qui rôdent dans les rues. Les pervers que Menolly élimine pour qu'ils ne fassent plus jamais de mal à personne. Tu sais, ceux que tes hommes et toi n'arrivez pas à boucler. Alors *va te faire foutre*, Chase Johnson ! Va te faire foutre, avec tes problèmes existentiels et tes bobards de merde ! Tu veux une relation libre ? Très bien ! Tu savais que je n'objecterais pas. Mais je veux qu'elle soit franche et honnête. Au moins, le peuple de mon père a suffisamment d'honneur pour prévenir ses amantes quand ils en prennent une autre. Peux-tu en dire autant ?

Il leva la main.

— Delilah, s'il te plaît… On ne peut pas *juste* parler ?

J'en avais assez entendu. Je n'arrivais même pas à savoir précisément ce qui, d'Erika ou des cachotteries, me faisait le plus de mal. J'avais besoin de temps pour remettre de l'ordre dans mon esprit. La seule façon de sauver notre couple, maintenant, c'était de faire un break. Je secouai la tête.

— Peut-être, dans une semaine ou deux. Pour l'instant, disons que c'est une trêve. Une pause. Comme je te l'ai dit, tu peux appeler Iris ou n'importe qui d'autre si tu as besoin de nous parler de choses officielles, mais ne me contacte pas. Il faut que je réfléchisse. Et toi aussi.

Sur ce, je sortis en refermant la porte, et m'engageai dans le couloir en pleurant.

Chapitre 8

J e me passai de l'eau sur le visage et, ma contenance retrouvée, je rejoignis Camille, Flam et Morio dans la salle d'attente. Chase n'avait pas tenté de me retenir et, bien que je m'en sois doutée, j'aurais à moitié espéré qu'il le fasse.

—C'est bon ? On peut partir ?

À part ma voix un peu rauque, comme si j'avais hurlé toute la nuit avec les chats du quartier, ou passé trop de temps dans une pièce enfumée, rien ne semblait changé, et je tenais à ce qu'il en soit ainsi. Je raconterais tout à Camille une fois qu'elle se sentirait mieux, mais pas devant Flam ou Morio.

Ma sœur leva les yeux vers moi et fronça les sourcils.

—Qu'est-ce qui ne va…

Oh, seigneur, cette intuition ! Je lui renvoyai un regard suppliant, en priant pour qu'elle comprenne.

Elle se racla la gorge.

—Je suis prête. Je vais devoir garder ce bandage pendant toute une semaine, mais Sharah dit que c'est en bonne voie. En tout cas, je peux ajouter une nouvelle cicatrice à mon palmarès, et elle risque de ne pas être très sexy.

—Même couverte de balafres, tu resterais magnifique, lui assura Morio en l'aidant à se lever.

Flam fit mine de la soulever dans ses bras. Elle secoua la tête.

—Ça va, je ne suis pas non plus invalide! J'en ai marre qu'on me trimballe comme si je m'étais cassé la jambe! Oui, j'avais besoin d'aide un peu plus tôt, mais ça y est maintenant. Sharah s'est bien occupée de moi, et elle m'a même donné des zaybarz.

Humm, des zaybarz! Un concentré d'énergie dans une délicate gaufrette elfique, parfaites pour les coups de barre de milieu de combat. J'aurais été tentée d'aller en mendier une, mais je ne tenais pas à m'éterniser ici plus longtemps. Autant éviter de croiser Chase.

Pour une fois, Flam obtempéra. Il s'effaça pour la laisser passer, et la suivit à quelques pas de distance tandis qu'elle se dirigeait vers la sortie sur des jambes tremblantes. Je sentis monter ma colère. C'est moi qui aurais dû être près d'elle, pas lui! Je suivis d'un œil noir la silhouette impeccable du dragon, et surpris le regard en biais que Morio me lançait. Il ralentit pour marcher avec moi.

—Ça va, Delilah? Est-ce que Flam a fait quelque chose qui t'a déplu? s'enquit-il d'une voix presque inaudible.

Je fronçai les sourcils avant de pousser un profond soupir.

—Non. Non. Il s'est passé un truc, qui n'a aucun rapport avec lui, ou toi d'ailleurs, ou même avec Camille, et je suppose que je cherche juste quelqu'un sur qui me défouler. (Ravalant mes larmes, je haussai légèrement les épaules.) Ça craint, c'est tout. J'ai vraiment besoin de parler à ma sœur, mais après tout ce qu'elle vient de traverser, je n'ai pas envie qu'elle se sente encore plus mal à cause de moi.

Les yeux brillants, le démon renard secoua la tête et me regarda d'un air compréhensif.

—Ça ne l'embêtera pas. Quand on sera rentrés, Flam et moi irons chercher des plats à emporter pour tout le monde, comme ça vous aurez le temps de discuter. Ça te va ? termina-t-il avec un sourire si doux que je m'en étranglai derechef.

Je ferais peut-être mieux de prendre exemple sur Camille, et d'éviter de sortir avec des HSP. Oui, j'étais à demi humaine – tellement humaine ! – mais il me fallait sans doute quelqu'un qui soit capable de comprendre mon côté Fae. *Ou garou*, songeai-je, alors que l'image de Zachary s'imposait brusquement à moi. Lui aussi avait prédit une issue désastreuse à mon histoire avec Chase, mais je pensais que c'était juste par jalousie. Maintenant, je me demandais s'il n'avait pas simplement essayé de protéger mon cœur.

Je parvins, péniblement, à sourire.

—Merci, Morio. Camille a beaucoup de chance. J'espère qu'elle en est consciente.

Ses yeux souriants se plissèrent, et il partit d'un bref éclat de rire.

—Oui, elle le sait. Crois-moi. Elle ne laisse jamais aucun de ses hommes penser qu'il n'est qu'une espèce d'objet décoratif. Elle ne le montre peut-être pas, mais elle sait être terriblement romantique.

Je hochai la tête, pris une profonde inspiration, et accélérai le pas jusqu'à marcher à côté de ma sœur. Flam m'observa du coin de l'œil. Je ne savais pas s'il avait entendu notre conversation ou s'il sentait simplement mon besoin, mais il ralentit, me laissant en position de la soutenir jusqu'au parking.

Alors que je l'aidais à rejoindre sa Lexus, Camille leva les yeux vers moi.

—Je vois bien qu'il s'est passé quelque chose. Tu as besoin d'en parler ?

—Ouais, mais pas ici. Morio dit qu'il ira chercher à manger avec Flam quand on t'aura ramenée à la maison. On pourrait en discuter à ce moment-là, si tu te sens d'attaque.

J'avais encore parfois besoin des conseils de ma grande sœur. Après le décès de notre mère, Menolly et moi avions beaucoup compté sur elle. Camille arrondissait les angles. Elle recollait les morceaux. Elle était le ciment de notre famille. Voilà sans doute pourquoi nous cédions la plupart du temps à ses caprices.

—Pas de problème, grimaça-t-elle en s'installant à l'avant. C'est vraiment une bonne chose que Morio ait le permis. Je n'aimerais pas du tout voir ce que Flam donne derrière un volant! termina-t-elle en m'adressant son bon vieux sourire.

—Oh, il finirait sans doute derrière les barreaux, répondis-je en riant. Merci, ajoutai-je, déjà rembrunie. J'avais bien besoin de rigoler un coup.

Je lui déposai un baiser sur la joue avant de me diriger vers ma Jeep, où Roz et Vanzir se passaient une espèce de Game Boy. Je bondis sur mon siège en leur faisant signe d'attacher leurs ceintures, et démarrai sans tarder.

—Et Camille? Ça va? me demanda l'incube d'une voix douce, comme s'il sentait mon humeur.

Je hochai la tête.

—Ouais, tout va bien. Mais je n'ai pas très envie de parler pour l'instant. J'aimerais autant limiter les conversations, si ça ne vous ennuie pas. J'ai mal partout, je suis claquée, et je ne me sens pas très bien.

—D'accord. Pas de problème, répondit Vanzir.

Le reste du trajet se fit dans le silence.

Iris n'était pas encore rentrée de la bibliothèque lorsque nous arrivâmes à la maison. Je priai instamment Rozurial de se faire oublier. Il bredouilla quelque chose au sujet d'une nouvelle piste qui pourrait nous permettre de découvrir qui avait invoqué les vénidémons, et s'en alla en emmenant Vanzir avec lui.

Il fallut ensuite attendre que Flam ait fini de border Camille, couchée sur le sofa. Alors, et seulement alors, il permit à Morio de l'entraîner vers les magasins. Il avait horreur du shopping, mais il commençait à s'y habituer.

Dès qu'ils furent partis, je me laissai tomber dans le rocking-chair en regardant ma sœur, qui repoussa les couvertures et se hissa sur un coude.

— On aurait cru que j'étais en train de mourir! dit-elle en soupirant. Je l'adore, mais bon sang, il faut qu'il arrête d'être aussi protecteur!

— Attends d'avoir retrouvé Trillian! répondis-je avec un clin d'œil. (Je ne me sentais pas vraiment d'humeur à bavarder, mais je compris qu'elle se sentait aussi dépossédée que moi, pour des raisons entièrement différentes toutefois.) J'ai hâte de voir le feu d'artifice quand il découvrira que tu es mariée avec Flam et Morio… et que tu espères qu'il se joigne à la fête!

Elle renifla.

— Tu sais parfaitement que Trillian est hétéro. Et Flam aussi.

— Et Morio?

Je faisais juste passer le temps, et je le savais bien. Au moment où je lui parlerais de Chase, tout deviendrait beaucoup trop vrai.

— Je ne sais pas. Nous n'avons encore jamais eu l'occasion d'en parler. En tout cas, je peux te dire que s'il essaie de faire du gringue à Flam ou à Trillian, ils le boufferont tout cru…

Et pas dans le bon sens du terme. (Elle haussa les épaules.) Bon, maintenant est-ce que tu vas te décider à me dire ce qui s'est passé ? Tu as une mine de cadavre réchauffé.

—Deux choses, en fait. La première, dont on reparlera quand Menolly sera réveillée, c'est que le seigneur de l'automne m'a ordonné d'aller chercher une plante dans la forêt de Darkynwyrd, pour qu'elle m'aide à contrôler la transformation en panthère. Il insiste pour que je le fasse genre tout de suite, là, maintenant.

Je m'attendais qu'elle mette son veto, mais au contraire, ses yeux s'allumèrent et elle s'assit carrément.

—Un voyage en Outremonde ? demanda-t-elle d'une voix tremblante. Oh ! Mes maris et moi pourrions en profiter pour tester notre lien et voir s'il nous mène à Trillian ! Nous avons beaucoup travaillé à le renforcer. Quand j'ai accepté de les épouser selon le rituel de symbiose de l'âme, je n'avais aucune idée de la force incroyable qui nous unirait. Chaton, je le *sens*, physiquement, quand ils sont trop loin de moi. C'est comme si on étirait une partie de mon être. Pour tout dire, ça me fait un peu flipper.

—Je comprends, ça doit mettre les nerfs à rude épreuve. Alors tu ne t'opposes pas à ce voyage ?

C'était quand même bon de savoir que je pourrais compter sur elle, et rassurant aussi de savoir que Flam et Morio seraient là.

—Pas du tout ! Je suis carrément avec toi. Menolly ne pourra probablement pas venir. Je préfère éviter de m'aventurer dans cette forêt pendant la nuit, du coup, elle est coincée ici. (Elle se frotta les tempes et se rallongea.) L'antalgique que Sharah m'a donné me file le tournis. Vas-y, quoi d'autre ? Ce n'est sûrement pas ça qui t'a fait pleurer.

Je lui racontai toute l'histoire d'une voix chevrotante.

—Je n'arrive pas à croire que je me sente aussi trahie, terminai-je. Le sang de notre père n'est-il pas censé nous prémunir contre la jalousie ?

Elle se mit à rire.

—Oh, chaton ! Ma chérie, non. Non. Il nous en donne le potentiel, mais c'est tellement plus complexe qu'une simple histoire de sang… Pense aussi que tu es à moitié félin, avec tous les problèmes de territoire que cela implique. C'est la seule chose qui m'empêche d'aller adopter un petit chat ou deux. Si on introduit une autre boule de poils dans cette maison, tu vas cracher, siffler, faire tout un drame et uriner par terre plutôt que dans ta litière. Ah d'ailleurs, puisqu'on en parle, Iris s'en plaint de nouveau.

—Oups, fis-je en levant les yeux.

Enfants, nos serviteurs s'occupaient de tout. Mais notre mère avait mis un point d'honneur à nous confier des tâches spécifiques pour que nous apprenions à nous débrouiller seules. Elle n'avait jamais refusé d'aide extérieure, mais elle désapprouvait les *glandouilleurs*, comme elle appelait les riches inactifs.

—J'aurais sans doute dû apprendre, depuis le temps, m'excusai-je. Mais je ne m'en sers pas tous les jours.

Elle agita le doigt dans ma direction.

—D'accord, mais on a déjà eu cette conversation. Je te conseille de te bouger les fesses et d'aller la vider aujourd'hui, si tu ne veux pas qu'elle balance tout dehors et qu'elle te laisse complètement à la dérive la prochaine fois que tu te transformeras. Bon. Pour en revenir au problème… Tu peux te faire des amis chats, dehors, mais la maison c'est *ton* terrain. Et Chase en fait partie. Diable, je suis étonnée que tu ne l'aies pas encore marqué ! En tout cas, Erika est une intruse, et tu n'aimes pas du tout qu'elle vienne mettre son grain de sel dans tes affaires.

Je clignai des yeux. Territoire ? Voilà un mot que je comprenais.

— C'est pour ça que j'ai l'impression de faire deux poids, deux mesures ? m'enquis-je. J'ai couché avec Zach, et je m'attendais que Chase comprenne. En fait non. Je *voulais* qu'il comprenne. Mais moi…

— Toi, tu es la reine de la troupe. C'est à toi qu'il revient d'approuver ou non les nouveaux membres du harem que ton compagnon ramène à la maison. Chase t'a enlevé ce droit. Et n'oublie pas qu'il t'a menti. Je savais depuis le début, quand il essayait de se glisser sous ma jupe, qu'il fallait se méfier de lui. (Ses yeux rétrécirent.) Tu veux qu'on aille discuter avec lui, Menolly et moi ?

Je bondis. Si mon vampire de sœur convoquait le policier pour une petite discussion, il en ressortirait écorché et brûlé à vif. Ça, c'était certain. Elle aussi continuait à me surprotéger. Camille avait un peu laissé tomber l'attitude veillons-sur-Delilah-c'est-une-petite-fille-naïve depuis que je leur avais soufflé dans les bronches à toutes les deux quelques mois plus tôt. Elle avait pris du recul et me laissait mener mes propres combats, dans la vie comme en amour. Maintenant, je n'étais plus si sûre d'aimer ça – pas plus que j'appréciais d'être couvée. Mais il y avait tout de même du bon dans le fait d'être protégée des coups durs de la vie.

— Non ! Je veux dire, non, pas encore. Laisse-moi un peu de temps pour réfléchir. Menolly m'a dit qu'elle ne pensait pas que ça marcherait entre nous, et à l'époque je me suis demandé pourquoi. Mais je doute qu'elle ait prévu un truc de ce genre.

Elle croyait certainement que je souffrirais la première de cette relation exclusive.

Camille poussa un profond soupir et se laissa aller contre le dossier du sofa en fermant les yeux.

— Putain, j'ai encore mal à la main. Quelles saloperies, ces cerbères ! Au moins, on saura à quoi s'en tenir si on en croise un autre à l'avenir.

Elle me regarda en louchant un peu.

— Écoute-moi, chaton. Ne laisse pas Chase te faire douter de toi. Tu es magnifique, passionnée, tu as tout ce qu'un homme peut espérer trouver chez une femme. Pour moi, soit c'est un connard, soit il a merdé en beauté parce qu'il a pensé avec sa queue au lieu de son cœur. Nous savons toutes les deux quelle partie du corps réagit la première chez ces messieurs, face à une fille jolie et bien foutue. À toi de décider laquelle de ces possibilités tu es prête à accepter.

— Oui, je suppose, répondis-je en y réfléchissant. Tu crois qu'on devrait faire un break, se laisser de l'espace pour penser ?

— Eh bien, nous sommes amenées à travailler avec lui. Tu vas devoir rester cordiale, dit-elle en souriant. Si tu veux vraiment mon avis, je pense que tu devrais passer un peu de temps avec quelqu'un qui soit plus à notre rythme, si tu vois ce que je veux dire. Tu découvriras peut-être que de sortir avec des HSP ne marche pas pour toi. Ou bien tu t'apercevras que tu aimes vraiment Chase, auquel cas il te faudra trouver un moyen d'affronter ce qui s'est passé aujourd'hui. Advienne que pourra. Tu te dois de laisser une chance aux deux facettes de ton héritage. N'oublie pas qu'un mec très séduisant attend avec espoir sur le banc de touche.

Elle parlait de Zach. Zachary Lyonnesse, qui m'avait bien fait comprendre qu'il voulait toujours être avec moi. L'estomac noué, je m'interrogeai : devrais-je prendre le risque de creuser une faille plus profonde encore entre Chase et moi ? Était-ce déjà trop tard ? M'entendrais-je mieux avec Zach ? Parviendrions-nous à nous connecter à un niveau que Chase et moi ne pourrions jamais atteindre ? Au niveau animal, même si sa tribu ne me considérait pas comme une *vraie* garou à cause de mon sang d'humaine ? Je me dirigeai vers la cuisine.

— Où vas-tu ? me demanda-t-elle d'un ton ensommeillé en arrangeant la couverture.

— Passer un coup de fil, répondis-je.

Elle avait raison. L'heure était venue d'explorer d'autres options.

CHAPITRE 9

Zachary parut surpris de m'entendre. Néanmoins, quand je lui proposai de dîner ce dimanche avec moi, il sauta sans tarder sur l'occasion.

— Mais, et Chase ? hésita-t-il toutefois. Tu crois qu'il sera d'accord ?

Je regardai le combiné en me demandant quoi répondre.

— Ce n'est pas la franche camaraderie entre nous, en ce moment.

Je n'avais pas l'intention de lui raconter quoi que ce soit. Pourtant, avant d'avoir pu me rendre compte de ce que je faisais, j'avais déballé l'intégralité de la scène.

Il siffla longuement.

— Hé ben, il a merdé en beauté. Et qu'est-ce qui t'ennuie le plus dans tout ça ?

Même Camille ne m'avait pas posé cette question. Je pris le temps de réfléchir.

— Les mensonges, je crois. Le subterfuge. Le côté perfide, en douce, par-derrière. Je ne supporte pas les fourbes. Ils me mettent hors de moi. Quand j'étais petite, avant que ma mère m'arrache de l'école pour m'éduquer elle-même à la maison, j'avais un camarade qui s'appelait K'sander. Il avait tout fait pour devenir mon ami, pour mieux me poignarder dans le dos. Quand il a découvert que j'avais peur de l'eau, il est allé le dire aux autres enfants, et ils m'ont jetée dans le bassin du palais d'Y'Elestrial.

—Nom de Dieu! Mais pourquoi ont-ils fait ça? Les gosses peuvent être vraiment méchants, parfois, gronda-t-il doucement.

—On s'en prenait à nous parce que nous sommes à moitié humaines. Tu sais, une fois sorties du cercle proche de nos parents, qui nous aimaient, nous n'avions pas beaucoup d'amis. Nous avons grandi avec une proximité surprenante pour des sœurs, et c'est toujours resté comme ça. Bref. Je ne savais pas nager, et j'ai failli me noyer.

Je fermai les yeux en me remémorant cet après-midi-là. Je n'aimais pas beaucoup l'eau avant cet incident, mais depuis, je ne supportais plus d'être mouillée. La douche quotidienne, ou, en quelques rares occasions, un bain, marquait la limite de mes possibilités aquatiques. Je tolérais la pluie, mais je ne l'adorais pas.

—Et alors, qu'est-ce qui s'est passé? Comment es-tu ressortie?

—Camille est venue à ma rescousse. Elle a toujours veillé sur nous, même avant le décès de notre mère. Elle m'avait suivie de loin en sortant de l'école, juste pour s'assurer que tout allait bien. K'sander a juré ses grands dieux qu'il n'avait rien à voir là-dedans, mais la vérité a fini par resurgir. Ses parents ne l'ont même pas puni. C'est le fait qu'il mente, pas qu'il m'ait jetée dans le bassin, qui m'a le plus blessée.

—Ma chérie, tu mérites tellement mieux que ça! Très bien, je passerai te chercher dimanche à 19 heures. Je t'emmène *Au petit tonneau*. C'est une excellente rôtisserie. Après quoi, je pense qu'une balade digestive dans la forêt derrière chez toi sera la bienvenue.

—Ça marche, répondis-je en raccrochant.

Je n'étais plus qu'une grosse boule de nœuds. Je venais de proposer à Zachary de sortir avec moi ! Si Chase le découvrait… Oui, enfin, Chase n'avait pas vraiment son mot à dire là-dedans. Je le chassai de mes pensées sans le moindre remords. J'allais passer une bonne soirée avec Zach, et lui n'aurait qu'à se taper Erika dans tous les sens s'il avait besoin de compagnie. Apparemment, quand il lui prenait l'envie de baiser, elle lui servait bien plus promptement que moi.

Menolly préparait le dîner de Maggie dans la cuisine lorsque Iris rentra. Nous leur racontâmes la rencontre avec les vénidémons, le cerbère et le revenant, et la blessure résultante à la main de Camille.

— Putain, tu as bien morflé ! fit Menolly en examinant le bandage. Si seulement j'avais pu être là, je t'aurais envoyé ce cerbère en enfer dans un petit panier ! T'es sûre que ça va aller ?

Elle mélangea la crème tiède, la sauge, la cannelle et le sucre dans un bol qu'elle posa par terre devant la petite Crypto, puis elle entreprit de préparer la viande hachée que nous avions ajoutée à sa diète. D'après notre guide, *Comment soigner et nourrir une gargouille des bois*, il était temps d'introduire des denrées solides dans son alimentation.

— Pour la énième fois : oui, ça va, et je m'en sortirai, soupira Camille. (Désignant le morceau de viande que Menolly découpait, elle ajouta :) Alors, l'agneau ?

Comme tous les bébés, Maggie avait développé des goûts et dégoûts inexplicables. Elle aimait la dinde et le poulet, mais détestait le poisson. Elle engloutissait le bœuf comme le buffle, mais se tâtait quant au porc, et pas question de toucher au foie, ou à d'autres organes.

Menolly secoua la tête.

— Pour l'instant, elle en mange, mais je ne pense pas qu'il se hisse en tête de ses favoris. Est-ce que le livre dit quelque chose à propos de fruits ou de légumes ?

Je ramassai le tome jeté sur la table. Il était si usé qu'il faudrait bientôt acheter une nouvelle copie. C'était très bizarre de lire dans notre langue natale après n'avoir fréquenté que la graphie de ce pays, ou presque, pendant plus d'un an. Mais en plus des divers dialectes Fae, notre mère nous avait enseigné le français, l'anglais et l'espagnol quand nous étions petites. Nous maîtrisions toutes plusieurs langues.

— Voyons ça…, fis-je en parcourant les chapitres. Sommeil… Jeux… Hé ! Est-ce que tu as commencé à lui apprendre à se servir de ses serres ? Je vois là qu'on doit l'initier par le jeu aux rudiments de la chasse, même si elle ne sera pas en mesure de trouver ses proies toute seule avant plusieurs années.

Menolly haussa les épaules.

— Ouais, j'ai essayé. Mais on dirait qu'elle n'a pas envie d'attaquer quoi que ce soit. J'ai prétendu l'appâter avec une souris morte, et ça ne lui a fait ni chaud ni froid. Visiblement, ce n'est pas plus un truc qui se bouffe qu'un jouet à ses yeux.

Voilà qui était étrange. Les gargouilles étaient des carnivores notoires, et à l'état sauvage, elles chassaient principalement les petits animaux. Je parcourus la section « Alimentation » en diagonale.

— Rien du tout… Oh, si, attends : il lui faut des baies pour que sa peau durcisse, et ils recommandent de lui donner des crucifères et des *lilaeopsis* une fois par semaine. Dans la nature, les mamans les mâchent pour le petit avant de les lui régurgiter dans la bouche. (Je grimaçai.) Je ne pense pas avoir envie de mâchouiller l'un ou l'autre de ces trucs, et encore moins de donner la becquée à Maggie. Ce n'est pas parce qu'il m'arrive de vomir des boules de poils que j'aime ça.

Camille éclata de rire.

— C'est à ça que servent les mixeurs ! Qu'est-ce qui se rapproche le plus de ces deux types de plantes, sur Terre ?

— Agropyre à crête et cresson de fontaine, répondit Iris, blottie dans le rocking-chair sous une couverture afghane, une tasse de thé aux parfums d'orange et d'épices à la main. J'en achèterai la prochaine fois que j'irai au marché. Je préfère éviter d'aller les chercher moi-même dans la nature à cause de tous les pesticides utilisés sur les routes et dans les vergers.

— OK. Bonne idée, dis-je, avant que le téléphone se mette à sonner.

Menolly s'essuya les mains pour aller répondre tandis que Camille et moi donnions chacune notre tour une cuillerée de viande à Maggie. Menolly chuchota, puis disparut dans le couloir en emportant le téléphone. Ce devait être Wade, des Vampires Anonymes. Ils étaient sortis ensemble, un moment, pour finalement décider de rester amis. Ma sœur était devenue extrêmement active dans la communauté vampire locale, surtout depuis qu'elle avait zigouillé Dredge, son sire. Elle disait pourtant que de nombreux vampires désapprouvaient cette action.

— Vous avez bien dit que Flam et Morio rapportaient à manger ? demanda Iris, sourcils froncés, en regardant l'horloge. Auriez-vous une petite idée de ce que ça sera, que je sache quoi sortir entre les assiettes, les bols et les baguettes ?

— Si Flam a son mot à dire, ne t'embête pas, ce sera de la pizza, répondit Camille en secouant la tête.

Le dragon s'était découvert une passion pour ce plat un mois auparavant, et nous en mangions chaque fois qu'il se chargeait du repas. Inébranlable, il chassait d'un revers de la main toute suggestion, même timide, d'essayer peut-être, rien qu'une fois, un chinois, des hamburgers, ou même un *fish and chips*.

Brusquement, la porte s'ouvrit sur Roz et Vanzir. Le chasseur de rêves semblait sur le point d'exploser.

— J'ai un truc énorme à vous…! commença-t-il.

Je l'arrêtai d'un geste.

— Menolly est au téléphone, expliquai-je. En attendant, allez enlever vos manteaux. Le dîner ne devrait plus tarder.

Les repas, autrefois pris en comité réduit, devenaient des réunions quasiment familiales. Iris était ravie. Pour ma part, je regrettais parfois l'intimité que nous avions connue si longtemps. Entre Chase, Flam, Morio (et, jusqu'à récemment, Trillian), les deux démons, et parfois Bruce, le petit ami leprechaun d'Iris, nos soirées en solitaire s'étaient muées en tables rondes aux débats animés. Bien sûr, c'était marrant, mais là, je ne me sentais pas tout à fait d'humeur sociable.

Alors que j'étais sur le point de m'excuser, Flam et Morio arrivèrent. Au lieu des boîtes à pizza attendues, le démon renard portait un gros sac en plastique à l'enseigne du *Palais doré*, un nouveau restaurant chinois qui se trouvait à dix minutes en voiture de la maison, et dont j'espérais goûter les plats depuis le jour de l'ouverture.

— C'est le livreur! fit-il.

— Dieu merci, soupira Camille. Tu as réussi à lui faire acheter autre chose que de la pizza!

Iris entreprit à l'instant de sortir les bols et les baguettes, pendant que Roz et Vanzir mettaient la table. Menolly revint peu après et reposa lentement le téléphone.

— Alors? Quand est-ce que tu comptais me le dire? me demanda-t-elle d'un ton brusque.

— Te dire quoi? rétorquai-je en la dévisageant.

Quelle mouche l'avait encore piquée?

— Que ton sale con de petit ami a décidé d'élargir le champ d'exploration de son pénis. C'était Chase au téléphone. Il m'a raconté ce qui s'était passé. Je me dois de signaler qu'il a eu le bon sens de ne pas mentir. Ainsi, ton policier éprouve une subite attirance pour les petites chattes de sa race? Eh bien, bon débarras! (Les yeux brillants de rage, elle s'éleva vers le plafond.) Tu veux que je le fesse comme il se doit?

—Chase a dévié? s'étonna Flam en clignant des yeux. Sans demander la permission?

Camille tourna vers lui un regard sévère.

—Ils ne sont pas mariés, mec. Calme-toi. Ce ne sont pas nos affaires.

—Mariés ou non, j'ai l'impression que Chase sait qu'il a déconné. Ça s'entend dans sa voix, commenta Menolly de son coin de plafond.

Iris se racla la gorge.

—Le dîner est servi. Je suggère que nous laissions à Delilah le soin de gérer ses propres affaires pendant ce temps. Il me semble à ce propos que Vanzir avait quelque chose à nous dire?

Youpi, la soirée s'annonçait un peu plus radieuse à chaque instant! Je remerciai la Talon-Haltija du regard et me laissai lourdement tomber sur une chaise.

—Merci, Iris. Je vais vous dire un truc. Ouvrez grand vos oreilles, parce que je ne le répéterai pas deux fois: s'il y a une chose dont je ne veux pas, c'est d'un florilège de conseils que je n'ai pas demandés. Je m'en occuperai à ma façon, qui n'inclut ni fessée, ni brûlure au soixante-douzième degré, ni coup de pied au bas-ventre, ou autre type d'assaut. Laissez-moi régler mes problèmes. J'appellerai Chase quand je l'aurai choisi, et *si* j'en ai envie. D'ici là, s'il téléphone, dites-lui que je ne suis pas disponible. Bien sûr, en cas d'urgence on fera le boulot. Mais pour l'instant, allez ouste, tout le monde dégage de ma vie privée.

Le silence s'installa sur la pièce. Camille renifla, moqueuse.

— Bien dit, mon petit! commenta-t-elle en empilant dans son assiette des raviolis, du riz, du poulet aux amandes et des nems.

Mais Menolly me foudroya du regard.

— Non, chaton. Maintenant tu vas tout me dire! Je n'arrive pas à croire que tu aies pensé à me le cacher! Chase n'avait pas le droit de te traiter comme il…

Je me levai d'un bond.

— Tu vois? C'est exactement pour ça que je ne voulais pas t'en parler. Je l'ai dit à Camille. D'accord? Parce qu'*elle* me laisse prendre mes décisions toute seule depuis quelque temps, et j'apprécie ça. *Toi*, par contre, tu te comportes toujours comme si j'avais cinq ans. Dois-je te rappeler d'ailleurs que je suis ton aînée?…. Oh, et puis après tout, à quoi bon!

Voyant, à son expression, que la bataille était perdue d'avance, je me rassis sans tarder et attrapai le carton de nourriture le plus proche.

— Tu n'écoutes jamais rien, de toute façon. Laisse tomber pour l'instant, OK? Vanzir, qu'est-ce que tu as pour nous? Et il vaut mieux que ça n'ait aucun rapport avec les petits amis, l'amour ou le sexe!

Il m'adressa un sourire compatissant, mais l'éclat de ses yeux était froid. J'oubliais parfois que c'était un démon. Ni humain, ni Fae: un chasseur de rêves qui, jusqu'à récemment, entrait dans les songes des hommes pour se gorger de leur souffle vital, les laissant affaiblis, terrifiés par les murs de cauchemars qui accompagnaient ses visites.

— Je traînais dans le coin du *Bloody Gin* quand j'ai entendu qu'on parlait de Karvanak, commença-t-il.

Je grimaçai. Il s'agissait d'un de ces bars tenus par des vampires qui accueillaient la frange la plus sombre de la population à canines. Comme *Le Dominick* et le *Fangtabula*, ils résistaient à tous les efforts de Menolly et de Wade pour les faire adhérer à la mission et à la politique des V.A.

Karvanak était le démon perse qui nous avait volé le troisième sceau lors de la dernière grande bataille – celle qui avait vu le subit changement de camp de Vanzir. Camille se reprochait amèrement la perte de la pierre. Pourtant, elle n'aurait pas pu faire grand-chose de plus. Les pouvoirs des Rāksasas, démons supérieurs, dépassaient de loin les nôtres.

Malgré la corne de cristal, reçue en cadeau des licornes de Dahns, Karvanak l'avait contrainte à lui remettre le sceau sans qu'elle soit capable de lui résister. Un point pour l'Ombre Ailée. Nous étions fermement décidées à ce que cela n'arrive plus.

— Et qu'est-ce que tu as entendu, au juste ? s'enquit Menolly en se penchant vers lui.

Vanzir l'étudia longuement. Elle recula, à peine – juste assez pour que je comprenne qu'elle ne lui faisait pas entièrement confiance. Ce n'était, d'ailleurs, le cas d'aucun de nous.

— Un gobelin disant à un vampire que le Rāksasa offrait une grosse somme d'argent contre tout indice relatif à un grand trésor, une gemme inestimable. Il avait l'air de penser qu'il s'agissait d'une bague ou d'un truc comme ça, mais je vous parie que l'Ombre Ailée tâtonne à la recherche du quatrième sceau. (Il se dirigea vers le tiroir à couverts.) Quelqu'un veut une fourchette ? Je ne sais pas utiliser les baguettes.

— Moi, s'il te plaît, demandai-je en levant la main.

Flam m'imita. Menolly regardait la nourriture de l'air d'avoir à la fois envie de vomir et de se jeter dessus. Il faut bien reconnaître que ça devait être dur, pour elle, de nous regarder manger des choses auxquelles elle ne toucherait plus jamais. Elle faisait cet effort pour la cause.

—Bien. Mais en quoi cela nous avance-t-il ? demanda Iris.

Vanzir nous tendit nos fourchettes et s'assit en souriant.

—Il se trouve que j'ai également passé un moment aujourd'hui à discuter avec des prospecteurs des temps modernes, que Karvanak avait envisagé d'employer, fut un temps. Cela ne les intéressait pas d'explorer les montagnes pour lui, et au lieu de leur expliquer pourquoi il avait besoin de leur aide, il a accepté leur refus et les a laissé partir.

—Des prospecteurs, tu dis ? relevai-je. Ils passent beaucoup de temps dans les montagnes cascade ?

Il hocha la tête et son sourire grandit.

—Oh que oui, et ils étaient tout disposés à gagner un petit dollar vite fait aujourd'hui, surtout quand Roz a fait usage de ses charmes. Nous avons appris plusieurs choses intéressantes, dont le fait qu'un des hommes a découvert une grotte il y a quelques semaines. Mais attention : une grotte *hantée*. Avant d'avoir pu s'enfuir, sans son pote, il dit avoir aperçu un collier gardé par des créatures dont la description correspond à celle d'une tonne de nécrophages. C'était un rubis, monté sur de l'or, qui brillait d'après lui «comme les lucioles au mois de juin».

Un rubis ? Je lançai un coup d'œil à Camille.

—Est-ce que l'un des sceaux spirituels…

Elle hocha la tête.

—… est un rubis ? Oui. Est-ce que le gars se rappelait l'emplacement de cette grotte ? Et, plus important encore, a-t-il communiqué cette même information à Karvanak ?

Vanzir secoua la tête.

—Oui, et non. Et il n'aura plus jamais l'occasion d'avoir la langue trop bien pendue.

Iris s'étrangla et manqua de tomber du tabouret qui la hissait jusqu'à la table.

— Tu… Tu n'as pas tué ce pauvre homme, n'est-ce pas? termina-t-elle en retrouvant sa contenance.

Roz se racla la gorge.

— Doucement, ma mignonne. Non, il ne l'a pas tué. Et moi non plus d'ailleurs, quoiqu'on y ait pensé. Après tout, Karvanak aurait un peu de mal à arracher des confessions à un cadavre, pas vrai? Non. Je l'ai charmé, puis je lui ai suggéré de dormir. Vanzir s'est glissé dans ses rêves pour avaler le souvenir. À ce jour, il n'a plus rien à dire, ce qui le met relativement à l'abri. Et nous aussi.

Je baissai les yeux vers mon assiette et sentis mon appétit revenir.

— Ce qui veut dire que nous savons où se trouve le quatrième sceau alors que Karvanak n'en a pas la moindre idée! dis-je en jubilant. On va pouvoir s'en emparer et l'envoyer à la reine Asteria!

— Sans déconner, Sherlock? ironisa Vanzir, dont les yeux souriants perdirent un bref instant leur feu glacé. Nous avons une longueur d'avance sur les sbires de l'Ombre Ailée, cette fois. Assurons-nous juste de conserver notre avantage.

Soudain affamée, je remplis mon assiette et en engloutis le contenu pendant que nous échafaudions notre plan. Nous étions tous trop fatigués pour y aller ce soir, et un petit voyage en Outremonde nous attendait le lendemain. Mais en rentrant, nous pourrions aller chercher la grotte dès la tombée de la nuit. Et avec un peu de chance, nous trouverions le sceau avant d'autres petits malins.

Chapitre 10

Pour la première fois depuis bien longtemps, je me couchai seule, sans savoir si Chase partagerait de nouveau ce lit. Malgré l'épuisement, je m'agitai sans parvenir à trouver le sommeil. J'envisageai de descendre regarder des trucs débiles à la télé avec Menolly avant qu'elle aille travailler, mais elle était encore furax après moi, et je n'avais pas envie de parler de Chase pour l'instant. Alors, je me dirigeai vers la fenêtre et me changeai en chat, pour m'installer d'un bond sur le coussin du banc et m'y rouler en boule en regardant la lune.

Parfois, la vie me semblait plus sensée sous ma forme féline. C'était toujours moi, avec mes émotions, mais le monde des deux-pattes ne paraissait plus si sérieux, ou si difficile. Je pris une profonde inspiration et la relâchai dans un léger ronronnement. Ainsi, Chase trempait son biscuit ailleurs. Bien ; et alors ? Était-ce vraiment si grave que cela ? Cela aurait-il la plus petite importance, sur le long terme ? Nous étions loin d'avoir remporté la guerre contre les démons. Qui sait combien d'entre nous seraient encore là dans un an ? Nous pourrions tous être morts. À moins qu'on nous rappelle en Outremonde, mes sœurs et moi. Le policier HSP n'était peut-être qu'un point sur la carte routière de ma vie.

Je me levai en m'étirant et tournai trois ou quatre fois sur moi-même en quête de la meilleure position. Alors que je posais la tête sur mes pattes en me préparant à accueillir un sommeil bienvenu, on frappa légèrement à la porte. Celle-ci s'ouvrit, laissant apparaître le visage de Menolly, qui promena un regard intrigué dans la pièce, et m'aperçut enfin.

—Chaton ? Hé, mais qu'est-ce que tu fais là-bas, petite peluche ?

En silence, elle vint s'asseoir près de moi. Je la regardai sans trop savoir si j'avais envie de me transformer. Elle me prit dans ses bras. Mon nez de félin était nettement plus sensible à son odeur. Elle me faisait penser à Hi'ran. Menolly sentait la terre de cimetière et les ossements anciens, les chambres poussiéreuses et fermées au soleil depuis bien trop longtemps. Elle avait aussi quelque chose de sucré, comme un fruit trop mûr, si léger que la plupart des gens n'auraient jamais pu le humer sur la brise. Mais nous, les Fae et les garous, savons flairer les morts.

J'avais encore, parfois, la chair de poule à l'idée que ma sœur soit devenue vampire. Ce décès, et cette renaissance, avaient pulvérisé la cellule familiale. Sans compter – chose que Père et Menolly ignoraient – que j'étais là, sous ma forme de chat, le jour où elle avait déboulé à la maison comme une brute sanguinaire. Camille s'était empressée de me faire sortir par la fenêtre en me soufflant de fuir.

J'avais couru chercher de l'aide, mais la terreur était telle que je ne parvenais plus à me métamorphoser. Consciente de mon inutilité, et du fait que ma grande sœur n'était pas derrière moi, j'avais fait demi-tour pour grimper à l'arbre qui pousse devant le salon. Je l'avais vue sortir, affolée, dans la rue. Elle hurlait encore longtemps après avoir enfermé Menolly dans la salle blindée que Père avait fait construire au cas où nous serions assaillis par des trolls ou des gobelins.

La suite m'échappe, mais je sais que Père est arrivé peu après, en compagnie de plusieurs membres de l'OIA. Dans ce laps de temps, j'avais réussi à me calmer et à me transformer. Je suis rentrée comme si j'avais passé l'après-midi dehors. J'avais trop honte d'avouer que j'étais là, mais que je n'avais pas levé le petit doigt pour aider ma sœur. Camille n'en a jamais soufflé mot à personne et je lui en suis reconnaissante. Plus tard, elle a tenté de me convaincre qu'elle comprenait, mais je n'arrivais pas à me pardonner de l'avoir laissé tomber.

Aujourd'hui, bien sûr, les choses étaient tout autres, mais le souvenir du visage assassin de ma sœur couverte de sang, mélange du sien et de celui des victimes qu'elle avait faites en chemin, restait obstinément scotché dans un coin de ma tête. Malgré tous mes efforts, je ne parvenais pas à effacer l'image. Camille avait réussi à surmonter tout cela. Moi, pas. C'est pourquoi j'essayais de passer du temps en plus avec Menolly, et de vaincre, peu à peu, le sentiment d'horreur glacée qui étreignait toujours une partie de mon cœur.

Elle me grattouilla le menton en roucoulant doucement, et je chassai mes inquiétudes pour m'installer plus confor-tablement contre elle.

—Chaton, je sais que tu entends et que tu comprends ce que je te dis. Chase a encore appelé. Il veut te parler, et il attend ton coup de fil. Il a dit qu'il ne se coucherait pas avant une heure ou deux.

Elle s'interrompit et poussa un profond soupir. Les vampires n'ayant pas besoin d'oxygène, c'était, chez elle, un effet purement théâtral – quoique je la soupçonne de s'en servir aussi d'exercices respiratoires lorsque la soif du sang l'assaillait un peu trop sauvagement. Tout en me grattant derrière les oreilles, elle murmura :

—Tu devrais l'appeler, tu sais. En finir d'une façon ou d'une autre.

De toute évidence, elle n'avait pas l'intention de me lâcher. Je me dégageai d'un bond et me dirigeai vers le lit.

Il allait bien falloir qu'on se parle, à un moment ou à un autre ; autant que ce soit tout de suite. Mais avant d'avoir pu entamer la métamorphose, je sentis mon estomac se soulever. Oh, merde ! Pourquoi maintenant ?

Tremblante, je me mis à tousser. C'était comme si j'avais un cheveu coincé dans la gorge sans disposer de doigts pour pouvoir le saisir. Je reculai dans un miaulement rauque en m'étranglant à moitié, et bientôt la sentis remonter, gluante, compacte, le long de mon œsophage.

— Une boule de poils ? soupira Menolly tandis que je m'évertuais à éjecter ladite boule. Oh, chaton, pardon ! Je veillerai à ce qu'Iris te brosse plus souvent. Ou je peux le faire, moi, si tu veux. Dis-moi ce que tu préfères.

J'ouvris la bouche et la masse de magma répugnant atterrit tout droit sur le nouveau tapis. Évidemment. C'était toujours sur le tapis, le couvre-lit ou l'oreiller. Malgré tous mes efforts, je n'arrivais jamais à en placer une sur le parquet, où ce serait plus facile à nettoyer. Non, pas moyen.

Une fois libérée de la masse de poils, je me mis à scintiller, et retrouvai ma forme de bipède alors que je m'étirais en bâillant. Assez joué les minettes pour ce soir. Menolly me sourit en nettoyant les dégâts.

— On joue les nudistes, à ce que je vois ? commenta-t-elle en me lorgnant de façon appuyée.

Je baissai les yeux. Oh merde ! Je m'étais changée alors que j'étais nue. Voilà pourquoi je ne portais pas mon collier habituel !

— Ah ah, très marrant, rétorquai-je en retrouvant ma chemise de nuit.

La nuit étant plutôt fraîche, je passai également le pantalon magenta assorti. Puis je m'installai d'un bond, jambes croisées, sur le lit, et plongeai la main dans le tiroir de ma table de chevet pour en tirer un Snicker. Déchirant sans tarder l'emballage, je mordis dans la friandise à belles dents, et soupirai d'aise au contact du chocolat qui me nappait le palais.

—Parfois, le peuple de notre mère fait exactement ce qu'il faut, et dans ces cas-là, ce n'est pas à moitié! commentai-je, les yeux rivés sur l'objet de mes délices.

Menolly haussa les épaules.

—Je ne peux pas dire. Du moins, plus maintenant. Mais je me souviens de cette fois où Mère avait rapporté un sachet d'œufs en chocolat d'un de ses voyages sur Terre. On devait avoir… je ne sais pas… on était petites en tout cas. Camille venait de commencer l'entraînement avec la coterie de la Mère Lune. C'était bon, je m'en souviens, mais presque trop sucré.

—Rien n'est jamais trop sucré pour moi, affirmai-je en prenant une seconde bouchée. Tu n'as pas l'intention d'arrêter, hein? Avec Chase?

Elle secoua la tête.

—Il faut que tu lui parles, et que tu règles la situation.

—Je croyais que tu ne nous donnais même pas une chance, maugréai-je en suivant d'un œil sombre les entrelacs de roses et de lierre qui décoraient mon couvre-lit.

Je commençais à regretter ce choix de motif et me demandai si je ne ferais pas mieux de l'échanger contre une couette Bob l'éponge, ou alors un truc avec des singes dessus – quelque chose de bête, qui me fasse rire.

—Je le pense toujours. Ça ne veut pas dire que tu peux laisser moisir les choses. (Elle se leva.) Quoi qu'il arrive, je serai là pour toi. Mais ne me mets pas à l'écart, chaton. Je t'aime et je tiens à toi. Même quand je ne suis qu'une vieille chieuse. (Elle déposa un baiser sur mon front et se dirigea vers la sortie, en s'arrêtant pour me jeter un regard par-dessus son épaule.) Au fait, pendant que vous serez en Outremonde, essayez, si possible, de trouver un jouet ou deux pour Maggie. Je voudrais qu'elle s'amuse tout en découvrant son monde naturel. Il est important qu'elle connaisse les cultures d'Outremonde aussi bien que celles de la Terre.

Je hochai la tête en souriant. Menolly marchait sur les traces de notre propre mère, mais si je le lui disais, elle me répondrait : « Pff ! » Je finis ma barre chocolatée et me glissai sous la couette en éteignant la lumière. Enfin, aux alentours de minuit, la fatigue l'emporta, et je sombrai, épuisée, dans un sommeil sans rêve.

Je me tenais, avec Camille, Morio, Flam et Iris, devant le portail de Hydegar Park, l'un de ceux qui s'étaient ouverts tout seuls au cours des derniers mois. Heureusement, il se trouvait dans un recoin paumé d'un jardin public grand comme deux pâtés de maison que la ville avait peu à peu laissé revenir à son état sauvage. L'endroit n'étant, du coup, pas beaucoup fréquenté, nous avions remédié au problème en chargeant Mirela, une vieille mais puissante elfe envoyée par la reine Asteria, de surveiller les lieux.

Elle passait ses journées dans le parc déguisée en clocharde pour éviter d'attirer l'attention. La nuit, elle posait un sceau magique sur le portail, mais il ne tenait jamais bien longtemps, car l'énergie l'absorbait. Au matin, il n'en restait plus rien, et l'elfe se retrouvait campée devant l'ouverture pour s'assurer que rien de vicelard n'en sortait. Au cas où, elle avait un portable avec nos numéros, et nous serions sur le coup en moins de cinq minutes.

Celui-ci s'ouvrait, malencontreusement, sur Darkynwyrd, la sombre forêt bordant les contrées obscures et les déserts du sud un peu plus loin. Si les bestioles qui rôdaient dans ces bois venaient à le découvrir, elles se feraient une joie de traverser, en nombre, et de causer un maximum de dégâts.

C'était tout le problème avec les gobelins, les trolls, et quantité d'autres habitants d'Outremonde. Plus ils semaient le trouble, plus on se congratulait dans leurs grottes natales, à grands coups de claques joyeuses sur les fesses et dans le dos. Un peu comme le vestiaire des hommes, mais en pire. Les femmes ne valaient guère mieux. Les rares jeunes gobelines que j'avais pu rencontrer étaient positivement méchantes.

Camille fit signe à Mirela.

—On est prêts. Tu as vu du monde, ce matin ?

L'elfe secoua la tête.

—Pas un mouvement, à part celui des oiseaux, eux-mêmes étrangement calmes aujourd'hui. Il semblerait qu'un orage approche. Cela sent le tonnerre et les éclairs, et de gros nuages noirs se dirigent par ici.

Iris s'assit près d'elle sur le banc.

—Tu as parfaitement raison, confirma-t-elle. Je le sens depuis que je me suis levée ce matin. Camille, tu dois pouvoir aussi, si tu fermes les yeux et que tu te concentres.

Nous avions décidé que la Talon-Haltija nous accompagnerait pour sa grande expertise des plantes. Elle saurait dénicher une *panteris phir* sans le moindre souci. Maggie était couchée dans l'antre de Menolly, et nous avions chargé Rozurial de veiller sur la maison. Quant à Vanzir, nous l'avions envoyé voir ailleurs si nous y étions. Ce n'est pas que nous n'avions pas confiance en lui. Nous préférions juste faire preuve de prudence.

L'elfe nous désigna les deux arbres qui dessinaient l'encadrement du portail. Parfois, ceux-ci s'ouvraient entre deux rochers dressés, ou à l'entrée d'une grotte. Ici, il s'était tissé entre un cèdre et un chêne, deux gardiens doués de sensations qui refusaient de m'adresser la parole. Je sentais leur nature vigilante. Ils nous observaient, absorbaient tout ce qui se passait autour d'eux. Mais, comparées à celles de notre terre natale, les forêts terriennes se muraient dans un silence profond, parfois morose et plein de ressentiment vis-à-vis de la race qui avait rasé de vastes étendues boisées.

L'énergie, vibrante, vive et nouvelle, coulait entre les troncs, elle qui, quelques semaines plus tôt, dormait encore depuis, qui sait, un bon millier d'années peut-être. Ce phénomène, aléatoire, indépendant des sceaux spirituels, marquait la détérioration des énergies qui séparent les royaumes. Même si nous trouvions tous les sceaux, en supposant qu'on puisse reprendre le troisième aux démons, comment savoir combien de temps le système se maintiendrait encore ?

Aeval, Morgane et Titania, les trois reines terriennes des Fae, clamaient que la Grande Séparation avait été une grossière erreur, car elle avait altéré la matrice qui soude les royaumes au point qu'un retour de volée était inévitable. Elles avaient peut-être raison.

Flam étudia le portail.

— L'énergie est instable, dit-il. Je crois qu'il pourrait se refermer tout seul à n'importe quel moment. Nous prenons un risque en l'utilisant.

— Pas le choix, répliquai-je. Si on se sert de celui de Grand-mère Coyote, il faudra faire tout un voyage pour retrouver Darkynwyrd. Ça devrait tenir pour l'aller. Et pour le retour, j'espère.

J'étais tout de même nerveuse à l'idée que le dragon redoute un danger. Flam ne craignait pas grand-chose. En fait, les seules fois où je l'avais vu faire preuve de méfiance, c'était face au seigneur de l'automne et, dans une certaine mesure, aux araignées-garous. Mais je n'avais pas l'intention de laisser tomber maintenant. J'avais besoin de cette plante, et je ne tenais pas à savoir ce qui se passerait si je désobéissais à un ordre direct de Hi'ran.

Camille haussa les épaules.

— Essayons, tant qu'à faire. Si on se retrouve coincés là-bas, on n'aura qu'à trouver un autre portail pour rentrer. Ce n'est pas la fin du monde.

Je lui envoyai un merci silencieux et me rapprochai de l'ouverture.

— C'est parti, mon kiki !

Voyant que les autres suivaient, je m'engageai dans le tournoiement lumineux.

CHAPITRE 11

Traverser un portail, c'est un peu comme enfiler une armure et folâtrer entre deux aimants gigantesques. On a l'impression d'être pulvérisé en une fraction de seconde. Puis tout à coup, les aimants disparaissent, et dans un violent tourbillon, on se retrouve de nouveau en un seul morceau. L'expérience n'est pas douloureuse, mais le moins qu'on puisse dire, c'est qu'elle donne le tournis.

Je n'avais pas eu l'occasion de rentrer chez nous depuis bien longtemps. Lorsque Camille et Menolly s'étaient rendues à Aladril, quelques mois plus tôt, j'avais été jalouse comme un pou. À mon tour, maintenant ! Manque de bol, la destination était Darkynwyrd. Mais avec Flam et Morio pour protéger nos arrières, ce ne serait pas aussi dangereux que ça aurait pu l'être.

Le parfum de l'air me donna le mal du pays. Cela sentait le usha, la fleur de khazmir qui s'épanouit la nuit, et par-dessus tout le propre. Ni pluie acide, ni polluants dans cette atmosphère-là, hormis la fumée des feux de bois.

En posant le pied sur ces terres, je ne pus m'empêcher de penser à notre père. Où était-il, maintenant ? Comme Trillian, et notre Tante Rythwar, il s'était littéralement évanoui. Était-il en sécurité, blessé, captif… ? Sa statue d'âme, toujours intacte, nous permettait de savoir qu'il était en vie. À part cela, nous ignorions complètement ce dans quoi il s'était engagé ou ce qu'il faisait aujourd'hui.

Cette guerre civile causée par l'aveuglement et la furie d'une opiomane avait réduit notre famille en morceaux. Nous ne pouvions qu'espérer que la sœur de la reine, Tanaquar, remporterait bientôt la lutte pour le trône et qu'elle remettrait Y'Elestrial sur le droit chemin. Quand je pensais à tout ce que Lethesanar nous avait fait endurer, à nous et à nos proches, j'espérais, dans un coin sombre de mon cœur, que sa tête finirait embrochée sur une pique brandie par les tortionnaires qui la servaient aujourd'hui. J'essayais de chasser cette pensée, mais cela ne changeait rien à ce que je ressentais. Et je n'aimais pas trop la saveur de ce fantasme.

Nous nous trouvions dans une prairie étroite, entre la forêt de Darkynwyrd et les contreforts inférieurs des Qeritan, chaîne montagneuse qui séparait les contrées obscures du territoire des elfes.

Étant donné la nature des contrées obscures, et plus encore des déserts du sud qui s'étiraient au-delà, les elfes avaient la chance de bénéficier de cette barrière naturelle. Ils surveillaient activement les cols pendant la saison chaude. L'hiver leur offrait un peu de répit. Rares étaient les voyageurs capables de franchir les hauts pics. Quiconque souhaitait visiter Elqavene en arrivant du sud-ouest devait faire tout le tour, et ce long et périlleux voyage décourageait la plupart des pillards venus dans le seul espoir d'une petite escarmouche.

Flam regarda autour de lui et plissa immédiatement le nez.

— Cela sent le wyvern. Maudits imposteurs ! L'un d'entre eux est passé par ici il y a quelques heures. Mais ces créatures se déplacent extrêmement vite. Il devrait être loin. J'espère.

— On cherche à éviter un combat en rase-mottes, hein ? demandai-je avec un clin d'œil.

Il me lança un regard plein de mépris, auquel je répondis par un sourire innocent.

— Je cherche à éviter de me battre, tout court, répondit-il. Merci bien. (Il alla se placer derrière nous.) Je couvre vos arrières. Morio, tu passes à l'avant avec Iris, puisqu'elle sait ce que nous cherchons. Camille et Delilah, vous prenez le milieu.

Morio s'exécuta sans poser de question. Apparemment, il avait accepté Flam comme mâle dominant. Je me demandai ce que donnerait toute cette histoire de mariage quand nous aurions retrouvé Trillian. Si on le retrouvait.

Iris prit sa place et hocha la tête.

— Je suis prête. Je sais effectivement à quoi ressemble une *panteris phir*, mais je peux vous assurer qu'on n'en trouvera pas une seule avant de s'être approchés d'un étang ou d'un ruisseau. Elle pousse à l'ombre et près de l'eau. Nous allons devoir nous enfoncer dans la forêt.

Elle avait enfilé des leggings épais et une tunique qui lui arrivait à mi-cuisse, sous une veste en cuir. Avec ça, des genouillères et des protections en cuir pour les coudes, et un vieux casque à vélo qu'elle avait déniché sait-on où.

— On dirait que tu vas faire du skate ! souris-je.

Elle leva les yeux au ciel.

— Ne plaisante pas avec ça. Ça peut très vite tourner au vinaigre ici, surtout dans le coin. Je ne suis pas très douée pour les combats de poing, et même si je ne suis pas si fragile que ça, je peux quand même me blesser. J'ai pensé que le casque et le cuir me protégeraient au moins un peu si nous devions rencontrer des ennuis. Camille, as-tu pris la corne ?

— Non, répondit celle-ci en secouant la tête. Je ne voulais pas l'amener. Beaucoup de mages me tueraient sans hésiter pour mettre la main dessus. Je l'ai cachée chez Menolly. Mais on ne devrait pas en avoir besoin. Il n'y a pas de démons ici – du moins, pas du calibre de ceux qu'on affronte sur Terre. Quant aux gobelins et toute cette engeance, on en ferait des carpettes en deux temps, trois mouvements.

Iris hocha la tête.

— Bien pensé. Allez, en route. De toutes mes visites en Outremonde, c'est la première qui m'amène à Darkynwyrd.

— Quand est-ce que tu es venue pour la première fois ? demanda Morio. Tu as grandi sur Terre, tout comme moi. J'avais à peine entendu parler de ce monde avant que Grand-mère Coyote me fasse venir du Japon.

— Moi aussi, j'aimerais connaître la réponse, dis-je en souriant. Les yeux malicieux d'Iris semblent cacher bien des secrets.

L'esprit de maison me lança un regard par-dessus son épaule et renifla d'un air de mépris.

— Ça ma fille, tu peux le dire ! Souviens-toi quand même que je suis beaucoup plus âgée que toi – chronologiquement parlant. Comme bon nombre de Fae au sang pur, les Talon-Haltija vivent très longtemps. Je me suis réinventée plusieurs fois déjà. Ou plutôt, ma vie a été remodelée pour moi. (Baissant la voix, elle reprit :) J'ai découvert Outremonde lorsque j'étais très jeune. Mon… un ami d'un passé révolu m'y emmenait souvent pour visiter ou faire des pique-niques. Il était d'ici. Nous nous étions rencontrés dans les royaumes du Nord.

Elle se tut, et je reconnus son expression. Nous n'arriverions plus à lui soutirer quoi que ce soit sur ce sujet.

Alors que nous atteignions l'ombre de la ligne des arbres, un étrange silence tomba sur la bande de prairies qui tenait lieu de frontière naturelle à la forêt. On entendait toujours gazouiller les oiseaux quelque part dans les arbres, mais le bruit paraissait étrangement étouffé, comme si quelqu'un avait baissé le volume.

La plupart des forêts d'Outremonde étaient chaleureuses et accueillantes. Darkynwyrd comptait parmi les exceptions. Sapins argentés, aulnes, saules, ifs, sureaux, ciguës observaient la forêt assombrie en sentinelles sensibles et vigilantes. Sur leurs troncs grands et larges, l'écorce dessinait des nœuds semblables à des visages. Ainsi observés, nous entrâmes. Les poils de ma nuque se hérissèrent et je me rapprochai de Camille, qui me prit la main sans un mot.

Les branches entrelacées au-dessus de la sente formaient comme une treille de feuilles et de rameaux envahie par les toiles d'araignée. Il en émanait une odeur légèrement fétide.

Les araignées leshi pullulaient dans ces arbres. J'aperçus çà et là l'orbe brillant et gras de leurs silhouettes. Elles étaient lisses, de la taille d'un dollar d'argent, avec des pattes articulées et un abdomen rond. Leur venin pouvait paralyser un homme. J'avais entendu parler de voyageurs solitaires qui, entrant dans la forêt, étaient tombés sur des toiles tendues en travers du chemin, et dont les squelettes avaient été retrouvés plus tard suspendus dans des cocons de fil. Darkynwyrd n'était pas le bon endroit pour la jouer solo, à moins de posséder de grandes ressources magiques, ou, du moins, de puissants talismans protecteurs.

Roncières, herbe à moufette, buissons de jeunebaie servant au travail de transe magique, et les fleurs de eisha qui entraient dans la composition des potions aphrodisiaques et des philtres d'amour, poussaient ici par touffes entre les arbres. Cette forêt était la caverne d'Ali Baba en matière d'ingrédients magiques et d'herbes médicinales pour les guérisseurs, les mages et les sorcières ; mais la cueillette passait par un trajet dangereux. En plus des leshi, déjà bien suffisantes, la forêt grouillait de serpents venimeux et de rats de wyr aux dents pointues. Et puis, il y avait les gobelins, les trolls, et d'autres créatures plus inquiétantes encore.

Je frissonnai soudain à l'idée que nous étions en train de nous aventurer dans la forêt que notre père nous avait toujours interdit d'approcher. Je serrai fort la main de ma sœur en essayant de contrôler mes nerfs. Elle semblait bien trop calme, pleine de sang-froid.

— Tu n'as pas peur ? m'étonnai-je en fronçant les sourcils.

Elle secoua la tête.

— Je ne nie pas la tension qui règne ici, mais pense à tout ce que nous avons traversé cette année. Qu'est-ce qui pourrait être pire que d'affronter des démons ? Ou Dredge ? Ou Kyoka ? Les gobelins sont ennuyeux, mais nous saurions facilement les vaincre. Quant aux trolls, on s'est débarrassées de deux Dubba il y a quelques mois. Je m'entraîne à la magie de la mort. Et regarde-toi : tu portes la marque du seigneur de l'automne. Tu as affronté un faucheur en personne. Pourquoi t'inquiéter ? (Elle se mit à rire.) Je crains plus de croiser l'armée de Lethesanar que les dangers qui pourraient nous attendre ici.

Je la regardai en songeant qu'elle parlait de plus en plus comme Menolly. Mais elle marquait un point. Après tout ce que nous avions connu, pourquoi aurais-je peur d'une simple forêt ? En plus, Flam était avec nous. Il balaierait quiconque prétendrait faire du mal à Camille, quitte à tout faire brûler.

Je reniflai et répondis :

— Tu as raison. C'est sans doute un vieux reste d'enfance, de toutes ces années à s'entendre répéter de ne jamais pénétrer dans ces bois obscurs. Mais Père ne pouvait pas prévoir ce que nous serions aujourd'hui. (Je suivis un instant le fil de mes pensées.) Tu crois qu'on le retrouvera ? Qu'on le reverra un jour ?

Camille s'assombrit.

— Je ne sais pas, chaton. Je l'espère, et je veux à tout prix le croire. Tout comme je me répète que nous retrouverons Trillian. Sans espoir, à quoi bon ? Nous ne pouvons pas baisser un instant notre garde, mais nous devons nous accrocher à la certitude que nous reverrons ceux que nous aimons. Regarde, notre cousin Shamas est arrivé à nous retrouver. Nous le croyions mort, mais il va bien, et il est avec nous. Si la cible d'une triade de Jakaris peut survivre, alors Père et Trillian doivent être capables de se battre pour revenir jusqu'à nous.

Morio nous lança un regard par-dessus son épaule.

— Trillian a plus de jugeote que vous le croyez. C'est un battant. Quoi qu'il soit arrivé, vous pouvez parier qu'il s'en sortira et qu'il prendra le contrôle de la situation. N'oubliez pas qu'il a vécu pendant des années dans les Royaumes Souterrains, avant que la ville de Svartalfheim soit délocalisée en Outremonde.

Tandis que nous cheminions dans ces bois, qui s'étiraient sur plus de trois cents kilomètres avant de déboucher sur les contrées obscures et les déserts du sud, je me laissai porter par le rythme des lieux. En fermant les yeux, je pouvais les sentir respirer tout autour de nous. Plongeant dans le pouls de Darkynwyrd, je lâchai lentement la main de ma sœur. Elle avait raison. Qu'avions-nous à craindre ? La vie nous avait endurcies. Nous étions bien plus dangereuses aujourd'hui, bien plus méfiantes. Nous prendre au piège maintenant devenait plus difficile, et nous abattre aussi.

D'une certaine façon, nous étions sur Terre comme dans notre propre contrée obscure. La majeure partie de l'humanité ignorait à quel point le danger était proche. Et nous, en première ligne, nous tentions d'éviter l'affrontement. Nous avions perdu notre insouciance le jour où Menolly avait été changée. Dredge avait anéanti tous nos espoirs de vie normale.

Et puis, en arrivant sur Terre, les démons avaient commencé à pleuvoir de tous les côtés, et tous les rêves de Cendrillon encore restants étaient partis en fumée. Le vrai danger, ici, c'était nous, maintenant. Gare à la créature qui tenterait de nous arrêter, de se mêler de nos affaires, ou de nous faire du mal! Je relevai les épaules en inspirant lentement.

— Je sens de l'eau, annonça Iris, le doigt pointé vers la droite. Est-ce que tu l'entends? me demanda-t-elle. Ton ouïe est meilleure que la mienne.

Camille et moi prêtâmes l'oreille. Je perçus en effet le clapotis, faible mais reconnaissable, de l'eau sur la rive.

— Ouaip, fis-je. Je ne sais pas si c'est un cours d'eau ou une mare, mais je l'entends.

— Moi aussi je la sens, ajouta Camille. Non, ce n'est pas un ruisseau. Ça a une odeur de lac.

Je vins me placer près d'Iris en contemplant la véritable barrière de broussailles qu'il nous fallait franchir.

— Épines et bruyère. C'est charmant. On essaie de trouver un chemin plus dégagé?

La Talon-Haltija me fit non de la tête.

— On pourra bien continuer tant qu'on voudra, quelque chose me dit qu'il faudra de toute façon traverser ces sous-bois pour atteindre notre but.

Morio acquiesça.

— Ça se densifie sûrement à mesure qu'on s'enfonce. Et la dernière chose que nous souhaitons, c'est d'être encore ici quand la nuit tombera. En tout cas, moi, je n'y tiens pas. (Il lança un regard nerveux par-dessus son épaule.) C'est une chose de se battre en plein jour, et une autre la nuit, à l'heure où les morts-vivants sortent. Je sens leur présence. Les esprits pullulent dans cette forêt.

—OK, bon, c'est parti, annonçai-je à Iris. Je passe devant parce que je suis plus grande. Morio, avec Camille. Je vais ouvrir la voie.

Sur ce, je m'enfonçai dans les fourrés en repoussant les branchages à l'aide de ma dague. Iris s'en sortait plutôt bien. Les épines glissaient sur le cuir de sa veste et de ses protections, mais certaines branches lui arrivaient au niveau des yeux, et je ne voulais pas qu'elle en perde un par ma faute.

—Flam, lançai-je par-dessus mon épaule, garde l'œil sur l'arrière. Évitons que quelqu'un nous surprenne au beau milieu des ronces.

Tandis que je reprenais mon avancée à travers les lianes épineuses et les fougères à hauteur de taille, il m'apparut que les forêts terriennes, qui me rendaient passablement nerveuse, ressemblaient à un joli parc entretenu et propret en comparaison de celle-ci. Camille m'avait bien aidée à surmonter ma peur de ces bois, mais je n'étais pas assez stupide pour rejeter en bloc tous les dangers que nous courions ici. Nous avions peut-être un dragon avec nous, mais si un wyvern tombait soudain du ciel en stridulant, autant s'attendre à une sacrée bagarre dont personne ne ressortirait en meilleur état, pas même Flam.

Alors que ma lame repoussait doucement les branches d'un buisson à baies, j'entendis l'écho léger d'une musique provenant de ma gauche. Quelque part devant nous, quelqu'un chantait… Ou jetait un sort. Je ralentis en faisant signe aux autres de ne pas faire de bruit, et, d'un geste, invitai Camille à me rejoindre.

—Qu'est-ce que c'est? Tu as une idée? murmurai-je en indiquant l'endroit d'où provenaient les sons.

Attentive, elle ferma les yeux. Je la sentis s'étendre jusqu'à l'astral pour tenter de toucher la magie. Elle dut établir un contact, car elle sursauta en rouvrant brusquement les yeux. Une main sur la bouche, elle recula dans les bras de Morio, qui l'empêcha de tomber.

Dès qu'elle eut retrouvé l'équilibre, elle murmura, frénétique :

— Il faut sortir de là. Maintenant. Pas le temps d'expliquer. On fait demi-tour, ou alors on passe par l'autre côté.

Indécise, car nous avions tout de même déjà bien progressé, je finis par me tourner vers la droite et nous frayer un chemin à travers les broussailles aussi vite que possible. Ça devait être grave, pour arriver à effrayer ma sœur.

Nous bataillions depuis près de dix minutes quand nous perçûmes un changement d'énergie. Le chemin, déjà sombre, s'obscurcit. Une ombre gigantesque nous voilait le soleil. Je levai vivement la tête en m'attendant à trouver un wyvern suspendu dans les airs. Ce n'était pas le cas. Il n'y avait qu'une sorte de voile opaque entre nous et les fins rayons de soleil qui perçaient l'amalgame de toiles et de branchages.

— Qu'est-ce que c'est ? demanda Iris à voix basse.

— Je ne sais pas, répondit Camille. J'ai… Là-bas, j'ai senti quelque chose en rapport avec les parle-aux-morts. Ça ressemblait à un rituel. Et croyez-moi, personne n'a envie d'assister à leurs cérémonials.

— Des parle-aux-morts ? dis-je en frissonnant.

Lèvres contre lèvres, bouche contre bouche,
Voici venir l'orateur voilé
Pour aspirer l'esprit, clamer sa parole
Que les secrets des morts soient révélés

Enfants, nous chantions cela pour chasser les monstres tapis sous les lits, mais comme pour nombre de comptines, la légende se basait sur des faits.

Seules les femmes de l'espèce devenaient parle-aux-morts. D'ailleurs, on ne voyait jamais qu'elles. La rumeur disait que cette mystérieuse race de Fae difformes vivait dans une ville souterraine faite de cendre et d'os. Elles étaient capables de prêter un temps leur voix aux défunts et méritaient vraiment le prix exorbitant qu'elles exigeaient, à savoir le cœur de la victime, qu'elles lui arrachaient pour sceller la communion. Toujours vêtues de longues robes, on ne voyait que leurs yeux scintillants dans l'ombre de la capuche.

— Tu ferais mieux de t'en tenir aussi loin que possible, dis-je à Camille.

Les sorcières et les parle-aux-morts n'osaient pas se toucher. Si leurs pouvoirs entraient en collision, les étincelles résultantes risquaient de provoquer une explosion capable de laisser un cratère de bonne taille dans le sol. Sans compter les jolies blessures d'éclats pour tous ceux qui se trouvaient autour.

Alors que j'achevais ma phrase, l'ombre grandit et s'étira, menaçante, au-dessus de nos têtes. Enfer et damnation! Faites que ça ne soit pas une parle-aux-morts! Nous n'avions pas la moindre idée de la façon dont elles se déplaçaient. Si ça se trouve, elles savaient voler, se téléporter, ou courir aussi vite que Superman! En tout cas, débarquer au beau milieu d'un de leurs rituels dans le fin fond de Darkynwyrd n'était pas du tout une bonne idée.

Tandis que le bruit d'eau se faisait plus pressant, j'aperçus une ouverture vers l'avant. Nous étions presque sortis de ce buisson. Lançant un coup d'œil à l'espèce d'apparition qui nous suivait d'en haut, j'accélérai le pas. J'entendais Iris batailler pour tenir le rythme. Toute rapide qu'elle soit, nous ne faisions pas le même genre d'enjambées.

Dans un grognement soudain, elle demanda :

— Mais qu'est-ce que…

Je pivotai en levant ma lame, pensant qu'on l'attaquait, et la vis jetée sur l'épaule de Flam, l'air abasourdi. Camille me poussa en avant.

— Allez, il faut sortir d'ici. Je ne sais pas ce qu'est ce truc qui flotte au-dessus de nous mais il ne nous veut pas de bien, je le sens d'ici. Il faut qu'on… Oh, merde !

Elle eut juste le temps de reculer avant que l'ombre, plongeant en piqué, se pose devant elle. Transparente, la chose était néanmoins parcourue de vaguelettes qui nous indiquaient clairement sa présence. Je distinguai la courbe légère d'une paire d'ailes, ainsi qu'une queue, avant que la créature balance la patte vers ma sœur, qui s'éloigna d'un bond et atterrit dans les bruyères.

Morio laissa tomber son sac et entreprit de se transformer. Camille fit appel à la magie de la Mère Lune, bien plus puissante ici que sur Terre.

Un éclair d'énergie jaillit de ses doigts et frappa l'intrus dans ce qui devait être la région du torse. Nous peinions toujours à savoir s'il s'agissait ou non d'un bipède. Quoi qu'il en soit, le coup ricocha et termina dans un tas de bois mort qui s'embrasa aussitôt.

— Ah putain ! Au feu !

Je m'élançais vers les flammes quand notre adversaire se matérialisa dans un scintillement. La boule d'énergie devait avoir fait tomber ses protections. D'un seul coup, nous nous retrouvâmes nez à nez avec un centaure tout en muscles aux ailes gigantesques, produit évident d'un mariage consanguin étrange et bien corsé. J'avançai prudemment, dague levée.

Morio passa à l'offensive. Profitant de la distraction, j'approchai par la gauche et fis glisser ma lame le long de la fourrure brune et soyeuse de son arrière-train. Une longue entaille s'ouvrit sur son passage. Le centaure hurla. J'attaquais derechef, lorsqu'il leva la jambe et me balança un coup de pied au ventre avec une force qui me jeta au pied d'un if.

—Delilah, ça va? s'inquiéta Camille en pivotant vers moi.

Je ne pouvais pas répondre, j'avais le souffle coupé. Elle me rejoignait quand, dans un tourbillon d'argenté et de blanc, Flam revint en arrière pour labourer le flanc droit de la bête où il traça cinq longs sillons sanglants. Iris se tenait juste derrière lui. Tout en entonnant une sorte d'incantation, elle tira une petite boîte de ses affaires, l'ouvrit, en avala le contenu, puis souffla dans la direction de la bataille. Une violente tempête de neige s'abattit sur les trois combattants.

Le *Yokai* recula. Flam ignora les grêlons qui le rouaient de coups, comme s'il s'agissait de simples grains de poussière. Mais le centaure lâcha un grognement sonore et se figea. Une fine couche de givre recouvrait tout son corps.

Le dragon lança un coup d'œil dans notre direction. Ma sœur m'aidait à me relever. Mes poumons semblaient de nouveau fonctionner, mais mon estomac donnait l'impression d'avoir roulé une pelle à un marteau de forgeron.

—On n'a pas beaucoup de temps. On le tue ou on le capture?

Je réfléchis aussi vite que le permettaient mes tripes douloureuses. Que ferait Menolly à notre place? Nous pourrions, certes, lui arracher quelque information, mais il nous avait attaqués le premier, et sans nous demander qui nous étions et ce que nous faisions là. Je déglutis, étouffant le sentiment de culpabilité qui croissait dans mon sein.

—Mieux vaut se débarrasser de lui. Il ne nous dira rien. Il est sorti pour tuer, et je ne le sens pas disposé à passer des accords. Et même s'il acceptait, rien ne nous dit qu'il ne reviendrait pas aussi sec nous traquer avec ses petits copains.

Flam hocha la tête. Je vis qu'il approuvait ce choix. Idem pour Camille, Morio… et Iris. Je me détournai. J'avais le sentiment d'avoir vieilli d'un seul coup, d'être soudain trop rugueuse pour ma peau. Mais c'était ça, un soldat. C'était ça, la guerre. Tirer d'abord, interroger après. Ne pas faire de prisonnier. La seule fois où nous avions essayé (avec Wisteria, la floraède) les choses avaient affreusement mal tourné. Elle s'était enfuie avant de conduire Dredge jusqu'à nous. Ç'avait été un sacré coup dur.

Avalant ma peur, je me retournai.

—Attendez, dis-je. C'est à moi de le faire.

Les yeux se braquèrent sur moi. Je lus de l'inquiétude sur les traits de ma sœur.

—Tu es sûre, Delilah?

Je me mordis la lèvre en la remerciant en silence de ne pas avoir utilisé mon petit nom.

—J'ai déjà tué. Ce n'est pas comme si je n'avais pas de sang sur les mains. Il faut que j'arrête les scrupules. Que j'accepte de ne jamais revenir à l'époque où la vie était douce, où Mère était vivante et qu'elle prenait nos problèmes sur elle. Tu as fait de ton mieux, Camille. Oh, les dieux savent que tu as essayé, si fort! Mais tu ne peux pas nous protéger contre les horreurs que nous affrontons désormais. Tu n'es qu'une femme toute seule… Et les dangers sont si grands…

Elle prit mon visage entre ses mains.

—Chaton, nous n'avons jamais cru connaître un jour une vie tranquille, même du vivant de Mère. C'était toujours nous qu'on choisissait de harceler, ou de frapper. Il n'y avait pas de douceur, pour nous. Regardons les choses en face : elle n'est ni dans notre nature, ni au menu de notre destin. Il nous faut saisir ces moments de sérénité lorsqu'ils se présentent, les apprécier, et les garder dans nos cœurs, car ils sont éphémères et fuyants.

Elle fit signe à Flam de la rejoindre.

Morio avait repris sa forme humaine. Il me lança un sourire d'encouragement.

Je m'approchai de la créature ailée en la regardant dans les yeux. Elle était toujours hébétée par le sort qu'Iris lui avait lancé. Je sondai son âme à la recherche d'une raison d'arrêter ma main, d'un signe, quel qu'il soit, indiquant qu'elle savait avoir commis une erreur. Mais alors, j'y vis la lumière, traîtresse, qui remplissait les yeux des gobelins, des démons et des autres créatures de l'ombre que nous affrontions. Ce monstre avait des dents tranchantes et pointues, semblables à une rangée d'aiguilles. Plus de doute, à présent.

Ce centaure chassait pour son dîner. Il était doué de raison, et dans cette jungle, dans cette forêt, c'était manger ou être mangé. Je posai ma dague contre sa gorge et la tranchai d'un coup sec, avec une furieuse envie de crier « Non, je ne suis pas comme ça !! » Mais je savais que si. *C'était moi.*

Delilah à la lame d'argent. Delilah, la fiancée de la mort, la chasseresse courant d'une ombre à l'autre sous la lune. J'avais toujours tenté d'étouffer ma nature de prédateur, qui remontait à la surface sous ma forme de chat, et s'éveillait en rugissant lorsque j'étais panthère. Inutile de nier l'évidence : j'aimais la chasse. La traque.

Le centaure ailé s'effondra sur le sol et je me détournai en essuyant ma lame sur mon jean. Incapable de rire ou de pleurer, je regardai les autres.

—Allons-y. Le lac se trouve peut-être derrière ce dernier buisson. Restez sur vos gardes. Ces bois sont traîtres et dangereux.

Sur ce, nous reprîmes notre route, au rythme du petit refrain qui tournait dans ma tête :

Toi aussi, Delilah D'Artigo. Toi aussi.

Chapitre 12

L e bosquet s'éclaircit au bout d'une vingtaine de mètres, et finalement s'ouvrit sur une clairière bordant un petit lac, ou peut-être un grand étang. Je ne savais pas trop, d'ailleurs je m'en foutais. J'étais toujours nerveuse à proximité de l'eau. Alors que nous déboulions de notre entremêlement de bruyères et de ronces, une odeur saumâtre s'insinua dans mes poumons. Je grimaçai. Camille plissa également le nez.

— Grands dieux, mais c'est ignoble ! s'écria-t-elle. Regardez-moi ça, c'est couvert d'algues !

Nous voyions aisément l'autre rive, mais pour rien au monde je n'aurais traversé sans un bateau robuste. D'une part, je ne savais pas nager – enfin, pas vraiment. D'autre part, la surface du plan d'eau disparaissait presque entièrement sous une couche gluante et verdâtre. L'écume des mares. Magnifique. J'avais envie de patauger dans ce Jacuzzi infâme presque autant que de me faire courser par Rapido sous ma forme de chat. Celui-là, moins je le fréquentais et mieux je me portais. Non content de hurler toute la nuit, il me confiait des secrets que je n'avais vraiment pas besoin de connaître. Par exemple, le fait que ses maîtres jouent à se fesser. J'avais beau lui expliquer que ça ne m'intéressait pas, rien n'y faisait. Il tenait absolument à comprendre ce qui les amusait tant dans cet échange de coups qui servaient par ailleurs à le punir quand il s'oubliait sur le tapis.

Une rapide inspection des alentours immédiats ne fit apparaître que des dangers banals, c'est-à-dire des araignées, des serpents et un cournouard grondant. Flam et Morio laissèrent Iris ouvrir la marche.

Ma sœur et moi nous assîmes sur une souche. À la chasse aux herbes, nous ne valions pas un clou. Camille possédait bien un petit jardin, mais découpé en jolis rangs propres, avec les étiquettes fournies dans le paquet de graines pour les identifier. Quant à moi, j'étais un cas désespéré. Je n'aimais même pas manger les végétaux. Il avait toujours fallu me soudoyer pour que j'avale carottes et brocolis.

Morio progressait près de l'esprit de maison tandis que Flam surveillait la forêt pour s'assurer que rien d'horrible ne chercherait à nous prendre par surprise. Le matin se fondit en midi, sous un soleil brillant, sans être particulièrement chaud. Bercée par le bourdonnement sourd des insectes, je m'aperçus soudain que nous n'entendions pas le vacarme incessant de la circulation, le hurlement des télés ou des stéréos, ou même le ronron de l'électricité qui courait dans les câbles.

—Je n'avais plus connu un tel silence depuis… que nous sommes parties, dis-je en fermant les yeux.

Camille hocha la tête.

—Je sais. Ça me manque. Mais je regretterais pareillement certains aspects de la Terre. Si on m'imposait de choisir l'endroit où je veux vivre, j'aurais beaucoup de mal à trancher. J'opterais probablement pour Outremonde, bien sûr… Pourtant…

—… la terre de notre mère a laissé son empreinte sur toi, complétai-je avec un sourire triste. Sur moi aussi, je le crains. Et Menolly aime les ruelles obscures. (Je poussai du pied un caillou qui roula jusqu'à la mare.) Tu crois qu'on reviendra vivre ici un jour ? De façon… permanente, je veux dire ?

Elle fronça les sourcils. Les yeux rivés sur l'eau, elle respirait si doucement que je voyais à peine sa poitrine se soulever.

—Je ne sais pas, chaton, répondit-elle enfin. Pour tout dire, je ne suis même pas sûre que nous survivions à la guerre qui approche. Nous avons déjà frôlé la mort à plusieurs reprises. Qui sait si un jour… Il suffit d'un seul faux pas… (Elle se tut et haussa les épaules.) Je pense que nous devrions juste apprécier chaque jour comme il se présente.

—« Cueillez dès aujourd'hui… », hein ? Je ne te savais pas si philosophe, souris-je.

Elle cilla.

—Je ne l'étais pas l'année dernière. Mais après tout ce qui s'est passé… Aujourd'hui nous sommes heureuses d'être chez nous, en Outremonde, même si c'est à Darkynwyrd. Demain, nous retrouverons avec plaisir notre maison, en ville, et Maggie. Je ne vois pas d'autre moyen de conserver notre santé mentale.

À six mètres de nous, Iris pataugeait en travers des herbes hautes qui poussaient près de l'eau.

—Je l'ai trouvée, Delilah, cria-t-elle. Viens voir.

Je me levai lentement en m'essuyant les mains sur les fesses.

—Comment va ta main ? Ça va, tu ne fatigues pas trop ? demandai-je à Camille en me penchant pour lui offrir la mienne.

Elle se leva d'un bond sans mon aide et secoua la tête.

—Ça pique, mais ça guérit. Je vais bien, chaton. Ne t'inquiète pas pour moi. Sharah sait ce qu'elle fait. Va voir Iris, maintenant.

Alors qu'elle allait monter la garde avec Flam, je m'approchai de la Talon-Haltija, qui avait fendu un buisson de plantes sauvages pour m'en désigner une, particulièrement grosse.

Les feuilles, duveteuses, mates et festonnées, me rappelaient celles des pélargoniums. Un lourd parfum musqué s'élevait des petites fleurs violettes qui terminaient les têtes pointues. La plante mesurait bien quatre-vingt-dix centimètres. Elle atteignait presque le menton d'Iris.

— Alors c'est ça, la *panteris phir*? demandai-je. Ça ressemble aux géraniums roses que Siobhan fait pousser sur son balcon.

Je m'agenouillai près du végétal afin d'étudier ses racines épaisses et noueuses. La tige, qui s'était lignifiée sur les trente premiers centimètres, donnait l'impression que tout ce qui pousserait ensuite deviendrait également dur et solide comme le bois.

— Exact, confirma Iris. Dans la langue des elfes du nord, cela signifie «croc de panthère». C'est une plante puissante, Delilah. Tu ne peux pas la prendre tout entière, elle te le ferait payer très cher. Contente-toi de prélever quelques boutures. Je suis sûre qu'une au moins développera des racines. En échange, tu dois lui laisser une offrande. (Elle tira un déplantoir et un sécateur de son sac à dos.) Je ne peux pas le faire pour toi, termina-t-elle. On t'a demandé d'aller la chercher, aussi dois-tu le faire.

— Mais comment? Je vais blesser la plante, ou les boutures, m'inquiétai-je en regardant la *panteris phir* sans trop savoir quoi faire.

— D'abord, tu dois lui donner quelque chose. Ensuite je te montrerai où couper.

Elle me présenta un sac congélation troué, contenant une serviette en papier qu'elle humecta avant de l'essorer.

— On enroule les boutures dans le papier mouillé, on met le tout dans le sac en plastique, et on le ferme, expliqua-t-elle. Cela devrait les maintenir en vie le temps de rentrer à la maison et de les mettre dans l'eau. Quand elles seront prêtes à être plantées, nous leur ferons une place spéciale dans le jardin. Il faut aussi que tu rapportes assez de feuilles à infuser. Ta plante n'aura pas tout de suite la force de supporter tes prélèvements mensuels. Une pincée suffit pour une tasse.

Je regardai le croc de panthère. Que pourrais-je bien lui donner en échange d'une partie de son corps ? Je levai les yeux vers Iris.

— Mon sang et mes cheveux ? C'est bon, comme offrande ? Après tout, je lui arrache un bout d'elle-même pour l'emmener avec moi.

Elle me sourit avec douceur.

— Tu as beaucoup appris, Delilah. Oui, ce serait tout à fait approprié. Près des racines. Cela fortifie la connexion avec la plante mère. Vas-y, et dis ce qui te semble juste.

Un peu sceptique encore, bien qu'ayant l'impression de faire fondamentalement ce qu'il fallait, je creusai un trou dans la terre à l'aide de ma dague. Puis je saisis une petite mèche de cheveux et la tailladai si bien que je me retrouvai avec une drôle de frange sur le côté droit de la tête. Je l'enfouis dans le trou en espérant que personne ne la trouve jamais. Le sang et les cheveux conservaient des liens magiques très puissants avec leur propriétaire. Je l'avais appris en écoutant Camille.

Levant alors la main, je me fis une entaille d'environ deux centimètres et demi dans la paume, juste sous les doigts. Ce n'était pas très profond, mais cela suffisait à l'usage que je devais en faire. Je laissai le sang goutter sur la mèche, et je dis :

— Je t'offre mon sang et mes cheveux en échange de ton enfant, d'une partie de ton corps. Puissions-nous toutes deux trouver la force dans cette communion.

Cela me paraissait convenir, et je ne voyais rien à ajouter. Je lançai un coup d'œil à Iris, qui hocha la tête.

— Très bien. Ça devrait être bon.

—Et si quelqu'un vient voler mes cheveux ? Les sorcières et les sorciers s'en servent parfois pour plier les êtres à leur volonté. Comment savoir que personne ne nous observe en ce moment depuis la forêt ? Peut-être que des créatures plus terribles encore que le centaure ailé nous écoutent et attendent.

Iris réfléchit un instant. Quand j'eus rempli le trou, elle traça une rune au-dessus et la tint sous ses mains en coupe.

—Enfonce-toi profondément, ordonna-t-elle. Unit et protège. Maudit quiconque voudrait faire mauvais usage de cette offrande. (Un éclair crépita entre ses doigts, chargeant la rune, qui étincela brièvement avant de disparaître.) Cela devait faire l'affaire le temps que tes cheveux se décomposent et retournent à la terre. Bon, maintenant, il faut saisir la tige de cette façon, puis couper en diagonale… Non, pas comme ça, regarde bien comment je tiens le couteau…

Je tentais en vain de me concentrer sur sa démonstration. Mes pensées revenaient malgré moi au fait que nous nous trouvions en Outremonde, et que nous rentrerions bientôt sur Terre sans avoir retrouvé Père ou Trillian, ni découvert le moindre indice confirmant la thèse d'une sœur jumelle morte à la naissance. Bien sûr, ce dernier point n'était pas aussi important que les deux autres… Mais quand même.

—Non ! Enfin, Delilah, fais attention à ce que tu fais ! s'écria Iris en décalant ma main d'un milliardième de millimètre. Tu vois comme l'angle modifie la direction de la coupe ?

Je hochai la tête.

—Oui. Je suis désolée. J'étais à des millions de kilomètres.

—Mieux vaut être pleinement présente dans tout ce que tu fais. Occupe-toi d'une seule chose à la fois, et tu n'auras plus jamais besoin de refaire quoi que ce soit.

Je poussai un profond soupir, puis inspirai de nouveau et me concentrai cette fois sur mon travail.

En milieu d'après-midi, nous reprîmes la direction générale du sentier par lequel nous étions arrivés, ma dague servant une fois encore de machette pour nous tracer une route. Je n'étais pas sûre d'avoir envie de partir. Non que je raffole de Darkynwyrd ; je quitterais avec joie ses profondeurs obscures. Mais sitôt sortis de ces bois, nous prendrions le portail pour la Terre. Et ça me brisait le cœur.

J'avais vraiment envie de rester encore un peu, de trouver un endroit confortable où nous détendre un moment. Mais l'image de Menolly, de Maggie, de Chase et de notre maison dansait dans mon esprit, et je m'aperçus que Seattle était devenu *la maison* au même titre, ou presque, qu'Y'Elestrial.

Indécision. La Terre. Outremonde. Outremonde. La Terre…

Quel enfer ! À bien y réfléchir, je ne savais pas du tout ce que je voulais. Ce n'était pas nouveau. Au début de notre cohabitation, Iris me reprochait souvent de miauler devant la porte jusqu'à ce qu'elle m'ouvre, puis de me figer net sur le seuil, de l'air de ne plus savoir si je voulais sortir. C'est d'ailleurs pourquoi elle avait installé la chatière.

Alors que nous surgissions des sous-bois, Camille fronça les sourcils en regardant autour d'elle.

— Hé, mais ce n'est pas là qu'on a quitté la sente. Je ne reconnais pas du tout cet endroit. Je vous parie qu'on s'est enfoncés dans la forêt au lieu de revenir vers notre point de départ.

Je regardai les arbres avoisinants.

— Tu as raison. Nous allons devoir marcher plus longtemps que prévu. J'espère que ce n'est pas trop loin.

Iris, qui avait un excellent sens de l'orientation, s'assura que nous repartions dans la bonne direction. D'après la position du soleil (et la montre de Morio), il était 15 heures. Si nous n'avions dévié que de deux ou trois kilomètres, nous devrions retrouver le portail vers 17 heures et rentrer à temps pour le dîner.

Au détour d'un chemin, Camille se figea sans un mot, le doigt pointé vers la droite. Là, à vingt mètres, blottie au bout d'un petit chemin, se trouvait une maison. Le terrain, délimité par une barrière de bois robuste, avait été débroussaillé avec soin, si bien qu'au lieu d'y patauger jusqu'aux genoux dans les ronces, on apercevait un potager et un jardin aromatique respirant la santé. Disposés de part et d'autre du portail, de grands cristaux gardaient l'entrée. Moi-même, je sentis la magie couler entre les hampes de quartz fumé dressées pointe vers le ciel. Elles mesuraient au moins neuf mètres de haut, et devaient sans doute peser plusieurs centaines de kilos chacune.

Près de la barrière, une silhouette nous observait. Je tendis la main vers ma dague. Camille poussa un petit cri et s'élança.

—Qu'est-ce que tu fous ? Tu es dingue ? criai-je.

Sans m'accorder la moindre attention, elle galopa vers l'inconnu en lui adressant un salut frénétique de la main, auquel il répondit. À en juger par son apparence, ce devait être un Svartan. Sa peau luisante, couleur de jais, ajoutait un charme indéniable à sa beauté brute. Moins sophistiqué que Trillian, il avait les mêmes yeux bleu clair que lui. Ses cheveux étaient nettement plus courts – ils descendaient à peine dans sa nuque – et il portait une belle moustache et un bouc.

Évidemment, au moment où Camille s'était mise à courir, Flam l'avait aussitôt imitée, ainsi que Morio. J'échangeai un coup d'œil avec Iris en haussant les épaules. Nous nous lançâmes après eux.

Ma sœur babillait comme une fontaine.

—Darynal! C'est toi! Je n'arrive pas à le croire! (Elle s'immobilisa à moins de deux mètres du portail en regardant les cristaux.) Si tu as posé des protections, c'est le moment de me le dire.

Il lui sourit paresseusement.

—Tiens, tiens, tiens, ne serait-ce pas Camille, la femme de Trillian? Ça fait un bail, beauté. Pourtant, je ne suis pas étonné de te voir. (Il ferma les yeux et agita brièvement la main devant un sceau tracé à l'avant du portail.) Voilà. Maintenant c'est sûr. Vous pouvez entrer.

Camille nous fit signe de la suivre. Flam n'avait pas l'air content. Pour tout dire, moi non plus. Les amis de Trillian étaient suspects par défaut. Mais nous nous exécutâmes en passant sans un mot devant Darynal qui nous tenait la porte de sa demeure.

Sitôt entrée, je cherchai le piège. Il faut croire que mes sœurs avaient fini par déteindre sur moi, mais j'évitais de me fier à quelqu'un que Camille n'avait pas revu depuis un an, voire plus encore, s'il pensait qu'elle était la femme de Trillian… Sauf bien sûr si les deux Svartan s'étaient vus au cours des derniers mois. Trillian et ma sœur avaient rompu depuis plusieurs années avant qu'il pointe le bout de son nez sur Terre et qu'ils reprennent leur histoire où ils l'avaient laissée.

Les choses pouvaient changer du tout au tout en un tel laps de temps. Les alliances se formaient… et se brisaient.

D'ici, je comptais trois pièces. Une cuisine, un salon, et ce qui devait être une chambre. La cabane en grosses bûches solides avait un caractère rustique et coriace que je n'aurais jamais associé à Trillian.

D'une rangée de bois d'animaux fixés aux murs pendaient toutes sortes de sacs et de vêtements. *Trophées fonctionnels*, songeai-je. Une partie du salon se composait d'un sofa surrembourré aux teintes passées et d'un fauteuil assorti. L'autre, d'une bibliothèque remplie de livres et de parchemins jouxtant un bureau de bois brut et une chaise. Apparemment, Darynal savait lire.

De la cuisine parvinrent soudain des effluves qui m'amenèrent l'eau à la bouche. Nous n'avions rien mangé depuis plusieurs heures. Je humai la riche odeur du bœuf et des carottes en ragoût jusqu'à m'en remplir les poumons. Ce Darynal n'était peut-être pas un mauvais bougre, tout compte fait. C'est vrai. Un type capable de confectionner un plat aux fumets paradisiaques ne peut pas être tout à fait mauvais.

— C'est de la soupe de bœuf que je sens, là ? lâchai-je malgré moi alors que mon estomac se mettait à gronder.

Camille me lança un regard qui en disait long sur ce qu'elle pensait de mes manières, mais notre hôte sourit.

— Effectivement… c'est Delilah, n'est-ce pas ? Pourquoi ne pas vous joindre à moi ? proposa-t-il en désignant la cuisine d'un mouvement de la tête.

Je me figeai.

— Comment connais-tu mon nom ?

— Trillian m'a beaucoup parlé de toi.

Donc, ils étaient en contact.

— Tu l'as vu, récemment ?

Darynal inclina la tête.

— Il habite parfois chez moi lorsqu'il revient à Artanyya.

C'était le nom que les Svartan donnaient à Outremonde.

— Et… il est là en ce moment ? demanda Camille en regardant tout autour d'elle avec le fol espoir soudain qu'on ait eu un bol monstre, et que Trillian soit en pleine forme et chez son meilleur pote.

Mais il pulvérisa ses espoirs d'un rapide :

— Non. Je suis désolé. Je m'occupe de la soupe et du pain, termina-t-il en s'éloignant vers la cuisine.

— Je viens t'aider, déclara Iris en le suivant.

À peine eurent-ils quitté la pièce que Flam se tourna vers Camille. Ses yeux rougeoyaient presque.

— Qui est cet homme ? demanda-t-il. Quelles relations entretiens-tu avec lui ?

— Hé, c'est moi qui suis censée poser ces questions ! intervins-je. Tu sais, les trucs du genre : comment sais-tu qu'on peut lui faire confiance ?

Elle nous fit signe de baisser la voix.

— Trillian et Darynal sont frères de sang. Ils se sont prêté serment devant les dieux quand ils étaient enfants. Si l'un prétend trahir l'autre, il sera terrassé par sa propre promesse. Trillian m'a dit qu'ils avaient jugé ce pacte nécessaire au cas où les choses deviendraient justement ce qu'elles sont aujourd'hui. Je suppose que la vie n'était pas facile, dans les Royaumes Souterrains ; même dans leur propre ville. Comme ça, ils savaient qu'ils pourraient toujours compter sur quelqu'un, même pendant les heures les plus sombres de leur vie.

Dans ce cas, le lien qui unissait Trillian et ma sœur devrait nous assurer l'amabilité de Darynal. Je baissai un peu ma garde, et Flam aussi. Morio haussa les sourcils et entreprit lentement de se promener dans la pièce. Près du bureau, son œil s'arrêta sur un morceau de papier.

— C'est un trappeur, n'est-ce pas ? Il y a là un reçu pour vingt peaux de renard sauvage, frissonna-t-il en se détournant.

Camille hocha la tête.

— J'en suis désolée, mais oui. Il est très différent des autres Svartan. Beaucoup plus solitaire. C'est fondamentalement un homme des montagnes. Il chasse, il pêche, et il pose des pièges. Je crois bien qu'il a des ruches, et Trillian m'a dit qu'il faisait le meilleur cidre au monde.

—Trillian a raison, affirma Darynal en entrant dans la pièce. Le déjeuner est prêt. Suivez-moi, s'il vous plaît.

Nous entrâmes à sa suite dans une grande pièce, au milieu de laquelle trônait une grosse table en bois couverte de victuailles. Il y avait des coussins sur les bancs. Je pris place en promenant mon regard alentour. La maison de Darynal était chaleureuse et douillette. Des tresses d'ail suspendues aux murs, des paniers de pois, de pommes de terre et de tubercules, ainsi que des miches de pain frais pur grain équilibraient la rudesse du décor.

Le repas se composait de soupe de bœuf à l'orge épicée, de plateaux entiers de tranches de pain tendre, de beurre frais, et du meilleur miel que j'aie jamais goûté, le tout arrosé de cidre tiède fumant aux arômes de muscade et de cannelle. Je n'avais rien mangé d'aussi bon depuis très longtemps. La nourriture, en Outremonde, était plus riche, plus savoureuse… ce que l'on devait très certainement à l'absence d'additifs et à un mode de culture respectueux qui n'épuisait pas les sols, comme c'était le cas sur Terre.

Tandis que nous mangions, Camille resta silencieuse. Elle regardait fréquemment le Svartan du coin de l'œil, et je savais qu'elle pensait à Trillian. Je décidai finalement de poser la question qu'elle hésitait à formuler.

—Darynal, est-ce que tu as vu Trillian dernièrement ? Nous sommes très inquiets à son sujet. (Je lui désignai Camille d'un regard entendu.) Elle est comme folle depuis qu'il a disparu.

Notre hôte releva vivement la tête en fronçant les sourcils.

—Disparu? Comment ça? Je l'ai vu il y a trois jours! À moins… à moins qu'il lui soit arrivé quelque chose entre-temps?

—Trois jours?? cria Camille en se levant d'un bond. Qu'est-ce que ça veut dire? Je n'ai plus de nouvelles depuis plusieurs mois et je suis terrifiée! (Elle quitta la table.) Je vis dans la crainte que les gobelins l'aient eu…!

—Tu veux dire qu'il ne t'en a pas parlé? Mais je croyais… Enfin, ça me semblait évident… Oh-oh…

L'expression de Darynal parlait pour lui. Trillian n'avait pas du tout disparu. Il faisait toujours partie de la vie locale et nous avait volontairement laissé penser qu'il était en danger.

Ma sœur parut sur le point de se mettre à pleurer; mais quelque part, entre l'œil et la joue, les larmes disparurent, laissant place à la fureur. Comme Darynal l'avait si bien résumé: «Oh-oh.» C'était une façon imagée de dire que Camille se mettait en colère. Lui aussi sentait visiblement grossir l'orage.

Il leva les mains.

—Hé, ce n'est pas ma faute! J'ai cru qu'il t'avait mise au courant. Il ne m'a jamais dit le contraire, non plus!

—J'espère qu'il t'a aussi parlé de mon caractère! gronda-t-elle en ponctuant chaque mot d'un pas en avant, que lui-même reproduisait vers l'arrière. Je tiens à ce que tu comprennes qu'il vaudrait mieux tout me dire. Maintenant. Sans quoi…

—Oh merde…, lâcha-t-il en se glissant derrière la table. Attends, femme, attends! Ne tire pas sur le messager! J'ignorais totalement qu'il avait réussi à te cacher ça. Je vais tout t'expliquer. Après tout, il ne m'a pas demandé de ne pas le faire. Il ne se doutait certainement pas que ça prendrait tant de temps, ou que tu atterrirais un beau jour sur le pas de ma porte. Par pitié, pas d'éclair incontrôlé!

De toute évidence, il connaissait la magie chaotique de ma sœur.

—Accouche! Pourquoi Trillian m'a-t-il laissé penser qu'il s'était fait capturer par les gobelins? Pourquoi la reine Asteria m'a-t-elle dit qu'il était porté disparu? Qu'est-ce qui se passe à la fin?!

À chaque question, sa voix s'élevait un peu plus dans les aigus. Contente que cette colère ne soit pas dirigée contre nous, je lançai un coup d'œil à Iris. Au petit sourire qui jouait sur ses lèvres, je compris que l'esprit de maison partageait ce point de vue.

Flam se racla la gorge.

—Cette dame vous a demandé quelque chose. Je vous conseille de répondre immédiatement. Au cas où vous ne l'auriez pas remarqué, je suis un dragon. Je suis également son époux…

— *Un* de ses maris! intervint Morio.

—Oui, oui, un de ses maris, et je ne tolère pas qu'on ignore ma femme, termina-t-il avec un sourire méchant.

Darynal s'était décomposé.

—Arrêtez! Je vous ai dit que j'allais tout vous raconter! Je vous demande juste de nous laisser en un seul morceau, ma maison et moi. Grands dieux, Trillian avait raison. Vous ne faites pas de quartier, vous, hein?

Il se glissa sur le banc en indiquant à Camille de faire de même, puis il la regarda d'une drôle de façon.

—Et pour commencer, j'ignorais que tu étais mariée. Quelque part, je n'ai pas non plus l'impression que Trillian soit au courant.

—J'ai lié mon âme à celle de Morio et de Flam afin d'utiliser leurs pouvoirs pour chercher Trillian, puisque nous le pensions captif et en danger. (Elle se tut, et blêmit.) Tu veux dire que je me suis mariée pour rien ?

Flam se racla la gorge.

— Il me semble que l'on vient de nous insulter, dit-il.

— On dirait bien, ricana Morio.

— Non… Mais non… (Elle secoua la tête.) Oh, arrêtez, vous deux ! (Puis, se retournant vers Darynal :) OK, la vérité, maintenant. Où est Trillian ? Pourquoi a-t-il disparu de la surface du monde ?

Le Svartan poussa un long soupir.

— Je ne t'ai rien dit. Compris ? (Elle hocha la tête.) Je ne connais pas tous les détails, commença-t-il en posant les coudes sur la table. Ce serait trop dangereux pour Trillian. Mais il a passé le dernier cycle lunaire en allers et retours à travers Darkynwyrd. Il était sur la piste de votre père quand il s'est passé quelque chose. Quelque chose de pas bon du tout. Lethesanar a eu vent de ses activités et elle lui a collé un groupe d'espions sur le dos.

Je pâlis.

— Oh, merde, alors c'était vrai ? Une bande de gobelins lui a mis le grappin dessus ?

— Pas tout à fait. Ils étaient à deux doigts de l'attraper quand il a réussi à s'enfuir. C'est là qu'il a compris qu'il devait disparaître. Il se fait discret pour pouvoir poursuivre ses recherches. Votre père détient apparemment une information capable de changer le cours de la guerre. Lethesanar et Tanaquar le cherchent toutes les deux.

Nous nous rassîmes en méditant sur cette révélation. Une mission top secret qui ferait intervenir notre père et l'amant de Camille… Et si Trillian courait un risque, que dire de notre père !

— Pourquoi ne font-elles pas surveiller ta maison ? Trillian n'a pas peur qu'elles t'aient à l'œil ? demandai-je.

Darynal se mit à rire.

—Non. Je suis connu comme sympathisant des gobelins. Je fais mes affaires avec eux et je soutiens publiquement leur roi. Trillian va et vient durant les heures obscures, et c'est un maître du déguisement. Mais vous ne devriez pas vous éterniser. J'ai créé une illusion pour nous protéger des yeux indiscrets quand vous avez passé le portail, mais elle ne tiendra sans doute plus très longtemps. Il ne faut pas non plus que Trillian vous trouve ici. Il ne peut pas se permettre d'avoir la tête ailleurs en ce moment, Camille. Il doit se concentrer sur sa mission.

L'expression de ses yeux disait tout. Trillian ne pouvait pas s'offrir le luxe de diviser son attention pour l'instant, et s'il savait que nous étions à sa recherche, il lui faudrait redoubler d'efforts pour se cacher.

—Si nous le trouvons, résumai-je lentement, nous risquons de l'exposer à l'ennemi, mais également de faire courir à notre père de plus grands risques encore.

—Précisément. S'il vous plaît, finissez votre déjeuner et allez-vous-en. Ne cherchez pas Trillian. S'il se passe quoi que ce soit, je vous promets de vous le faire savoir. Mais tant que je ne serai pas venu sonner moi-même à votre porte, dites-vous qu'il va bien et qu'il est en vie. Laissez-le à ce qu'il fait le mieux.

Il s'interrompit, releva doucement d'un doigt le menton de Camille, puis la regarda droit dans les yeux en se penchant vers elle au point que leurs lèvres en viennent presque à se toucher. Flam se raidit.

—Trillian est fou de toi. Il t'adore. Il ne disparaîtrait jamais comme ça en te laissant t'inquiéter si l'équilibre de la guerre n'était pas si précaire. Peux-tu le laisser faire son travail sans intervenir ?

Elle déglutit lentement, puis elle hocha la tête et se passa la langue sur les lèvres d'un air presque effrayé.

—Je déteste ça. De toutes les fibres de mon corps. Mais je le laisserai tranquille. C'est juste… que je l'aime.

D'un geste amical mais ferme, le dragon délogea la main de Darynal.

—Assez. Nous comprenons. Morio et moi nous chargerons d'occuper Camille jusqu'à son retour. Nous devrions partir maintenant. Notre seule présence menace toute l'opération.

Morio se leva.

—Flam a raison. Merci, Darynal. Au moins, tu auras apaisé nos esprits. Nous en savons, certes, plus qu'il le faudrait, mais nous garderons ces informations pour nous. Et nous ne dirons pas non plus à la reine Asteria que nous sommes au courant.

Je me glissai près de Camille, qui enlaçait Darynal en le remerciant dans un souffle. Il déposa un baiser presque fraternel sur son front et me lança un coup d'œil.

—Tu as encore faim, remarqua-t-il en me tendant mon bol. Tiens, bois ça avant de partir.

Je lui souris de toutes mes dents.

—Je dois dire que tu es un chic type.

J'avalai rapidement ma soupe, pris le morceau de pain beurré qu'il me tendait, puis nous fîmes nos adieux.

Nous franchîmes rapidement le portail et nous éloignâmes aussi vite que possible. Camille ne disait rien. Je savais qu'elle ressassait la conversation et qu'elle parlerait quand elle serait prête. Je fis signe à Iris de passer avec moi en tête de groupe, devant Morio et Flam.

—Quelle affaire! Camille s'est liée à ces deux-là alors qu'elle n'en avait pas besoin! fis-je, en m'emballant un peu.

Au fond, pour une raison qui m'échappait légèrement, ce mariage m'avait en quelque sorte contrariée. Pourtant, j'adorais Flam et Morio.

Iris poussa un profond soupir.

—Si tu écoutes ton cœur, tu sauras qu'elle aurait fini par le faire de toute façon. Ce qui t'ennuie, jolie minette, c'est que les choses changent. Tes sœurs ont été tout à toi pendant très longtemps. Tu ne veux voir personne interférer avec ce qui vous unit. C'est à cause du chat en toi, qui tient à son territoire, à ce que ses proches ne soient qu'à lui. Mais Delilah, tu dois comprendre que les familles grandissent. Il faut que tu dépasses cette peur que Camille t'abandonne. Elle reste là, chérie, tout près de toi. Tu le saurais, si tu acceptais de le voir.

Je la regardai sans pouvoir répondre, étant donné que j'avais la bouche pleine de pain. Tout en avalant, je réfléchis à ses paroles. J'avais été très mécontente du retour de Trillian. Mais était-ce parce que c'était lui, ou parce que ma sœur avait été si prompte à le laisser revenir dans sa vie ? Et Flam… Et Morio… Était-il possible que je souhaite vraiment empêcher les choses de changer… ?

Comme si elle lisait dans mes pensées, elle ajouta :

—La vie est en perpétuel mouvement, tu sais. Les gens et les relations doivent évoluer. Regarde-toi : tu portes la marque du seigneur de l'automne et tu commences à peine à entrevoir les changements radicaux que cela va entraîner dans ton monde. Ne reproche pas à la Nature sa course implacable vers l'avant. Ainsi vont les choses. Même la mort est une transition, une progression. On ne peut pas arrêter le temps, Delilah, ni entraîner le passé dans le présent. Rien n'est immuable. À toi de voir si tu es capable d'affronter les changements ou si tu préfères rester en arrière le nez dans la poussière.

Je baissai la tête et regardai défiler le sentier sous nos pas. Elle avait raison. Pourtant je n'avais aucune envie de faire face aux retournements de situation actuels. Et le dernier en date, qui était également celui qui me touchait le plus, avait trait à Chase. Qu'est-ce que j'allais faire ? Il voulait que je l'appelle ; qu'est-ce qu'il pourrait bien me dire ? Allait-il me parler de la joie de sauter Erika ? M'assurer qu'elle ne voulait rien dire pour lui ? Me proposer un plan à trois ? En plus, j'avais rendez-vous avec Zach.

Par ailleurs, nous devions empêcher les démons de poser leurs sales pattes sur les sceaux spirituels. Alors, aux chiottes les relations. Sauver le monde était déjà assez dur sans que les émotions s'en mêlent.

La vie était tellement plus simple quand je préférais galoper à quatre pattes que de m'intéresser aux hommes ! Je fus méchamment tentée de retourner à cet état, de dire merde à l'amour, à part celui de la famille. Mais les paroles d'Iris résonnaient encore dans ma tête. Je compris que je ne pourrais pas redevenir celle que j'étais par le passé. Dans ce cas, que me restait-il ?

Quand nous retrouvâmes la prairie, le soleil était plus bas et les oiseaux piaillaient. Une armée de nuages toute de gris vêtue se dirigeait vers nous, prête à larguer ses bombes torrentielles. Je secouai la tête pour chasser cette rêverie chagrine et m'approchai du portail. Malgré tout mon amour pour Outremonde, ma seule envie, maintenant, était de rentrer à la maison pour retrouver Menolly et Maggie. Et avec un peu de chance, la solution à mes problèmes avec Chase s'imposerait d'elle-même.

CHAPITRE 13

Nous atteignîmes la maison à l'heure du dîner. Roz et Vanzir, qui nous attendaient en jouant au gin-rummy à la table de pique-nique commandée par Iris en prévision de nos repas d'été, se levèrent d'un bond en voyant les voitures s'engager dans l'allée.

—On l'a trouvé! m'annonça l'incube en s'élançant vers moi. On a repéré la grotte, et on sait où est le sceau. Il n'y a pas une minute à perdre. Karvanak a mis la main sur les prospecteurs, et même si le sort de Vanzir devrait tenir, c'est un risque que nous ne pouvons pas prendre. Nous devons y aller ce soir et récupérer la pierre.

Merde. J'étais crevée. Comme tous les autres, d'ailleurs. Mais Roz avait raison : à la guerre, le sommeil passe après la bataille.

—Ouais, c'est vrai. Camille, qu'est-ce que tu en dis?

—Comme toi : ça n'aurait pas pu arriver *après* qu'on a dormi un peu? Mais, regarde : si les garçons n'avaient localisé la grotte que demain matin, nous aurions dû y aller sans Menolly. En l'occurrence, il suffit d'attendre encore une heure ou deux qu'elle se réveille et qu'elle trépigne d'envie de se mettre en route. Sa présence est un sacré plus. Et puis, on peut piquer un somme pendant ce temps-là. (Elle bâilla et regarda sa main toujours bandée.) Ce coup est plus sévère que je l'aurais pensé. Mais si je peux dormir un moment, ça ira.

Je hochai la tête, un peu inquiète. Notre sang de demi-Fae nous assure en général une parfaite guérison, mais cette blessure était tout particulièrement vicieuse. En y réfléchissant, nous avions tous eu une année difficile.

—Ça me tente bien, répondis-je. Iris, tu crois qu'on pourrait avoir un truc à grignoter quand on se réveillera ? Quelque chose de léger, mais riche en protéines, et sucré ?

La Talon-Haltija, elle-même épuisée, hocha la tête.

—Pas de problème. Puisque je ne viens pas avec vous, je pourrai me reposer après votre départ. Je vais m'occuper des boutures en attendant que tu aies le temps de les planter.

Je me retournai vers Roz et Vanzir.

—Alors, à quoi faut-il s'attendre ?

— La grotte se trouve dans les contreforts des Snoqualmie, répondit le chasseur de rêves. La rumeur dit qu'elle est hantée. Je ne prendrais pas cette possibilité à la légère. Moi-même, j'ai perçu comme une activité spirituelle là-bas, alors que je sens plus facilement les démons que les fantômes. (Il glissa le paquet de cartes dans sa poche et reprit :) Karvanak ne nous fera pas de cadeau. S'il parvient à faire sauter le cadenas mental que j'ai posé sur la mémoire de ce type, il se jettera sur l'info. Autant dire que le pauvre bougre est déjà mort. Le Rāksasa va lui démolir l'esprit. À moins qu'il commence par le mutiler.

Je le suivis à l'intérieur en frissonnant.

Iris nous abandonna un instant pour aller chercher Maggie au sous-sol, et revint directement la fourrer dans les bras de Flam, qui fronça les sourcils, mais l'accepta.

—Puisque tu vas rester ici à bavarder, dit-elle, autant que je te mette au travail. Tu surveilleras le bébé pendant que je prépare le repas.

L'esprit de maison n'aurait toléré aucune protestation, et comme tous les membres de notre famille étendue, Flam obéissait à ses ordres.

Maggie poussa un petit « mouf » et planta un baiser baveux sur la joue du dragon. Il lui répondit par un grand sourire tandis qu'une mèche de ses cheveux se dressait pour lui chatouiller le menton. Maggie aimait beaucoup jouer avec les cheveux de Flam, qui la taquinait comme on excite un chat avec un bout de ficelle.

Iris s'enfonça dans la cuisine en gloussant. Le tintement des casseroles et des cuillers en bois nous promit un bon dîner pour bientôt. Je jetai un coup d'œil à l'horloge. Menolly se réveillerait dans quatre-vingt-dix minutes.

— Au lit, ordonnai-je en me dirigeant vers l'escalier.

Camille et Morio m'emboîtèrent le pas. Le *Yokai* semblait aussi éreinté que nous. Ils me laissèrent au premier sur un petit signe de la main.

— On se voit à table, fit Camille alors qu'ils disparaissaient dans sa chambre.

Je montai le reste des marches quatre à quatre en réfléchissant au meilleur moyen de m'endormir. J'étais si épuisée que je ne pris pas la peine de me dévêtir avant de me transformer et de sauter sur le lit, où je me roulai en boule près du pied. Je dormais toujours mieux quand j'étais chat, et, infailliblement, je sombrai peu après dans un profond et délicieux sommeil.

— Delilah. Delilah. C'est l'heure de se lever.

Une femme me soulevait dans ses bras en me grattouillant voluptueusement le crâne. Encore à moitié endormie, je ronronnai de délice, puis m'arrachai à ma torpeur pour découvrir le visage de ma sœur cadette. J'émis un « purp »

sonore. Elle me reposa légèrement sur le lit où je me transformai à mon aise en bipède.

— Oh, c'était bon, bâillai-je en m'étirant. Combien de
temps j'ai dormi ?

— J'ai demandé aux autres de vous laisser deux heures
au lieu de quatre-vingt-dix minutes, à Camille et à toi. C'est
du temps en plus qui peut faire toute la différence en matière
de réflexes et de vivacité d'esprit. Tu te sens assez bien pour
tenter le coup ce soir ?

Menolly était vêtue pour affronter les bois. Un jean, un
col roulé à manches longues, une veste en jean et ses bottes
Doc Martens à lacets. Elle me sourit de toutes ses dents.
Une lourde odeur de sang assaillit mes narines. Je secouai
la tête en grimaçant.

— Et bon appétit, bien sûr !

— Merde, fit-elle en levant les yeux au ciel. J'ai encore
une haleine de chacal ?

— Oui. Tiens ; essaie ça. Je n'arrête pas de te dire d'en
avoir un sur toi.

Je lui lançai un petit spray haleine fraîche à la menthe.
Forte. J'aime beaucoup ces trucs-là. Ça me rappelle l'herbe à
chat, à la différence que je ne me mets pas à faire n'importe
quoi quand j'en prends. C'est un autre de mes secrets : l'herbe
à chat, en thé ou en brin classique, me fait le même effet
que la tequila chez certains HSP – même sous ma forme de
femme. Mes sœurs sont au courant, mais je ne l'ai jamais dit
à personne pour éviter que des petits marrants aient envie de
voir jusqu'où ils pourraient pousser.

L'organisme de Menolly ne tolérait plus ni boisson
ni aliment autre que le sang, mais le goût mentholé ne la
gênait pas autant que la nourriture. Elle prit quelques bonnes
pulvérisations, jusqu'à ce que je ne sente plus rien, puis, levant
l'objet, me demanda :

—Je peux le garder?

Je hochai la tête et inspectai ma tenue. Ouais, bon, un peu grunge. Mais là où on allait, ça n'aurait pas beaucoup d'importance.

—Ça va, ce que je porte? demandai-je. Ça faisait très bien l'affaire ce matin, en Outremonde. Inutile de me changer. Je vais encore me salir, de toute façon. Je le sais. Je suis à peu près aussi empotée et souillon que Flam est impeccable. Tu as remarqué qu'il ne se salit jamais?

—Oh oui, et je te mets au défi de lui demander comment!

—C'est déjà fait, reniflai-je. Il s'est contenté de m'adresser son petit sourire suffisant. Peut-être que Camille pourra lui soutirer l'explication… Le moins qu'on puisse dire, c'est qu'il distribue les informations au compte-gouttes. Tu crois qu'il lui a donné son vrai nom?

—Ha! J'en doute. Après tout, c'est un *dragon*, dit-elle en souriant. Allez viens, chaton. Iris vous a gardé le repas au chaud. Camille et Morio sont sûrement déjà à table.

Au pied de l'escalier, une odeur de fruits frais et de steak haché me mit l'eau à la bouche. Pleine d'entrain, soudain, j'entrai d'un bond dans la cuisine. Nous allions partir à la recherche d'un sceau spirituel. Et alors? On s'en sortirait. Comme toujours. Bon, peut-être pas toujours. Mais nous avions une longueur d'avance pour ce quatrième sceau, et cette fois, hors de question de laisser Karvanak mettre la main dessus.

Iris me tendit un steak et une épaisse tranche de melon tandis que je me glissais sur une chaise. Camille et Morio avaient commencé à manger. Flam et Roz se penchaient sur une carte, et Vanzir était assis dans un coin. Maggie jouait dans son parc. Lorsque Menolly la prit dans ses bras, la petite gargouilla quelque chose, et lui planta un gros bisou sur la joue.

— Voilà le plan : il faut trois quarts d'heure en voiture pour atteindre la sortie de la route de Skattercreek, expliqua Roz en nous désignant celle-ci sur la carte. (Je me penchai pour mieux voir.) Une fois là-bas, la pente devient plus rude. Il nous faut des véhicules capables de supporter ces conditions. Ta Jeep devrait faire l'affaire. Camille, Menolly, laissez la Lexus et la Jag au garage.

Quand ses yeux se posèrent, brièvement, sur ma petite sœur, une clochette s'agita dans un coin de ma tête. Il se passait quelque chose entre eux. Ou du moins, ça n'allait pas tarder, même s'ils ne le savaient pas encore. Bien sûr, Roz essayait de faire connaissance avec ses sous-vêtements depuis quelque temps déjà, mais avait-elle pour autant décidé de lui ouvrir les portes de son jardin… ? Ils feraient un sacré couple, c'est sûr. L'incube et la vampire.

Je décidai de me taire, tout comme Camille, qui avait suivi mon regard et haussait les sourcils.

— Donc, si on prend ma Jeep… attendez, combien on est ? (Je comptai : Roz, Flam, Vanzir, Camille, Morio, Menolly et moi.) Sept. On devrait tenir, en se serrant.

— Autant prendre mon 4 x 4, offrit Morio.

À ce moment, le téléphone sonna et Menolly alla répondre. Je hochai la tête en haussant les épaules.

— Ça me va. Je n'ai pas très envie de conduire, de toute façon.

Je venais à peine d'avaler la première bouchée de viande quand ma sœur me brandit le combiné sous le nez. Je le regardai en espérant que ce ne soit pas Chase. Comme elle l'agitait, je m'essuyai les mains sur mon jean et me décidai à le prendre.

— Ouais ?

Pas trop amical. Ça pourrait être lui, et je n'avais pas envie d'être gentille. Toutefois, je n'aurais pas dû m'inquiéter : c'était Zach.

— Salut, je suis en ville et je me demandais si tu aurais envie d'aller voir un film.

Sa voix, aux grondements délicieux, était aussi suave et vibrante qu'à l'accoutumée, et comme à son habitude, tout mon corps répondit au profond baryton.

Je pris une profonde inspiration.

— Pas possible. Pas ce soir. Par contre, ça te dirait de venir faire un petit tour avec nous ? Toute aide est la bienvenue.

Silence, suivi d'un soupir léger.

— Sceau spirituel, démon, ou les deux ?

— Le premier. Les démons ne sont pas encore sur le coup, et nous préférerions que ça reste comme ça. Tu te sens de faire un bout de route jusqu'aux Snoqualmie ?

Il se mit à rire.

— Delilah. Tu ne sais pas que je répondrai toujours présent si c'est toi qui appelle ? Je suis à vingt minutes de chez vous. J'arrive. Ne partez pas sans moi.

Je rendis l'appareil à Menolly sans cacher ma satisfaction. Zachary n'avait pas peur de nous aider. Il ne nous laissait pas tomber. J'annonçai la nouvelle aux autres.

— Bien, commenta Camille en léchant le ketchup sur ses doigts, avant de tendre la main vers une serviette. Iris, s'il nous reste des biscuits, ce serait le bon moment pour les sortir. J'ai toujours besoin de sucre quand on a du boulot.

Du boulot. Je cillai.

— Tu sais quoi, je n'y avais jamais vraiment pensé comme ça. Mais tu as raison. C'est ce que c'est devenu. Plus que la librairie, que mon agence, et que *Le Voyageur*. « Bonjour, sœurs D'Artigo. Votre mission, si toutefois vous l'acceptez, sera de dénicher et de récupérer les sceaux spirituels avant que les démons s'en emparent. Si vous deviez échouer, ou être capturées, la Terre et Outremonde connaîtraient un terrible destin… »

Menolly ricana.

—Ce n'est pas aussi poétique que pour Jim Phelps, mais ça marche quand même. Vois ça comme ça, chaton : au moins, on n'est pas coincées derrière un bureau. *Là*, ce serait vraiment l'enfer !

Fidèle à sa parole, Zach arriva près d'un quart d'heure plus tard, alors que nous finissions de prévoir notre itinéraire. J'ouvris la porte sur un garçon tout propre et bien coiffé. Légèrement plus grand que Flam, il dominait mon mètre quatre-vingt-cinq de dix bons centimètres. Sa crinière dorée tombait sur le col de sa veste, encadrant sa barbe éternellement naissante.

Mince et musclé, Zach était un pur *golden boy* : beau, coriace, très Américain… Si l'on omettait qu'en sa qualité de garou, il faisait partie du conseil des aînés de la troupe de pumas de Rainier.

Je m'approchai de lui en humant son odeur, mélange de soleil et de cuir poussiéreux. Après *cette* fois, j'avais juré de ne plus coucher avec lui. Mais je me surprenais maintenant à le considérer sous un angle tout autre.

Il parut sentir quelque chose, car il se pencha pour déposer un baiser léger sur mon front. Mes genoux tremblèrent. Ses lèvres trouvèrent les miennes. Mon pouls se mit à battre la chamade, comme un moteur sous stéroïdes. D'une main, il repoussa doucement les cheveux qui me tombaient devant le visage.

—Qu'est-ce qui se passe ? demanda-t-il. C'est fini, entre Chase et toi ?

Nous étions sur le point de partir. Nous avions du travail. Ce n'était pas le meilleur moment pour une longue conversation à cœur ouvert.

—Je ne sais pas, répondis-je. Pour l'instant, aide-nous à retrouver le sceau. Ensuite, si tu n'as rien contre l'idée d'un souper tardif, on pourra en parler.

J'étais en train de l'inviter à faire plus que prendre le thé, et il le savait aussi bien que moi. C'était mon choix. Chase m'avait reproché la chose même à laquelle il avait succombé. Moi, je ne faisais pas dans le double jeu. S'il se sentait désormais libre de jouer sans demander la permission, je ne voyais pas pourquoi je ne m'inspirerais pas de lui.

Zach me caressa la joue.

—Tout ce que tu voudras.

Il recula alors pour laisser passer Camille, qui tentait de sortir en se faufilant, un grand sourire aux lèvres.

—Contente de te voir, Zach, et d'apprendre que tu te joins à nous. Ton aide nous est d'un grand secours.

Ensemble, nous sortîmes et nous dirigeâmes vers la voiture de Morio. Menolly poussa Zach vers la portière arrière.

—Monte là-dedans, l'ami puma, fit-elle. D'abord on se bat, ensuite on bavarde. Pareil pour toi, chaton.

Sur un dernier regard à la maison, à Iris qui se tenait sur le seuil en serrant Maggie dans ses bras, je pris place à côté de Zachary et frissonnai au contact de sa cuisse chaude et musclée. Oui, ça risquait d'être une sacrée nuit.

CHAPITRE 14

Nous nous étions déjà rendus à Snoqualmie en décembre pour affronter des araignées-garous moches comme des fesses et un ancien chaman du genre diabolique avec un D majuscule. Je priai pour que nous n'ayons pas, cette fois, à affronter quelque chose d'aussi épouvantable. Les esprits et les fantômes ne pouvaient quand même pas faire aussi peur que des araignées-garous, n'est-ce pas ?

Mais alors, je me souvins du revenant et de ce dont il était capable, et je me ratatinai dans mon siège en me demandant si nous avions la plus petite chance de nous en sortir sans avoir à nous battre.

Au moins, la nuit n'était pas aussi froide que la dernière fois. En outre, nous *savions* être sur la piste d'un sceau. Cette pensée me remonta le moral. Si nous parvenions à les retrouver tous avant les démons, nous arriverions peut-être à empêcher l'Ombre Ailée de mener ses projets à bien. Soulagée de voir que mon optimisme n'était pas si mort que ça, je me laissai aller contre mon siège et fermai les yeux en savourant le doux ronronnement du moteur.

Située à moins de cinquante kilomètres de Seattle, la ville de Snoqualmie se niche dans les contreforts des Cascades, d'imposantes montagnes de cendres et de feu. Le mont Rainier, un volcan majestueux, y attend posément son heure. Sa sœur, le mont Sainte-Hélène, a perdu son pic en 1980 dans une explosion retentissante, tuant près de soixante personnes. Quand Rainier entrera à son tour en éruption, à condition de faire les choses en grand, il risque de balayer une bonne partie de la population qui se trouvera sur son chemin. Autour du nord-ouest du Pacifique, la terre est bel et bien vivante. Vivante, et agitée, sous les diverses couches de roche, de terre et de forêt.

Snoqualmie tire sa gloire d'un col de montagne du même nom et d'une station de ski, mais par-dessus tout du fait d'avoir accueilli le tournage de *Twin Peaks*, une série bizarre dont j'avais vu quelques épisodes, et qui me faisait étrangement froid dans le dos. Étant donné ce que nous affrontions au quotidien – ou presque –, je ne pouvais pas m'expliquer ce qui me glaçait autant. Mais c'était une bonne peur. Pas comme celle que nous affrontions chaque fois.

Nous devions traverser l'Eastside pour atteindre Snoqualmie. Ce conglomérat de villes – Redmond, Bellevue, Woodinville, Kirkland, Issaquah – est le cœur technologique du nord-ouest. Sous la houlette de Microsoft, les compagnies informatiques dominent cette zone en pleine expansion. Les gratte-ciel de Bellevue n'ont rien à envier aux hautes tours de Seattle. Alors que nous traversions l'étendue scintillante de lumières et de béton, je retins mon souffle en songeant combien cet endroit était différent de celui qui m'avait vue naître.

Et pourtant… Outremonde avait sa propre radiance, ses palais imposants et constructions de marbre tels qu'on en voyait rarement du côté de la Terre. Les halos magiques y brillaient avec autant de force que les flammes éparses dansant à l'intérieur de ces édifices de verre et d'acier. Si l'on remplaçait le murmure des câbles électriques et des tours de relais pour téléphone portable par le bourdonnement de l'énergie magique, les deux mondes n'étaient plus si différents que cela.

Tandis que nous descendions l'I-90 pour prendre la sortie 25, les arbres devinrent plus grands et plus massifs des deux côtés de la route. Les sapins imposants lançaient leur ombre noire sur tout le paysage, et les sous-bois touffus regorgeaient de fougères en bourgeon, de myrtilles, d'herbes sauvages et de buissons de houx.

La région des Cascades et de ses contreforts, qui traverse l'état de Washington dans toute sa longueur jusqu'à l'Oregon, était encore pratiquement sauvage. Couguars, ours et coyotes déambulaient librement dans les collines, allant même parfois jusqu'à s'aventurer aux lisières de la ville, et la terre, ici, semblait rude et coriace. Mille et une morts attendaient celui qui n'était pas capable de relever le défi, et aucune qui donne envie d'y penser trop longtemps.

Je pris une profonde inspiration, puis soupirai. Combien de fois, au cours de ces six derniers mois, nous étions-nous ainsi précipités pour régler un problème ? Combien de nuits passées à fracasser des têtes et à se faire cogner en retour ?

Le problème des portails sauvages ne donnait pas l'impression de se régler. Des Fae et des Cryptos apparaissaient un peu partout, principalement autour du nord-ouest. Et nous avions déjà bien du mal à surveiller ceux qui s'ouvraient sur les Royaumes Souterrains. L'armée de notre reine avait absorbé l'OIA et pour l'heure, nous volions sous le radar.

Un point positif, toutefois : les nouveaux portails ne semblaient pas s'ouvrir sur ces dangereux royaumes. Sur les profondeurs, peut-être. Mais c'était une bénédiction que nous ne pouvions ignorer.

Je me penchai pour jeter un coup d'œil par-dessus l'épaule de Roz, qui tenait la carte pendant que Morio conduisait, ce qui était probablement le meilleur arrangement.

— Tu es sûr que Karvanak n'est pas encore au courant pour le sceau ? m'enquis-je.

Il haussa les épaules.

— Pas que je sache. Il n'y a aucune garantie, bien sûr, mais je pense qu'il ne perdrait pas son temps à torturer ce pauvre gars s'il avait déjà ce qu'il voulait. Dans ce cas, il se contenterait de le manger. C'est ce que font les Rākṣasas, tu sais. Ils mangent les humains, et bien d'autres espèces.

Je me glissai à ma place en frissonnant.

— Ouais, je sais. Mais merci pour l'image. C'est pile ce dont j'avais besoin.

Flam, assis à ma droite, renifla.

— Je mange des gens, moi aussi.

— Pas comme ça ! On sait bien que tu ne te jettes pas sur le premier innocent venu. C'est peut-être vrai pour certains dragons, mais ne fais pas semblant d'être comme eux.

Ses yeux rétrécirent.

— C'est une bouche intéressante que tu as là, fillette.

À la façon dont il le dit, je compris qu'il ne l'entendait pas comme un compliment. Mais je remarquai aussi qu'il ne me contredit pas.

Je lançai un coup d'œil à Camille, affalée à l'arrière avec Menolly et Vanzir.

— Tu as pris la corne ?

Elle hocha la tête.

— Nous n'avons pas la moindre idée de ce que nous risquons d'affronter. J'ai pensé que je ferais bien de l'amener. Ma main me fait encore mal, et l'énergie risque d'être une vraie torture si je prétends la faire passer par là.

Vanzir poussa un soupir impatient.

— On ramasse le sceau, vous l'emmenez là où vous devez l'emmener, et après ?

— Après on commence à chercher le cinquième, je dirais, suggérai-je en haussant les épaules. Ça me paraît être la direction actuelle, non ?

Camille secoua la tête.

— Je suis désolée d'avoir à vous rappeler que les démons ne sont pas nos seuls adversaires dans la course aux sceaux spirituels. Je suis prête à parier que Morgane, Aeval et Titania sont également à leur recherche, et qu'elles ne seraient pas tout à fait disposées à remettre ceux qu'elles pourraient trouver à la reine Asteria. Morgane veut les donner à Aeval. Je le sens au creux de mon ventre.

Morgane. Titania. Aeval. Trois reines brillantes et terribles. Nous avions récemment découvert que la première était une lointaine parente, mais elle ne semblait pas accorder une grande confiance aux liens du sang, à moins que ça serve ses propres intérêts.

— Ouvre les yeux! s'écria Menolly. Elles t'ont manipulée! Je t'accorde que Grand-mère Coyote a joué un rôle essentiel, mais je continue à dire qu'elles ont tout manigancé ensemble pour te faire croire que ton destin était de les aider!

Je déglutis. L'idée m'avait également effleurée, mais je n'aurais jamais osé la balancer comme ça au visage de Camille. D'une part, peu importe ce qui s'était réellement passé, il n'y avait pas moyen de changer l'issue. D'autre part, j'avoue avoir brièvement pensé que ma grande sœur s'était laissé aveugler par son besoin de croire que nous avions des alliés.

Quoi qu'il en soit, grâce à son aide, les trois membres de la noblesse des Fae terriennes avaient rétabli le régime déchu, qui fut un temps connu sous le nom de Cour de l'ombre et de lumière. Elles régnaient désormais sur la « Cour des trois reines », et ne se contentaient pas de faire les belles sur leur trône.

— Vous avez remarqué combien de Fae terriens convergent vers ici? demandai-je. D'après le Conseil de la communauté surnaturelle, la rumeur dit que le malaise grandit entre les Fae d'Outremonde et ceux de la Terre. Les HSP sont tout excités par cette belle nouveauté, mais ils ne voient pas les risques potentiels de la situation. Nous avons suffisamment à faire sans le handicap d'une autre guerre entre Fae, à cheval cette fois entre les deux royaumes, terminai-je en secouant la tête.

—Splendide! rétorqua Menolly d'un ton tout sauf ravi. (Elle fit une pichenette sur la tête de Camille.) Je pense quand même que tu as perdu la boule quand tu as décidé de les aider!

—Tu me l'as déjà amplement fait comprendre, répondit calmement notre aînée. Mes actions ont provoqué l'hostilité de bien des gens, alors peut-être, juste peut-être, que ma famille pourrait me *lâcher la grappe…*? (Ses yeux rétrécirent.) Vous croyez vraiment que j'ai agi sur un coup de tête? Que je ne savais pas ce que je faisais? J'étais parfaitement consciente, au contraire! Je sais aussi qu'il faudra un miracle pour qu'on me garde à l'OIA si elle se reforme un jour et que nos têtes ne sont plus mises à prix. Je doute de faire un pli, quelle que soit l'issue de la guerre d'Y'Elestrial. Lethesanar, Tanaquar, même combat. Aux yeux des gouvernements qui ont eu leur mot à dire dans la Grande Séparation, je suis de l'histoire ancienne. Et si vous pensez que je n'ai pas réfléchi à tout ça *avant* d'aider Morgane et Titania à libérer Aeval du cristal, alors les vrais aveugles, c'est peut-être vous. Quand les sorcières du destin me disent de faire quelque chose, moi, *j'obéis*. Cela va au-delà de vous, de moi, et d'Outremonde.

Flam souffla avec mépris en me foudroyant du regard. J'avais l'impression qu'il n'était pas très content après Menolly non plus. Il ne dit rien, mais je le sentis se tendre près de moi.

Je sentis pareillement vaciller mon équilibre intérieur et pris une profonde inspiration pour m'empêcher de me transformer. Les disputes familiales me stressaient tout particulièrement, et j'avais bien du mal à garder le contrôle quand on se querellait.

— Les portails, murmurai-je. Tu as fait ça parce que la matrice est en train de se désagréger.

Camille m'adressa un regard surpris.

— Dix points pour chaton. La matière qui sépare les royaumes n'a pas été prévue pour s'étirer autant. La Grande Séparation n'était qu'une gigantesque bourde, et les Fae d'Outremonde qui en sont responsables devront bien reconnaître leur erreur tôt ou tard. Seulement, je ne pense pas qu'on ait jusqu'à « tard ».

— Tu crois qu'ils sont encore en vie, à part la reine Asteria et les reines Fae ?

— Je suis quasiment sûre qu'il reste certains ancêtres. Mais ce n'est pas le souci. L'essentiel, c'est que le système est en train de s'écrouler, et que nous ne savons pas en quoi ce bordel peut affecter nos problèmes avec les démons. L'Ombre Ailée traversera encore plus facilement les portails si le joint entre les mondes tombe en miette. Mais nous ne sommes pas seuls. Les Fae terriens peuvent nous aider, si nous leur donnons une raison de le faire. Et les amener à comprendre qu'ils ne sont pas inférieurs à leurs frères d'Outremonde peut être un bon début.

Elle fronça les sourcils en posant la tête contre la vitre.

Je me sentis moche, soudain. Je l'avais jugée sur ses actions, comme si elle était devenue folle, et – chose que je n'admettais qu'en mon for intérieur – je m'étais secrètement demandé si elle ne faisait pas tout cela pour se faire bien voir des trois reines. Je regardai mes mains sans plus savoir quoi dire.

Menolly se racla la gorge.

— Putain, ma sœur, t'aurais pu nous dire tout ça à l'époque ! J'ai cru… Laisse tomber, on s'en fout de ce que j'ai cru. Ton cœur est à sa place. Pour la tête, je ne suis pas encore sûre. L'important, c'est de rassembler nos alliés et de récupérer les sceaux spirituels avant les autres. N'empêche que je me demande ce que la reine Asteria va en faire. S'ils se trouvent tous au même endroit et que la cité elfique est assaillie par un ennemi plus important, on pourrait avoir de sérieux problèmes.

—Oh, joie, marmonnai-je. Tu as raison, donne-nous une nouvelle raison de stresser. Et si on se concentrait sur une chose à la fois ? On retrouve le quatrième sceau, on l'amène à la reine Asteria, et on lui confie nos craintes. Ça marche ?

Tout ce débat me donnait le tournis. Ma seule envie était de me rouler en boule dans un coin et de dormir pendant au moins dix heures.

Resté tout ce temps silencieux, Morio prit la parole :

—Je pense que Delilah a raison. Maintenant, tout le monde se calme. Grand-mère Coyote savait très bien ce qu'elle faisait, alors oubliez ça, et lâchez un peu Camille. Nous avons presque atteint la sortie. Après ça, il nous reste une petite vingtaine de kilomètres à faire, et nous commencerons à remonter la pente qui mène à la grotte. Je vous suggère à tous d'en profiter pour vous reposer un peu. Fermez les yeux, et, je ne sais pas, somnolez.

Il avait l'air fâché. C'était la première fois que je percevais une note d'irritabilité dans sa voix.

Manifestement, nous avions réussi à ébouriffer le démon renard habituellement impassible. Je lançai un coup d'œil à Flam, qui paraissait sombrement satisfait de ces dernières paroles, et décidai que la meilleure défense était encore de piquer un petit somme. Alors je posai la tête sur l'épaule de Zachary, qui avait tout écouté en silence, et fermai les yeux, bercée par le grondement des roues.

Une vingtaine de minutes plus tard, je fus rudement tirée de mon sommeil par un sursaut du véhicule et découvris que nous gravissions une pente cahoteuse assez raide. À mon avis, non pavée et couverte de gros tas de gravas.

Tout en tressautant, je me tournai vers Camille. Menolly et elle semblaient perdues dans leurs pensées. Doucement, je posai une main sur l'épaule de ma grande sœur.

—Je suis désolée, soufflai-je. Je n'ai jamais voulu dire que tu ne savais pas ce que tu faisais. Je reconnais avoir cru que tes raisons d'agir étaient différentes, mais je me suis trompée. Je ne douterai plus jamais de toi. Tu es celle qui tient notre famille et je te fais confiance.

Ses yeux brillèrent.

—Merci, chaton. C'est bon d'entendre ça.

Menolly leva les yeux au ciel, mais elle hocha la tête.

—Même chose pour moi. Nous sommes une équipe, nous devons rester soudés. Laissons les luttes intestines aux politicards.

De la part de notre sœur, le vampire, cela revenait presque à demander pardon en pleurant à chaudes larmes, et Camille le savait. Elle renifla et se passa une main sur les yeux.

—T'ain, je suis crevée. J'ai juste envie qu'on en finisse et qu'on rentre dormir. Il s'est passé tant de choses aujourd'hui, auxquelles je n'ai pas encore eu le temps de réfléchir…

—Ouais, surtout d'apprendre que Trillian n'est pas vraiment en danger mais qu'il joue de nouveau les agents secrets. C'était franchement naze de sa part de rien te dire, commenta Menolly en me jetant un coup d'œil.

Elle était allée trop loin, et le savait. Notre cadette était super en situation de combat, mais la diplomatie ne comptait malheureusement pas parmi ses points forts.

Camille la dévisagea en silence, et secoua la tête.

— Ne commence même pas. Je m'occuperai de Trillian plus tard.

Sa voix disait « affaire classée » sans la moindre équivoque.

Je me retournai. Bon sang, qu'est-ce qui se passait ? Nous ne nous étions jamais cherché des poux comme ça ! Bien sûr, ce n'était pas vraiment une dispute. Nous étions juste crevées, stressées, et en route pour une nouvelle nuit de folie à combattre des morts-vivants.

— Avec un peu de chance, il n'y aura peut-être qu'une poignée de Caspers, dis-je pour détendre l'atmosphère.

Menolly se mit à rire.

— Le retour de chaton l'optimiste ! fit-elle.

Au bout d'un moment, Camille l'imita.

— Ouais, peut-être. Pour une fois, j'aimerais bien que son enthousiasme soit récompensé. Peut-être qu'en espérant très fort…

— … Et en trouvant des pantoufles de rubis ! ajouta Menolly.

— Oh, ça va, arrêtez ! fis-je, contente de les voir rire. Bientôt vous allez me dire que je dois applaudir très fort, sinon Clochette mourra !

— Cette feignasse ! renifla Camille. Elle a la belle vie. Tout ce qu'elle doit faire c'est voler dans la télé en prenant l'air mignon. Nous, c'est le vrai monde qu'on affronte.

— En parlant de la réalité, mesdames, tenez-vous prêtes. Nous allons nous garer et partir pour une petite randonnée. J'espère que vous êtes tous chaudement vêtus, annonça Roz en faisant signe à Morio de s'arrêter sur un chemin latéral.

Alors que nous quittions la voiture pour l'air frisquet du soir, je remarquai non loin des traces de feu de camp : un petit trou grossièrement circulaire cerclé de morceaux de pierres. Sa dernière utilisation semblait plutôt récente, mais à en juger par l'odeur du charbon, il avait dû pleuvoir depuis. Cela faisait donc quelques jours.

Je m'agenouillai pour examiner les détritus qui traînaient à côté. Deux canettes de bière vides, un emballage de Whooper, et quelques mégots de cigarette.

— Je ne pense pas qu'un démon ou un truc de ce genre laisse traîner des saletés comme ça derrière lui.

Roz secoua la tête.

— Je vous parie que c'est là que les prospecteurs ont campé. Cette route n'est pas très utilisée. Le mec à qui on a parlé nous a dit que c'était un ancien chemin forestier. Depuis qu'on en a aménagé un autre, il y a dix ans de ça, celui-ci voit surtout passer des chasseurs ou des randonneurs enthousiastes ravis de crapahuter à la dure dans la jungle.

Crapahuter à la dure ? Merveilleux. Je me relevai en m'essuyant les mains sur mon jean.

— Par où, maintenant ?

Vanzir désigna une sente envahie par des herbes folles qui m'arrivaient à la taille. Nous nous équipâmes, et nous enfonçâmes dans les sous-bois sur les pas de l'incube et du chasseur de rêves.

Le chemin commença immédiatement à descendre, et je me demandai si nous allions dans la bonne direction. Les grottes n'étaient-elles pas supposées se trouver sur les faces des falaises, plutôt qu'au fond des vallées ? Mais bientôt le sentier s'ouvrit sur une corniche étroite longeant une profonde ravine, qui surplombait elle-même un cours d'eau quinze mètres plus bas. La chute était immédiate et à pic, sans barrière pour l'amortir. Sur cette route assez large pour avancer à deux, nous progressâmes en file indienne.

La colline, en face, était jonchée de troncs d'arbres coupés. D'ici, je découvris que nous nous dirigions vers un petit pont qui enjambait le ruisseau. Enfin, pont… Des tréteaux au bois usé et fatigué. Je leur donnais au moins cent ans, si ce n'est plus. C'est sans doute par là que passaient les chasseurs et les prospecteurs. Les bûcherons, par contre, devaient emprunter un autre chemin. Je ne voyais aucune route accessible en voiture.

Soudain Zach, qui marchait derrière moi, se figea dans un petit hoquet étranglé et désigna une corniche de l'autre côté du ravin. En suivant son regard, je me retrouvai soudain les yeux dans les yeux avec un magnifique félin. C'était une femelle puma, je le sus d'instinct, pure et sauvage, pas garou. Et elle nous observait, lui et moi. Je la sentis me scruter jusqu'aux os.

Zach se pencha vers moi.

—Elle allaite, dit-il.

Quelque part, inconsciemment, je le savais. Elle avait des chatons, sûrement cachés non loin à l'abri des yeux indiscrets. J'observai la face rocheuse et ne vis rien. Mon regard revenant de lui-même à la maman puma, je pris une profonde inspiration et lui affirmai mentalement ma bonne volonté.

Lorsqu'elle rugit en rejetant la tête en arrière, les larmes me montèrent aux yeux. Il y avait de la crainte, de la colère, de l'absence dans ce cri. Quelque chose n'allait pas. Je le compris. Elle avait besoin d'aide.

Avant de m'en être aperçue, je devançai la meute et, Zach sur les talons, franchis le pont de bois. Camille et Roz crièrent, mais mon attention était focalisée sur la femelle puma. Nous pouvions faire quelque chose pour elle, et elle le savait.

En traversant la passerelle, je constatai que Zach avait adopté sa forme de puma. Sans y réfléchir, sans le moindre avertissement, je me surpris à me transformer également — pas en chat, en panthère. Mais pour quelle raison… ? Sous cette forme, le seigneur de l'automne pouvait me contrôler. Pourquoi s'intéressait-il à cette mère ?

Alors j'entendis sa voix, venue des profondeurs de mes pensées et de mon cœur :

Elle est sous ma protection, m'expliqua-t-il, *comme tous les descendants d'Einarr. Sa mère est un puma-garou, qui a décidé de revenir vivre dans son habitat naturel sous sa forme animale. Elle-même ne peut pas se transformer, mais elle reconnaît cette capacité chez les autres. Aide-la. Ce n'est pas parce que tu es une fille de la tombe que tu ne peux pas assister les vivants.*

En un instant, sa présence disparut, mais je demeurai sous cette forme. Zach et moi courions côte à côte en silence. Il n'y avait pas de piste claire pour monter jusqu'à elle, mais nous n'allions pas nous laisser décourager pour si peu. Tandis que nous bondissions d'un rocher à l'autre, touchant le sol alors même que nos pattes arrière s'arc-boutaient sur la pierre, je savourai ma puissance. Par bonds successifs nous gravîmes la pente. Enivrée par la cascade de sons et de bruits qui assaillait mes sens, j'avais l'impression de pouvoir courir ainsi toute ma vie.

La lionne nous attendait sans nous lâcher des yeux. Quand nous atterrîmes à ses côtés, elle ne montra aucun signe de crainte. Doucement, je posai mon front contre le sien – un geste de chat, auquel la plupart des félins, petits ou gros, répondent.

—Qu'est-ce qui ne va pas ? lui demandai-je, dans une langue qui n'était ni humaine ni Fae, mais qu'elle comprit parfaitement.

Un éclair de douleur traversa son regard.

—C'est ma petite… Elle est prise au piège et je n'arrive pas à la délivrer, répondit-elle d'une voix douce, où je sentis la peur.

—Nous sommes là pour t'aider, affirma Zach. Montre-nous le chemin.

Nous remontâmes la corniche en direction de sa tanière. À l'intérieur, je perçus des miaulements enfantins. Un chaton était assis dans un coin, l'air confus, et affamé. D'instinct, j'eus envie de courir à lui et le prendre dans mes bras, mais un coup d'œil à maman puma m'en dissuada. Nous remontâmes un petit tunnel qui s'achevait en cul-de-sac. Une fissure étroite, de trente centimètres de large environ sur un mètre quarante, ou cinquante, de profondeur, s'étirait au pied du mur. C'était de là que provenaient les miaulements.

Je penchai la tête et distinguai l'autre bébé puma dans la pénombre. Elle avait, sait-on comment, réussi à se glisser dans cette ouverture trop étroite pour que sa mère puisse y couler la tête et l'en tirer. D'ailleurs elle resterait proba-blement coincée si elle essayait. Sans notre aide, ce chaton allait finir par mourir de faim.

Je regardai la femelle et lui dis :

—J'ai besoin de reprendre ma forme de bipède. S'il te plaît, ne crains rien. Je ne lui ferai pas de mal. Mais c'est le seul moyen de la sortir de là.

Elle pencha légèrement la tête, comme si elle opinait.

—Ma mère était garou, répondit-elle. J'ai déjà assisté à la transformation.

Ayant reçu son approbation, je m'éloignai légèrement en me concentrant sur mon changement de forme. Au bout d'un moment, mon corps commença à se modifier, et quelques secondes plus tard, j'étais redevenue Delilah version femme. Je dardai un bref regard dans la direction de la mère, mais elle semblait fidèle à sa parole. Aussi je m'agenouillai et me penchai sur la fissure. Le chaton, plaqué contre la paroi, tendit vainement ses petites pattes vers moi, mais malgré tous mes efforts, elle était trop loin pour que je puisse l'attraper.

Zach sentit ma difficulté et se retransforma lui aussi. En silence, il me prit par les chevilles et me fit lentement descendre dans le trou. Le petit puma s'agita frénétiquement pour m'atteindre, et je parvins à le saisir sous les pattes, en m'y agrippant comme si ma vie en dépendait tandis que Zach me faisait remonter. Dès que je l'eus lâchée, elle courut vers sa mère et se mit à chercher une mamelle à téter. Les petits étaient encore à un âge maladroit et confus : vulnérables, et terriblement mignons.

Je cherchai du regard quelques pierres pour boucher la fissure, mais n'en trouvai pas assez. Tandis que la maman puma léchait son petit d'un air inquiet, je m'approchai à pas de loup en me demandant si elle accepterait que je me tienne près d'elle sous cette forme humaine. Elle souffla légèrement, mais quand ses yeux rencontrèrent les miens, les différences entre « femme » et « lionne », ou « garou » et « puma » disparurent. Nous étions tout simplement deux âmes, unies dans la félinité, capables de déchiffrer chacune le cœur de l'autre.

— Elle est magnifique, murmurai-je en chat. Je peux la caresser ? Tu me permets de te toucher ?

Sur un autre soupir, plus doux, elle se décala, à peine, pour me permettre d'atteindre la petite. Je posai délicatement une main sur son flanc, et frissonnai en sentant la fourrure si douce rouler sous mes doigts. Une vibration légère m'apprit qu'elle ronronnait. Je me mordis la lèvre et me penchai délicatement pour l'embrasser. La mère émit un miaulement inquiet. Ma main glissa vers elle et s'y posa un bref instant. Nos auras fusionnèrent.

Puis je reculai.

— On devrait y aller, suggéra Zach. Les autres vont s'inquiéter.

Je hochai la tête et m'éloignai à reculons sans quitter la femelle puma des yeux. Elle inclina la tête, et, prenant son chaton par la peau du cou, nous suivit jusqu'à l'entrée de la grotte.

— Je n'ai rien pu faire pour que cette fissure ne soit plus un danger, lui murmurai-je, toujours en chat. Tu devrais chercher une nouvelle maison, un endroit sûr, qui n'avale pas tes enfants.

Elle cligna des yeux et je sus qu'elle avait compris. En partant, je l'entendis grogner, puis s'installer pour la toilette et le repas des petits. Je lançai un coup d'œil à mon compagnon. Il rayonnait.

— Tu en veux un, n'est-ce pas ? me demanda-t-il en souriant.

— Un quoi ?

— Un chaton. Un bébé.

Il se mit à rire, mais son regard me dit qu'il ne plaisantait pas.

Je le dévisageai en me demandant s'il avait perdu la raison. Pourtant, lorsque je prétendis chasser l'idée, je la trouvai mieux enracinée que j'aurais pensé. Oui, c'était vrai. Quelque chose en moi avait résonné avec cette mère et ses chatons. Je voulais une famille. Mais pas juste des bébés : des petits garous. Des enfants qui comprennent ma nature féline aussi bien que mon aspect mi-humain, mi-Fae. Et cela risquait de poser problème. Parce que les garous demi-Fae étaient stériles, ou du moins, incapables de reproduire leur nature animale. Je pourrais avoir un enfant, bien sûr, mais rien ne garantissait qu'il (ou elle) ait la moindre chance d'être garou, en dehors d'un heureux lancer de dés.

Avec un léger soupir, j'entrepris de redescendre la colline en direction du chemin sur lequel les autres nous attendaient à présent. Je n'avais pas le temps de penser à ce genre de choses. Pas maintenant.

—Eh bien, ce qui est sûr, lui répondis-je, c'est que les bébés d'une espèce ou d'une autre attendront. N'en parle à personne, s'il te plaît. Mes sœurs n'ont pas besoin de savoir que j'entends le « tic-tac » de mon horloge biologique. Elles se rendraient malades d'inquiétude pour rien. De toute façon, ce n'est pas comme si je pouvais tomber enceinte. Nous avons reçu un traitement avant de quitter Outremonde, et l'antidote se trouve uniquement là-bas. Pour l'instant, l'usine à bébé est fermée.

Zach hocha la tête, mais une lumière s'alluma brièvement dans ses yeux alors qu'il me souriait d'un air très doux. Tout en éclairant nos compagnons sur la raison de notre échappée, je me demandai à quoi il pouvait bien penser.

CHAPITRE 15

Tandis que nous relations l'incident, Vanzir commença à montrer des signes d'impatience. Gênée, je tirai sur le bas de ma veste. En dépit des efforts qu'il faisait pour s'intégrer, sa nature de démon pur jus s'exprimait par bien des façons et me mettait immanquablement mal à l'aise. Pour une fois, je n'étais pas la seule.

Avant de monter en voiture, Camille m'avait confié qu'elle le trouvait flippant avec ses airs de rock star héroïnomane, même en sachant qu'il était, par serment, lié à nous. Mais nous avions besoin de toute l'aide possible, et à cheval donné… Surtout avec l'Ombre Ailée qui menaçait de tout saccager. Le chasseur de rêves en savait trop sur nos opérations pour que nous prenions le risque de le libérer. Nous le laissions dans le flou sur un grand nombre de points, mais à force de traîner avec nous, il était bien obligé de glaner des renseignements.

Je tentai de chasser mon malaise et de me concentrer sur notre mission.

Roz reprit la tête de notre groupe, et s'engagea sur la corniche de plus en plus étroite censée être un chemin. Alors que nous nous éloignions de l'endroit où nous avions rencontré le puma, je lançai un coup d'œil par-dessus mon épaule et la vis qui nous observait de derrière un buisson. Elle ouvrit légèrement la bouche, comme pour dire quelque chose, mais malgré la finesse de mon ouïe, je perçus uniquement la course du cours d'eau plus bas, et les murmures de Camille et Morio.

Nous étions tous nyctalopes, au moins dans une certaine mesure, mais Roz insista pour qu'on prenne notre temps, et se munit d'un bâton pour tâter le terrain devant lui. Nous risquions de nous tordre une cheville sur des morceaux de roche branlants, de tomber dans des gouffres, voire de rencontrer des serpents à sonnette, quoiqu'en théorie, ceux-là traînent plus souvent du côté est des Cascades. Enfin, dans la montagne, on ne sait jamais.

Plus haut, et sur la droite, je distinguai le vague contour d'une caverne. Nous nous dirigions tout droit vers son entrée obscure. En approchant, je sentis les poils de ma nuque et de mes bras se hérisser.

— Je les sens, expliqua Camille. Ce sont des espèces d'esprits. L'énergie est archichargée ici. Je me demande ce qui se passerait si j'invoquais la magie de la Mère Lune.

— N'essaie pas, répondit Flam en la guidant d'une main posée au creux des reins. Pas tant que nous n'en aurons pas réellement besoin.

En les regardant, je me sentis un peu plus délaissée que jamais. Chase devrait être là, et s'inquiéter pour moi, au lieu de jouer à la bête à deux dos avec son ex!

Zach parut sentir mon changement d'humeur. Il me serra doucement l'épaule et murmura :

— Ne t'en fais pas. On veillera l'un sur l'autre. D'accord ?

Un peu rasérénée, je lui souris en me demandant ce que je voulais vraiment. Quoi qu'il en soit, ce n'était pas le moment de m'apitoyer sur mon sort. Nous arriverions bientôt. Je me devais d'être au maximum de mes capacités.

En atteignant l'entrée de la caverne, Menolly se coula près de moi.

— Je ne suis pas très douée pour sentir les esprits, mais je peux te dire que je ne capte aucune énergie démoniaque.

Vanzir l'entendit et ralentit le pas pour marcher près de nous.

— Moi non plus. Je pense que Karvanak et sa bande n'ont pas encore localisé l'endroit. On a eu un sacré pot, ajouta-t-il en regardant Menolly. Mais je vais vous dire une chose. Certaines des créatures de l'ombre qui parviennent à quitter les profondeurs font passer ma race pour une bande de fillettes. Les revenants et les liches sont beaucoup plus dangereux que le chasseur de rêves ou le Rāksasa moyen.

Je fronçai les sourcils. Pas bon, ça. Pas franchement positif. Pile le genre d'idées que je ne voulais pas nourrir pour l'instant.

— Tu crois qu'il y a des esprits et des fantômes aussi puissants que l'Ombre Ailée, là-dedans ? demandai-je.

Nous prenions des pincettes pour aborder ce sujet avec Vanzir. Après tout, c'était quand même un démon venu des Royaumes Souterrains. Il n'en voulait pas nécessairement à l'Ombre Ailée d'être un grand Méchant. Il s'opposait juste à sa décision de traverser les portails pour tenter d'envahir Outremonde et la Terre. Je me demandais tout de même ce qu'il adviendrait de son nouveau statut si ce terrible événement venait à se produire. D'un autre côté, pourquoi accepter de subir le rituel de soumission s'il ne voulait pas changer, au moins un peu ? Il ne pourrait plus jamais revenir sur les termes de l'accord. À la première tentative, il mourrait à l'instant dans d'horribles souffrances.

— Je ne sais pas. J'espère que non, répondit-il en haussant les épaules.

Il me dévisagea longuement. Ses yeux si clairs, déconcertants, semblaient lire dans mes pensées. Il tendit la main et m'effleura à peine l'avant-bras, avant de se raviser et de la retirer.

—Je sais que tu ne me fais pas confiance, dit-il. Et que tu t'interroges sur mes intentions. Je ne t'en veux pas. Je ressentirais probablement la même chose si j'étais à ta place. Mais j'espère qu'un jour tu me croiras quand je te dis que je n'ai pas de motif caché. Je suis peut-être né démon, mais je ne suis pas… Je n'aime pas ce que j'ai pu faire dans ma vie. Ce n'est pas moi. Je n'ai pas ma place dans les Royaumes Souterrains, et je n'ai aucune affinité avec la majorité de mes congénères.

Avant que j'aie pu dire quoi que ce soit, il pressa le pas pour retrouver Rozurial. Je le suivis du regard en soupirant. Je ne savais plus quoi penser.

Menolly me lança un coup d'œil. D'un même mouvement, nous haussâmes les épaules. Elle semblait aussi confuse que moi.

—Qui sait ? fit-elle d'une voix si basse que je faillis ne pas l'entendre. Il dit peut-être la vérité. En attendant de savoir, on garde les yeux grands ouverts.

À ce moment, Roz s'immobilisa en levant une main pour nous faire signe de nous rapprocher, puis il posa un doigt sur ses lèvres.

—Tâchez de ne pas faire trop de bruit. On a déboulé comme des sauvages dans cette baraque à Seattle, et on a bien vu ce que ça a donné. Essayons de suivre une approche un petit peu plus subtile ici.

—Tu crois ? demandai-je, mais doucement.

—Ouais, un peu, dit-il brièvement, avant de se rembrunir. Voilà le topo : nous n'avons pas une idée très nette de la géographie de cette grotte. Le prospecteur n'a pas su nous éclairer. Mais s'il a raison, la pièce qui contient le sceau spirituel se trouve quelque part sur la gauche de la salle principale. On l'atteint par un petit passage, mais l'homme a évoqué d'anciennes bouches de tunnel et autres gouffres en chemin. N'allez pas vous égarer. Pour peu que cette mine ait connu une exploitation intensive, on risque de se retrouver plongés dans un vrai labyrinthe – dont tout le système d'étayage est sans doute aussi vieux que fragilisé.

Flam fronça les sourcils d'une façon telle que je fus contente de ne pas être Roz.

— C'est dangereux, dit-il. Je connais ce genre de tunnels. Ils peuvent s'écrouler sur nous sans un avertissement. Marchez à pas de loup, n'élevez pas la voix, et, en aucun cas, ne provoquez d'explosion. Camille, tu devrais refréner ta magie. Morio, ta lumière du renard ira très bien, mais ne tente rien qui puisse faire trembler la roche. En d'autres termes, nous allons devoir affronter les esprits à l'aide de sorts qui n'envoient pas d'onde de choc. Je vous conseille fortement de m'obéir cette fois, sans quoi vous risquez de vous faire aplatir comme une souris en plastique entre les pattes de Delilah.

Je ricanai, brièvement. Il me foudroya du regard. De toute évidence, ce n'était pas censé être une plaisanterie. Mon sourire s'estompa.

— Il a tout dit, reprit Roz. C'est une opération subtile. Alors réfléchissez avant de parler, et ne vous enfoncez pas à l'aveuglette dans les passages latéraux.

Camille échangea un regard avec Morio.

— C'est comme dans la caverne de Titania, remarqua-t-elle. Le chemin était jonché de précipices.

Sur ce, nous nous mîmes en position. Menolly et Vanzir, les plus silencieux, constitueraient notre première vague. Roz, Zach et moi suivrions. Camille et Morio viendraient en troisième, tandis que Flam couvrirait nos arrières.

Je laissai ma sœur et le chasseur de rêves disparaître dans la caverne, et poussai un profond soupir. *Et c'est reparti !*

pensai-je en m'enfonçant dans les ténèbres, flanquée de mes compagnons.

L'air, de clair et vivifiant, devint immédiatement humide et glauque. Ça sentait le moisi, la vase, ou le truc oublié dans le frigo quelques semaines de trop. Je parvins à prendre ma respiration avant que mon dîner fasse le trajet retour. Mes mésaventures avec les boules de poils me rendaient sujette aux hoquets de nausée, et même si je pouvais m'envoyer une tonne de saletés en regardant les pires conneries à la télévision, il suffisait d'une odeur un peu trop forte pour que mon estomac menace de restituer son contenu.

Quoi qu'il en soit, cela ne fleurait pas la bonne vieille pourriture. Non. C'était offensif. C'était… c'était… fétide et aigre, et ça me rappelait l'odeur de l'antre des vénidémons, en un peu moins atroce.

— La vache, ça sent le rance ! murmura Zach à mon oreille. Qu'est-ce que c'est, bon sang ?

— Aucune idée. Mais je ne suis pas pressée de le savoir.

Mon pied roula sur un petit caillou. Je perdis l'équilibre, et me retins de justesse en m'appuyant au mur. Mais au lieu de roche, mes doigts trouvèrent la chose la plus gluante, la plus visqueuse que j'aie jamais touchée. J'eus l'impression d'avoir plongé la main dans une bassine de morve, ou de banane pourrie.

— Ah putain, dégueu !!

Je m'empressai de baisser la voix pour empêcher mon désarroi de ricocher en écho dans le tunnel, et tentai fébrilement de voir si la matière était dangereuse, ou simplement immonde.

Zach se pencha vers moi tandis que Roz braquait sur mes doigts le rai ténu d'une lampe de poche à peine plus grosse qu'un crayon. Je découvris une substance suintante, qui me fit penser à l'ichor des vieux films de SF des années 1950, et à cette pâte conditionnée en pots que les parents refusent énergiquement d'acheter à leurs gamins, de peur de la voir finir dans leur ventre ou pire, dans leurs cheveux.

Seulement, ce truc-là sentait encore plus mauvais que du puant de putois. Pire que ma litière quand j'omettais de la nettoyer pendant plusieurs jours. Pire que… *Hé mais, qu'est-ce que… ??*

Je m'interrompis dans mon énumération car la chose bougeait. En un instant, elle s'affina pour s'enrouler autour de mes doigts et s'étirer sur ma paume comme un putain de gant vivant. Malgré moi, je lâchai un petit cri.

— Enlevez-moi ça tout de suite !!

Rien à fiche de qui pouvait m'entendre ! Des images d'enzymes gloutons s'attaquant à ma peau m'envahissaient l'esprit, et je n'étais pas prête à finir assimilée dans la cité du Blob.

Zach tendit la main mais Roz la chassa d'une tape.

— Touche pas ça. Laisse-moi m'en occuper. Tiens, prends la lampe.

Entre-temps les autres, à part Vanzir et Menolly qui progressaient bien en tête, s'étaient assemblés autour de nous. L'incube tira une baguette chinoise de sa poche (Pourquoi se promenait-il avec un truc pareil ? Aucune idée. Je ne demandai pas.) et entreprit de tapoter la chose. Celle-ci se redressa, et adopta la forme grossière d'un maillet en caoutchouc pour repousser la tige. Génial. J'étais en train de me faire grignoter par Rocky Bloboa ! Bientôt, il allait prendre la forme d'un minigant de boxe et commencer à me cogner dessus.

— Je n'ai aucune idée de ce que c'est, annonça Roz en poussant encore la créature, au point cette fois qu'il la perça.

Une sensation de brûlure me traversa la paume. Je sursautai.

211

—Arrête! Y a un truc qui coule!

Brusquement, Flam se fraya un chemin jusqu'à nous et se pencha en murmurant des paroles inintelligibles. Une fine brume blanche s'écoula de ses lèvres pour recouvrir ma main. Cela me fit penser à la magie de la neige et de la glace d'Iris. Quand la brume toucha ma peau, l'espèce de slime se rassembla en petite flaque dans ma paume.

—Qu'est-ce qu'il fait? demandai-je, à la fois dégoûtée et curieuse.

—Il essaie de conserver sa température intérieure, de sorte à ne pas geler, répondit le dragon.

Lorsqu'il souffla dessus une seconde fois, la chose se figea comme un bassin blanchâtre de gélatine glacée, puis durcit. Il suffit alors d'une tape pour qu'elle vole en éclats. Je retournai la main pour laisser tomber les débris sur le sol.

—Il est mort? demandai-je en regardant les centaines d'éclats.

—Probablement pas. Les créatures de ce genre peuvent supporter de nombreuses variations de température. Il s'agit d'une forme de suintement ectoplasmique. (Examinant ma main:) Tu t'en sors plutôt bien. Évite juste de toucher les murs. D'autres variétés plus agressives traînent peut-être par ici.

Plus agressives? Chouette.

—D'où est-ce qu'elles viennent? s'enquit Camille.

Flam promena le regard dans le tunnel.

—Lorsque des esprits s'amassent en trop grand nombre dans un espace réduit du plan physique, l'excédent d'énergie spirituelle finit par développer une vie propre, généralement sous forme d'ectoplasme. Pour peu que les esprits soient puissants, elle se dote également d'une forme rudimentaire de conscience, ce qui fait d'elle un véritable prédateur.

—C'est très dangereux? demandai-je.

— Cette quantité de substance aurait pu ingérer jusqu'à deux couches d'épiderme avant d'être repue. À ce stade, elle serait tombée dans un état somnambulesque tout en continuant à grandir, et au réveil, elle aurait recommencé. Une masse plus importante ferait, de toute évidence, d'autant plus de dégâts, continua le dragon en balayant le plafond avec la lampe de Roz. Regardez toujours en l'air. Cela s'accroche souvent en hauteur.

Je frémis à l'idée d'avoir été couverte de matière carnivore.

— Combien crois-tu qu'il y en ait ici ?

— De morceaux comme celui-ci ? C'est impossible à dire. En revanche, je sais qu'on trouve rarement deux variétés différentes au même endroit. Les ectoplasmes se divisent en amas cellulaires – des blobs, si tu veux – mais gardent une conscience de groupe, termina-t-il en se retournant vers l'extrémité du nôtre.

Mais avant de reprendre sa position, il ajouta :

— Si toutefois vous en voyez une de couleur indigo et non verte comme celle-ci, tenez-vous-en le plus loin possible, ou nous ne serons peut-être pas en mesure de vous sauver.

— Ah mais bien sûr ! fit soudain Morio. Je vois de quoi il s'agit à présent. Mon père m'en a parlé quand j'étais jeune. C'est de l'essence viro-mortis. Flam a raison. La forme indigo est encore plus agressive. Quand une cellule découvre une victime, elle appelle ses sœurs – et ces créatures sont bien plus rapides qu'on pourrait le penser. Le froid ne leur fait rien, mais le feu est très efficace. Malheureusement, les faire flamber lorsqu'elles sont déjà sur la victime revient à la brûler aussi.

— Une fois encore, permettez-moi de dire : beeeeurk !!

Je frissonnai en essuyant furieusement la main sur mon jean pour chasser toute trace de cette substance de fou.

Je regardai Camille en fronçant les sourcils. Ce n'était pas à elle que ce serait arrivé. D'accord, elle se faisait rouster par les démons, lacérer par les vampires, bouffer par du sang de cerbère, mais les monstres glauques n'étaient jamais pour elle. D'un seul coup je l'enviai, tout en me sachant ridicule. Des trois, c'était (et serait probablement) toujours moi qui finissais avec de la boue sur le visage, ou de la litière collée aux fesses.

Nous nous glissâmes plus avant dans le couloir en évitant des rochers tombés et autres abîmes, pas assez profonds pour nous avaler en entier, mais suffisamment pour s'y tordre une cheville. Le « plic-ploc » étouffé de l'eau nous parvenait de loin. En progressant, je me surpris à penser aux mineurs qui avaient exploité cet endroit, à leurs rêves filés d'or et d'argent, parsemés peut-être de pierres précieuses en Technicolor. Combien étaient vraiment devenus riches ?

J'étais tellement perdue dans mes réflexions que je ne vis pas Roz nous faire signe de nous arrêter : je fonçai tout droit dans le dos de Zach, qui tomba à genoux. Il se releva sans me laisser le temps de tendre la main vers lui, et me lança un regard amusé, secouant simplement la tête quand je lui demandai si je lui avais fait mal.

L'incube se tenait sous une arche. Les poutres qui lui servaient d'étais paraissaient vieilles, affaiblies par le passage du temps et l'usure de l'eau. Je prêtai une oreille attentive et n'appréciai pas beaucoup ce que je perçus : un bruit d'insectes, de vieilles choses, de bois, las, usé, qui se craquelle. Merde, on était vraiment en danger ici. Plus vite on en finirait, mieux ce serait.

Roz écouta attentivement, en tournant la tête vers la gauche, puis la droite. Sa longue queue-de-cheval bouclée roula sur ses épaules. Comme toujours, il portait le chapeau noir australien à plume qu'il était allé dénicher dans une friperie après avoir vu *Crocodile Dundee* avec Menolly et moi durant l'une de nos folles séances de cinéma nocturne. Je devais admettre qu'il allait bien avec son long manteau en cuir.

Au bout d'un moment, il se retourna.

— Je crois que ce passage donne sur une autre dimension. Vanzir et Menolly ont pris vers la gauche, j'en suis sûr. Je sens de l'eau sur la droite, et cet autre chemin, là, semble descendre vers des profondeurs abyssales. Mes amis, cette grotte vient de se démarquer de tout ce qu'il y a de normal dans les environs. On ne devrait pas trouver de caves aussi géantes dans le coin. Pas à ce point-là, du moins.

— Ce n'est pas un peu risqué d'entrer ? demandai-je. S'il s'agit bien d'un portail, comment pourrons-nous revenir après l'avoir traversé ?

J'essayai de me souvenir de ce que je savais sur ces passages magiques. Certains, comme ceux que les Fae avaient dressés pour servir de garde-fous aux démons, étaient très restrictifs, mais relativement stables. Ceux qui s'ouvraient à la sauvage, par contre, menaçaient de se fermer de la même façon.

Roz regarda Flam qui inspectait l'ouverture avec méfiance.

— Qu'est-ce que tu en dis ? demanda-t-il d'une voix douce, dans laquelle perçait une légère inquiétude.

Le regard du dragon passa de Camille à moi.

— De toute évidence, Menolly et le démon ont jugé que c'était sûr. Mais il se peut aussi qu'ils ne l'aient pas remarqué avant qu'il soit trop tard. La caverne tout entière est profondément instable. C'est un peu comme si on se promenait avec une bombe. Au moindre faux mouvement, nous pourrions nous retrouver ensevelis sous une tonne de pierre. Ou pire.

Camille inspira longuement.

—Nous n'avons pas le choix. Nous devons trouver le sceau et nous ignorons quelle direction Vanzir et Menolly ont prise. Pourquoi ne pas se séparer ? La moitié entre, l'autre reste là et voit ce qui se passe.

Je poussai un profond soupir.

—Tu as raison. OK. Toi, tu restes là avec Flam et Morio. Nous, on y va. Si nous sommes en difficulté, vous devriez le voir.

Pour une fois, elle n'objecta pas. Je me demandai si la main lui faisait plus mal qu'elle voulait bien le dire. D'habitude, elle aurait probablement joué la carte de la grande sœur. En l'occurrence, elle parut juste un peu soulagée.

Flam hocha la tête.

—Rozurial, si les choses tournent mal, tu sais comment faire sortir Delilah et Zachary d'ici. Fais-le, s'il le faut.

Je retins ma respiration.

—Par la mer ionique ? demandai-je en regardant l'incube.

Flam gronda doucement mais ne dit rien.

Je le dévisageai.

—Ben quoi ? Tu savais bien que Camille devrait me le dire un jour ou l'autre !

—Là, elle marque un point, sourit Roz.

Flam entraîna Camille et Morio à l'écart.

—En cas de souci, criez, hurlez, trouvez n'importe quel moyen pour nous le faire savoir, conseilla ma sœur. Si vous disparaissez, j'entrerai.

—Certainement p…, commença Flam.

Mais elle chassa ses objections d'un geste.

—Si, et tu ne m'en empêcheras pas. (Elle s'élança vers moi et se dressa sur la pointe des pieds pour m'embrasser sur la joue.) Sois prudente, chaton. Je t'aime.

Alors qu'elle retournait au côté du dragon, j'inspirai lentement, puis expirai en comptant jusqu'à vingt pour calmer les papillons qui avaient pris résidence dans mon estomac.

— Sommes-nous prêts? demandai-je.

Roz et Zach hochèrent la tête. Alors, bras dessus, bras dessous, nous nous engageâmes sous l'arche qui s'ouvrait sur la grotte démesurée.

CHAPITRE 16

U n craquement m'indiqua que nous pénétrions dans un champ d'énergie, et soudain, sans tambour ni trompette, nous nous retrouvâmes de l'autre côté. Ce portail était totalement différent de ceux qui menaient en Outremonde. Je pivotai et fus soulagée de voir Camille et Flam qui se tenaient à quelques pas de là, l'air inquiet. Morio nous fit un salut de la main, que je lui rendis.

— Vous nous voyez toujours ? appelai-je.

Ma sœur se mit à rire.

— Oui, grâce aux dieux ! On arrive.

Quand ils s'engagèrent sous l'arche, je perçus comme une légère crépitation, sans plus. Quelques secondes plus tard, nous nous trouvions de nouveau réunis.

La grotte était gigantesque. Quelque chose me disait qu'elle se situait non pas sur Terre, mais un ou deux millimètres à côté – pas assez loin pour nous en séparer totalement, mais suffisamment pour exister dans sa propre petite niche. En dépit de mon excellente vue, je distinguais à peine l'autre extrémité de la salle. Le fond opaque d'un ravin disparaissait sous une couche de brume si dense qu'il était impossible de savoir où il se trouvait.

L'air, ici, était plus frais, et plus humide que celui des tunnels. Malgré ma veste, je sentis également la différence de température. J'empruntai la torche électrique de Roz et m'approchai d'une paroi. Dans le faisceau de lumière, nous découvrîmes une surface suintante, parcourue de gouttelettes, et tapissée d'amas d'essence viro-mortis. Celle-ci adoptait ici une teinte violacée. Je me tins sagement à distance.

— Je crois qu'on se rapproche, dis-je. Si ce sont bien des spectres, des revenants ou je ne sais quoi qui protègent le sceau, ils doivent être un paquet, ou alors superpuissants, parce qu'il y a du slime partout. Je ne suis franchement pas pressée de…

Un bruit m'interrompit.

Je m'éloignai du mur et nous attendîmes, silencieux, aux aguets. Au bout d'une insoutenable seconde, Menolly et Vanzir débouchèrent d'un tunnel sur notre gauche.

Je relâchai mon souffle avec un petit soupir.

— Ouf, c'est vous ! On était sur le point de venir vous chercher. Qu'est-ce que vous avez trouvé ?

Ma sœur avait les pupilles rougeoyantes et dilatées.

— La salle du sceau spirituel, répondit-elle. Mais elle est archigardée. Il y a une liche, très dangereuse, mais avant de l'atteindre, il va falloir passer sur le corps d'une demi-douzaine de nécrophages.

Oh, merde ! Un pied dans les profondeurs, l'autre dans la tombe, ces sales brutes faisaient partie de la famille des « morts qui marchent », mais même les vampires préféraient garder leurs distances tant elles étaient mauvaises. Plus proches de l'animal que de l'être intelligent, malignes, elles se gorgeaient de la chair et de l'esprit de leurs victimes. Contrairement aux liches, justement, qui pompent la substance spirituelle, ou aux zombies, qui ne mangent que la chair, les nécrophages, eux, se nourrissent des deux.

Ces créatures, qui aspirent l'esprit de la moelle et des muscles tout en consommant leurs victimes vivantes, vivaient habituellement en Outremonde, en particulier dans les chaînes sombres et volcaniques des déserts du sud et bien au nord des imposantes Nebelvuori. Toutefois, ils se rapprochaient rarement des endroits habités, et se nourrissaient surtout d'animaux, ou des rares voyageurs à s'aventurer dans les cols.

Camille s'éclaircit la voix.

— Très bien. Est-ce qu'on sait comment tuer des nécrophages ?

— Avec le souffle du dragon, maugréa Flam. Mais si la salle n'est pas au moins aussi grande que celle-ci, je ne pourrai pas me transformer, et je doute qu'ils acceptent de venir jouer avec nous jusqu'ici, même si on le leur demande gentiment.

— Eh bien, elle ne l'est pas, répondit Menolly. C'est un passage étroit et bas de plafond qui mène à une minigrotte, assez grande pour eux et nous, mais pas pour un dragon. Enfin, ce sont des morts-vivants. Si tu as une section « nécromancie » dans tes registres, un truc qui les repousse ou qui les tue pour de bon, Morio, ça pourrait nous aider.

Tous les regards convergèrent vers le *Yokai*, qui lança un coup d'œil à Camille. Celle-ci hocha la tête.

— Nous nous sommes entraînés dans ce sens, expliqua-t-il. J'ignore toutefois si cela fonctionnera sur des nécrophages. Pour tout dire, nous n'avons presque jamais utilisé ce sort, à part sur les quelques esprits qui hantaient les maisons connues du voisinage…

— Hé là ! l'interrompis-je. Attends une minute ! Tu es en train de dire que Camille et toi avez passé du temps à exorciser des fantômes en douce dans Seattle ?!

— Pas tout à fait, répondit ma sœur. Nous ne travaillons sur ce sort que depuis quelques semaines. Jusqu'ici, nous avons désintégré une poignée d'esprits malveillants qui semaient la pagaille. Nous ne voulions rien dire tant que nous n'étions pas sûrs d'avoir atteint une certaine maîtrise, ce qui n'est toujours pas le cas.

—Non, mais ça ne devrait plus tarder, assura Morio, dont les yeux prirent une teinte plus sombre, dorée. (Il soupira, et reprit :) Autant que vous le sachiez. Dans les mois qui viennent, j'ai l'intention d'apprendre à Camille comment invoquer les esprits. Mais avant cela, elle doit d'abord savoir les éliminer, au cas où quelque chose tournerait mal. C'est pourquoi nous nous sommes exercés. Toutefois, comme je l'ai dit, je n'ai aucune idée de l'effet que ce sort pourrait avoir sur un nécrophage. Peut-être aucun. Peut-être un léger quelque chose.

Comme tous les autres, je dévisageai le couple. Tous, sauf Flam, qui regardait le plafond, et que je soupçonnais fortement d'avoir été au fait de tout cela. J'échangeai un regard avec Menolly, qui haussa les épaules.

—Alors vous êtes vraiment à fond dans la magie de la mort, hein ? (Sans vraiment savoir ce que je voulais demander, j'ajoutai :) Pourquoi ?

Camille poussa un profond soupir.

—À terme, ce travail de nécromancie m'aidera à utiliser la magie des démons contre eux. Morio va m'apprendre à ouvrir et fermer les portes démoniaques, à poser des pentagrammes piégés, ce genre de choses.

—Tu vas explorer les rites démoniaques ? Tu ne crois pas que ça va quand même un peu loin ?

Les mains sur les hanches, je pivotai vers Menolly.

—Dis-lui, toi, que ce n'est pas une bonne idée ! Je n'imagine même pas l'effet que ce genre d'énergie pourrait avoir sur elle ! Elle a déjà la corne. Pourquoi ne pas se concentrer là-dessus ?

J'étais malade à l'idée que ma sœur puisse toucher à cette magie immonde.

Mais ma cadette se contenta de secouer la tête.

— Laisse tomber, chaton, me répondit-elle sans ciller. Ce sont parfois les tours les plus perfides qui permettent de remporter la guerre. Crois-moi, si je pouvais apprendre à renvoyer sa propre magie à l'expéditeur, je le ferais moi aussi, sans hésiter. Seulement, je n'ai pas le talent nécessaire. Je crois que nous devrions prendre *tout* ce qui peut nous donner l'avantage sur l'Ombre Ailée et son armée. Qui sait si ces portails sauvages ne vont pas décider de s'ouvrir sur les Royaumes Souterrains ? Dans ce cas, on risque de voir les démons surgir de tous les côtés. Même pas besoin des sceaux.

Je me tus. Dans un coin de ma tête, j'entendis résonner le rire du seigneur de l'automne. N'était-il pas, après tout, ma propre forme de magie démoniaque ? Et Menolly ? Que lui arriverait-il ensuite ? Quel chemin serait-elle obligée de prendre dans cette guerre dont nous ne voulions pas, et qui nous était tombée dessus ?

— J'ai compris, dis-je, en sentant se briser un autre de ces liens qui me rattachaient à la fille naïve et optimiste que j'étais encore quelques mois plus tôt. Revenons à nos moutons. Est-ce que vous pouvez essayer votre sortilège Baygon sur les nécrophages ?

— Sans doute, répondit Morio. Mais je peux t'assurer que ça ne va pas les faire tomber raides morts les quatre fers en l'air. Un sérieux combat nous attend. Je suggère donc que nous préparions dès à présent nos armes. Faites attention à cette liche. Ces créatures ne sont pas aussi dangereuses que les revenants, mais elles restent bien plus puissantes qu'un fantôme. Leur toucher glacé est capable d'aspirer toute la chaleur de votre corps et de vous laisser figés dans vos bottes comme des statues. Mais on peut sans doute l'avoir.

— Belle épitaphe, marmonna Flam. Allons-y.

Nous suivîmes Vanzir et Menolly dans un passage étroit, qui s'éloignait par la gauche de la salle principale. Chemin faisant, je me demandai ce qui se trouvait au fond du précipice. Il y avait longtemps que nous n'étions plus parties en exploration juste pour le plaisir. Nous pourrions peut-être revenir visiter ces grottes, quand tout serait fini.

— Au bout de ce tunnel, nous déboucherons dans la salle où se trouvent les nécrophages, expliqua Menolly en jetant un regard par-dessus son épaule, tandis que nous progressions en prenant garde à ne pas toucher les parois couvertes de slime épais tapi en embuscade.

— Il y a une autre salle, toute petite, dans le fond, continuat-elle. C'est là que la liche surveille le sceau. J'ai l'impression qu'elle ne bougera pas tant que les premiers monstres n'auront pas été décimés. C'est une sorte de gardienne. Je pense qu'il s'agit de l'esprit de l'être à qui on a confié l'objet quelques siècles plus tôt. Il a dû juger de son devoir de rester là pour le protéger, même après sa mort.

— Cela expliquerait bien des choses, intervint Morio. Les liches se nomment souvent elles-mêmes gardiennes – d'un endroit, d'une personne ou d'un objet, peu importe. Si elle a eu le sceau entre les mains, elle a certainement senti son pouvoir et compris qu'il fallait le protéger, même sans savoir exactement ce que c'était.

— Et les nécrophages ? m'enquis-je. À supposer que Menolly et toi ayez raison, qu'est-ce qu'ils viennent faire dans cette histoire ?

— Ce sont les liches qui les invoquent, expliqua Flam.

Morio s'immobilisa en levant une main.

— Nous ferions mieux d'en discuter un peu avant d'entrer là-dedans. Un chaman, ou un nécromancien capable de lever les morts, sauraient également le faire. Cet esprit avait peut-être le pouvoir de redonner la vie aux morts, autrefois.

Les nécrophages font de meilleurs Chiens de Garde que les zombies, et ils sont plus difficiles à créer. Donc, si c'est bien à notre gardienne qu'on les doit, autant remonter nos manches.

Une idée, à laquelle je ne voulais surtout pas penser, me taraudait.

— Et si la liche a encore le pouvoir d'invoquer ces trucs ? demandai-je. Et si elle est restée nécromancienne ? Est-ce que les pouvoirs magiques disparaissent, quand on meurt ?

Même si ma sœur était une sorcière, la vie dans la sphère magique présentait encore pour moi de multiples zones d'ombre.

Camille fronça les sourcils.

— C'est rare. Parfois, lorsqu'un esprit se réincarne, il emporte avec lui ses capacités magiques, plus encore si elles sont inhérentes à son âme. Cela peut être manifeste ou latent.

— Mais, est-ce que c'est *possible* ? En théorie ?

Je ne savais pas trop pourquoi j'y attachais autant d'importance, mais j'apprenais de plus en plus à écouter mon instinct. Camille se fiait au sien, et j'essayais de l'imiter. Menolly jurait ses grands dieux qu'elle n'en avait pas une miette, mais j'étais quasiment sûre du contraire. Elle ne le savait pas encore, voilà tout.

— En théorie, oui, ça peut se produire, me répondit Morio. Camille a raison, c'est exceptionnel, mais nous pourrions en effet nous trouver confrontés à ce genre de situation. Si c'est le cas, nous sommes dans la merde jusqu'au cou. Si la liche est capable d'invoquer des nécrophages supplémentaires, elle pourra laver le sol de sa grotte avec nos cadavres.

— Ce n'est pas très joyeux, commenta Menolly en me regardant. Chaton, j'espère que tu te trompes, mais vu la couche de viro-mortis qui recouvre les murs de tout ce réseau de grottes, tu pourrais bien avoir raison.

Je sentis mon estomac se nouer. Avec un peu de chance, j'avais soulevé un problème inexistant. S'il nous fallait affronter une liche nécromancienne, nous étions, comme Morio l'avait dit, dans la merde jusqu'au cou.

Le *Yokai* demeura silencieux en regardant son épouse. Une fois encore, elle hocha la tête. Il soupira.

—OK, fit-il, voilà le topo : Camille et moi devrions entrer les premiers, jeter notre sort, et nous rabattre sur les côtés pour vous laisser passer. Je ne sais pas ce qui arrivera aux monstres, mais ça ne devrait pas vous affecter. À moins d'un retour de feu phénoménal, auquel cas nous sommes tous perdus. (Il fit signe à sa femme.) Nous devons nous préparer, et vite !

Elle se coula jusqu'à lui. Fermant les yeux, ils joignirent leurs mains et commencèrent leur incantation à voix basse. Tout le reste du groupe recula dans le passage étroit, en s'efforçant d'éviter les murs. Camille était plus précise en magie de la mort qu'en magie de la lune, mais je restais nerveuse. Je n'avais vraiment pas envie d'envisager les conséquences d'un sort de nécromancie se retournant contre nous.

Alors que l'énergie grandissait entre eux, mes bras se couvrirent de chair de poule. J'étais toute disposée à tourner les talons et m'enfuir en courant. Je n'avais jamais senti un pouvoir aussi sombre chez ma sœur, à part la fois où elle avait défoncé Geph von Spynne. Mais c'était un cas de légitime défense. Il venait de tuer Rhonda, l'ex-fiancée de Zachary, et nous arrivions juste après sur la liste. Par contre, ça… c'était une manœuvre calculée. Je me rapprochai de Zach, qui passa un bras réconfortant autour de mes épaules.

Je m'appuyai à lui. Sa chaleur rayonnait jusque sous ma veste. Son excitation, également, bien qu'il n'en soit sans doute pas conscient. Son désir éveilla le mien. Bien sûr, je n'allais pas l'entraîner dans un coin alors qu'une bataille se profilait, mais le sentiment se comprenait. La passion et l'adrénaline vont de pair. D'autant que nous avions mis nos vies en danger plus d'une fois au cours des mois passés.

Je me plaquai contre lui, il me serra plus fort, et braqua son regard dans le mien en sentant ma main s'arrêter fermement sur son cul. Ses yeux de topaze me posaient une question, à laquelle je répondis d'un hochement de tête, en passant la langue sur mes crocs. Prenant une profonde inspiration, il laissa glisser la main sur mes hanches, puis mes fesses, qu'il caressa. Je m'étranglai. Camille releva la tête.

— Nous sommes prêts, dit-elle d'une voix qui semblait provenir de milliers de kilomètres.

Je m'écartai de Zach en lui serrant brièvement la main.

— Alors que la fête commence, annonça Flam. Camille, Morio, allez-y. Delilah, Zach, Roz et Menolly, vous entrez ensuite. Vanzir et moi serons la troisième vague. Cela devrait laisser le temps au renard et à notre femme de reprendre leurs esprits avant de revenir fermer nos rangs.

Ma sœur et le *Yokai* s'élancèrent en reprenant le chant magique d'une voix basse, obsédante, qui se réverbérait dans le tunnel. Il était chargé de douleur et de passion, et des tambours flottaient, subtils, sur les courants d'air qui susurraient dans la grotte.

En réponse à la magie, mon corps se mit à vibrer avec tant de force que je faillis tomber contre un mur. Je parvins toutefois à me retenir avant d'avoir touché un ectoplasme carnivore. Brusquement, je vis rouge. Je me frayai un chemin vers l'avant, en sentant la peur céder devant la soif de sang qui dominait mes sens. Panthère s'éveillait. Son grondement résonnait dans les profondeurs de mon cœur. Elle voulait se libérer.

Hi'ran. Ceci était son domaine, un monde de mort, d'esprits et de feu. Son terrain de jeu. Et moi, sa seule fiancée de la mort encore vivante, je ne pouvais m'empêcher de répondre à l'appel des linceuls obscurs flottant sur les tombeaux. Je devais affronter la vérité : si Camille se dirigeait vers l'obscurité, j'en faisais partie intégrante, autant que Menolly depuis le jour où Dredge lui avait mis la main dessus.

Alors que le décor se mettait à changer, je fis signe à mon équipe de s'écarter. Je crus un moment que j'allais me métamorphoser. Mon corps flottait entre les mondes. Panthère, femme, panthère, la marque tourbillonnait sur mon front. J'eus l'impression d'avoir avalé une poignée d'amphètes, ou de bénéficier d'un sort de rapidité. Soudain, je me retrouvai dans mon corps, mais c'était Panthère qui contrôlait mes sens.

Je m'élançai dans la salle et aperçus les nécrophages. Sombres, trapues, ces créatures autrefois humaines avaient désormais du cuir à la place de la peau, et des touffes de poils hirsutes poussant par endroits. On aurait dit des momies jetées dans de la colle puis dans des peaux de bêtes. Elles se retournèrent d'un même mouvement en me voyant entrer, et, telles des singes, prirent appui sur leurs poings pour se propulser vers nous, les flammes de la mort dansant au fond des yeux.

Elles n'étaient pas de ce monde. Elles n'auraient pas dû être ici. Elles appartenaient au royaume des morts, pas à celui des vivants. J'avais soif de leur sang. Je brûlais de les renvoyer dans la tombe. J'arrachai ma dague à son étui et la plantai dans l'épaule d'un monstre alors qu'il refermait sa main glacée sur mon bras. Je me penchai et mordis avec force, en sentant mes crocs s'enfoncer dans les chairs. Il me lâcha avec un cri strident, et tandis que je recrachais des lambeaux de viande et de poils, se mit à reculer.

Un grondement sourd s'éleva dans ma gorge alors que je bondissais et le jetais à terre d'un coup de pied retourné dans la mâchoire. Sans réfléchir, je le suivis et lui enfonçai le talon dans la glotte, broyant son larynx au moment où il tentait de m'attraper la cheville. D'un autre coup de pied, dans les côtes, je le fis rouler vers Menolly, qui le souleva pour le balancer contre le mur jusqu'à ce que son corps mollisse entre ses bras. Alors elle le jeta négligemment de côté et passa au suivant.

Les créatures nous entouraient comme des abeilles qui protègent leur reine. Je me concentrai sur mon coin de grotte. Ma lame frappa, encore, encore, tandis que je me frayais, à coups de pied et de poing, un chemin dans le barrage de morts-vivants. La pluie de sang, et l'odeur pestilentielle de leurs corps paraissaient infinies.

Alors que mon sixième ennemi s'effondrait, sa chair commença à glisser de ses os. N'étant plus retenue par la magie, elle coulait, bouillonnante, comme une soupe primordiale, une boue d'ADN et de sang. J'eus envie de vomir ; mais à la fois horrifiée et fascinée, je ne parvenais pas à détacher les yeux de la scène. Cela me perdit. Un nécrophage s'était faufilé derrière moi. Avant que j'aie pu me rendre compte de ce qui se passait, il me planta les dents dans la cheville, traversant la botte jusqu'à l'os. Je restai un instant hébétée de douleur.

Je me mis à hurler, à secouer la jambe, mais il tenait bon. Il avait visiblement décidé de m'en arracher un morceau. Réalisant soudain que j'étais de loin la plus imposante, je me laissai tomber à genoux sur lui. Il poussa un couinement étranglé et me lâcha. J'en profitai pour m'éloigner d'une roulade. Il revint sans tarder à la charge, et se propulsait vers moi quand Camille apparut dans son dos, dague brandie. Elle frappa, et recula d'un bond tandis qu'il s'écroulait.

— Toujours en train de jouer les grandes sœurs à la rescousse, hein ! la taquinai-je alors qu'elle pivotait pour accueillir une autre créature.

— Tu le sais bien, l'entendis-je répondre.

Déjà, un autre membre de la brigade des morts-vivants arrivait derrière moi. Je me tournai et replongeai dans la bataille. L'air de la grotte, saturé d'effluves de sang et de charogne, résonnait de cris, et du bruit des armes déchiquetant les chairs.

Soudain exténuée, je m'aperçus que Hi'ran m'observait. Son esprit, assis sur mon épaule, affichait un sourire éclatant. Son goût pour la mort s'élança dans tout mon corps, comme des doigts qui me couraient sur l'échine en allumant des étincelles sur leur passage. Je m'étranglai, et liquidai le nécrophage en sentant dans ma nuque le murmure pressant du seigneur de l'automne. Il me serra contre lui. Un voile de brume tortueuse traversa mes vêtements pour se rouler dans mon ventre, tel un serpent attendant de frapper.

Je titubai, il me retint, et referma les bras autour de moi en m'enroulant dans sa cape tourbillonnante. Son regard de diamant s'enfonçait dans les profondeurs de mon être. J'essayai de le repousser, mais j'étais incapable de bouger. Ses lèvres se posèrent sur les miennes.

Je le sentis aspirer mon souffle pendant que mes genoux ployaient sous l'effet de l'orgasme le plus intense que j'aie jamais connu. Incapable de bouger, ou de respirer, consciente du silence de mon cœur, je sus que j'étais en train de mourir. Mes poumons ne fonctionneraient plus jamais. Je m'apprêtai à quitter mon corps. Mais alors, Hi'ran souffla, tout doucement.

La vie s'écoula dans tout mon être. Ma poitrine se souleva, je sentis à nouveaux mes doigts et mes orteils. Mon cœur redémarra dans un rythme saccadé. Je m'éloignai, terrifiée, en le dévisageant.

Il se mit à rire et me caressa la joue.

—Je te l'ai dit. Tu es l'une de mes nombreuses épouses, mais tu es ma seule fiancée de la mort à marcher dans le monde des vivants. Cette position te vaudra hommages et considération, et le moment venu, tu porteras mon héritier.

Sur ce, il disparut sans me laisser le temps d'ouvrir la bouche. Quand j'eus pris la pleine mesure de ses paroles, je me laissai tomber sur le sol en geignant.

CHAPITRE 17

— Delilah ? Delilah !
La voix de Camille traversa la brume qui me tapissait l'esprit. Je cillai, constatai que j'étais à genoux, le front plaqué contre le sol et les mains croisées derrière la tête.

Les paroles du seigneur de l'automne résonnaient encore dans mon esprit. Je regardai autour de moi. Mes compagnons avaient éliminé les nécrophages. N'en restaient que des débris épars dans la caverne. Tout le monde, à part Flam, bien sûr, était couvert de sang et de morceaux d'entrailles. Je gémis doucement tandis que mes sœurs m'aidaient à me relever.

— Tu vas pouvoir te tenir debout ? me demanda Menolly en plantant son regard dans le mien.

Elle avait compris qu'il s'était passé quelque chose. Peut-être pas *quoi*, mais elle savait. Comme chaque fois.

Je hochai la tête. Je n'avais pas du tout l'intention de parler de ce qui venait d'arriver. Pour l'heure, il nous restait une liche à tuer et un sceau à récupérer.

— Ouais, ça va. J'ai dû m'exciter un coup de trop. (Frissonnant, je m'écartai.) Finissons-en, et rentrons à la maison. Il faut vraiment que je dorme.

J'avais surtout besoin de me changer les idées. De trouver quelque chose qui me fasse oublier Hi'ran, les esprits, et les enfants conçus avec des élémentaires. Mon regard s'arrêta sur Zach. Oui, ce qu'il me fallait, là, tout de suite, c'était un délicieux puma-garou blond.

Il cligna des yeux, m'étudia en retour, et lentement me sourit. Il sentait mon excitation. Je le savais parce que le même parfum de désir émanait de lui. Il avait envie de moi autant que moi de lui.

Menolly échangea un regard avec Camille, et d'un même mouvement, elles haussèrent les épaules.

— OK, si tu vas bien, débarrassons-nous de ce problème, fit ma cadette en désignant la salle du fond, dans laquelle se trouvait le sceau, et de toute évidence, l'esprit.

Tandis que nous pataugions au milieu des cadavres, j'eus l'impression que la grotte se refermait sur moi. Je n'aimais pas plus les espaces souterrains que les petites pièces. D'après ma mère, ça s'appelait « claustrophobie », et ça me venait de mon côté garou. Les chats n'aiment pas être enfermés, même s'ils apprécient de se prélasser dans une maison confortable. Mère nous disait toujours : « N'acculez jamais un matou, sans quoi il vous transformera en charpie. Ces animaux ont besoin de pouvoir compter sur une issue de secours, même s'ils choisissent de ne pas l'utiliser. » J'avais toujours pensé qu'elle me réprimandait gentiment, à sa façon.

Je n'étais pas très douée dans mon rôle de petite fille. Je crois que ma mère ne savait pas trop quoi faire de moi. Je voulais toujours traîner dans les bois, porter des vêtements de garçon, chasser les insectes et grimper aux arbres. « Mon petit gars de gouttière », c'est comme ça qu'elle m'appelait, mais toujours avec beaucoup d'amour dans la voix. J'espérais obtenir son approbation, tout en pensant que je ne lui arriverais jamais à la cheville, bien qu'elle n'ait jamais rien dit qui me le laisse penser.

Je chassai vigoureusement ces images du passé et me hâtai de rejoindre le front, où Roz et Vanzir m'attendaient.

— L'un de vous a-t-il déjà affronté une liche ?

J'espérais un oui, mais je me serais tout aussi bien contentée d'un : « Non, mais je sais comment on les tue. » Je n'eus ni l'un ni l'autre.

— Non, répondit Roz en agitant sa queue-de-cheval bouclée. J'ai croisé pas mal de fantômes au fil des ans, et quelques esprits des profondeurs, mais les liches jouent dans la cour des grands. On les rencontre habituellement dans les vieilles ruines et sur les anciens champs de bataille.

Vanzir secoua également la tête.

— Moi non plus. J'en ai juste aperçu quelques-unes. Je crois savoir qu'elles peuvent faire preuve d'une grande férocité. Mais je sais une chose : elles ne supportent pas le soleil, c'est pourquoi on les sent, et les voit, rarement pendant la journée.

— Merveilleux, grommelai-je. Nous sommes dans une grotte au beau milieu de la nuit. Toutes les conditions sont réunies pour qu'elle nous joue le musée des horreurs.

Camille et Morio nous rejoignirent.

— Hé, on a une idée qui pourrait bien marcher, commença le démon renard. Si elle a horreur de la lumière, offrons-lui le soleil ! Camille a la corne sur elle. Elle peut lui permettre d'ajouter la puissance du feu et des éclairs à ses sorts. Si on envoie une onde de choc lumineuse dans la grotte, ça nous laissera peut-être le temps d'attraper le sceau et de nous enfuir en courant.

Menolly se racla la gorge.

— En laissant la liche… euh… en vie ? Sans même essayer de la renvoyer chez elle ?

— Techniquement, nous ne la renverrions pas chez Hel, de toute façon, intervint Flam. Ces créatures viennent habituellement des profondeurs, tandis que Hel règne sur les profondeurs glacées des royaumes inférieurs.

Ma petite sœur le foudroya du regard.

— Mais qu'est-ce que tu racontes, le lézard ? Je n'ai jamais évoqué la déesse ! Et je parlais justement de l'envoyer en *enfer*. Tu sais, l'endroit où des types féroces dansent en collants rouges sur les crânes de leurs ennemis ?

Je ricanai.

— C'est ça. Tu sais aussi bien que moi que Lucifer est un dieu, pas un diable, et que la plupart des esprits n'ont rien à voir avec ce qu'on trouve dans les Royaumes Souterrains. D'ailleurs, l'Ombre Ailée est nettement plus dangereux que tout ce qu'un mortel pourrait imaginer. Soyons un peu sérieux. Si on arrive à s'en sortir sans avoir à se battre, tant mieux. La liche n'a pas fait de grabuge jusqu'ici, que je sache. Elle est probablement liée à cet endroit. Combien de gens vont venir lui rendre visite, à votre avis ? En ce qui me concerne, je veux juste rentrer et prendre un bon bain.

— Peut-être, ouais… Ou pas… nous n'avons aucune garantie, répondit Menolly. Il se peut également qu'elle nous suive pour récupérer le sceau. Qui nous dit qu'elle n'a pas été envoyée là pour le protéger, mais aussi pour traquer quiconque parviendrait à le voler ? Ça ne parle pas, les esprits. Qu'est-ce qu'on fait si elle vient jusqu'à chez nous ? On lui dit qu'on est désolés, mais qu'on a déjà donné le sceau ?

— Ouais bon, tu as peut-être raison. Si vous croyez qu'on peut la faire disparaître, je dis banco. Mais je n'ai aucune envie de me lancer dans un combat aussi manifestement inégal, terminai-je en fronçant les sourcils.

— Mesdemoiselles, nous n'avons pas le temps pour ces chamailleries, intervint Roz en nous désignant l'entrée de la petite salle, où une figure spectrale venait d'apparaître.

La silhouette noire ressemblait beaucoup au revenant que nous avions affronté récemment, à la différence qu'elle avait les yeux rouges. Ces trucs-là semblaient toujours avoir des yeux « comme des braises » ou « flamboyants ». Elle entreprit de se diriger vers nous, en balançant une vague d'énergie malveillante qui courut comme un tsunami vers les côtes.

— Merde, elle cherche à saper nos forces ! s'écria Menolly en s'élançant vers elle.

Je voulus l'arrêter, mais je pus à peine ouvrir la bouche. Sa main armée s'abattit sur l'apparition, et la traversa comme si elle affrontait la brume. Surprise, elle recula en titubant et se campa, les poings sur les hanches. La liche l'ignora et reprit sa lente progression. Je m'efforçai de garder la tête froide, chose déjà difficile, compte tenu du concentré de haine qui s'abattait sur nous.

— Tu as quelque chose en réserve ? demanda Menolly à Flam. Visiblement, je ne suis pas une menace.

Le dragon fronça les sourcils en nous faisant signe, à Roz, Camille, Zach et moi, de passer derrière lui.

— Je ne sais pas, répondit-il, l'air sombre. Je vais essayer, mais je n'ai jamais eu beaucoup d'effet sur ce genre de créature. (Il joignit le bout des doigts, les pouces fermant le triangle, et psalmodia :) Esprit ! Le feu de joie brûle haut, j'en appelle à mes ancêtres. *Dracon, dracon, dracon*, renvoyez cette créature dans les profondeurs ! Ôtez cet ennemi de ma vue !

Un rai de lumière argenté jailli de ses mains alla s'écraser sur la liche, qui vacilla, et releva les épaules. Je regardais, bouche bée. Merde. Même Flam ne pouvait rien contre ce truc-là. Je sentis la sueur, glacée, couler dans mon dos en contemplant la liche qui flottait devant lui. Pourrait-elle le blesser ? Saurait-il nous défendre ?

À cet instant, Camille et Morio se prirent par la main et s'écartèrent légèrement pour se ménager un meilleur angle de tir. Ils avaient déjà commencé leur incantation. Leur puissance me colla une trouille monstre.

Un grondement sourd roula sous leurs pieds. Une brume bleutée s'éleva du sol pour tournoyer autour d'eux. Camille avait la corne dans la main gauche, et tenait Morio de l'autre. Lui-même brandissait un médaillon argenté de la taille d'un Oreo, que je ne lui avais jamais vu.

Flam les observa un moment, puis recula en nous poussant, Zach et moi. Menolly courut se mettre à couvert avec Roz et Vanzir. Apparemment, tout le monde sentait l'énergie grandissante. Je fus soulagée – et un peu gênée – de voir que les autres non plus ne tenaient pas à rester sur leur chemin. Tapie derrière le long manteau blanc du dragon, j'osai jeter un coup d'œil à la scène.

— *Reverente destal a Mordenta, reverente destal a Mordenta, reverente destal a Mordenta…*

Auréolés de pouvoir, Camille et Morio chantaient à l'unisson. Leurs voix faisaient trembler la grotte. La même expression bestiale, sauvage, se lisait sur leurs traits. À chaque strophe, leur force grandissait de façon quasi tangible. Soudain, la brume se mit à tourbillonner. Camille leva la corne. Des étincelles jaillissaient de son extrémité, rassemblant les vapeurs qui s'élevaient du sol en un gigantesque vortex, pareil à un nuage de tonnerre suspendu au-dessus de leurs têtes.

La liche poussa un cri et se dirigea vers eux, mais elle se figea net lorsque Camille s'interrompit pour lui dire :

— N'y pense même pas ! Dégage de là, saloperie, ou on te transforme en tas de cendres !

Une brise soudaine emporta ses paroles. Je n'étais pas sûre de savoir d'où provenaient les courants d'air qui se mirent à balayer la grotte en hurlant comme une banshee, ou comme un train lancé à grande vitesse. Du nuage parvint un grondement de tonnerre. La pointe de la corne brillait d'une lueur aveuglante.

L'ennemi s'avança encore, les yeux brûlants dans les profondeurs du sombre linceul qui lui servait de corps.

— *Reverente destal a Mordenta !* cria Morio tandis que ma sœur rejetait la tête en arrière.

— Couvrez-vous les yeux ! hurla-t-elle.

Nous eûmes à peine le temps de détourner le regard qu'un éclair phénoménal bondit de l'extrémité de la corne, labourant la créature telle une fourche tordue dans une explosion de lumière. L'espace d'un instant, je ne vis plus que des points. Puis l'obscurité revint, et la liche avait disparu.

Je m'élançai vers une Menolly tremblante qui gémissait derrière un rocher. Elle n'avait que quelques égratignures, des brûlures superficielles sous les yeux et au bout des doigts, qui guérissaient déjà. Je l'aidai à se relever.

— Ça va ? demandai-je inutilement.

De toute évidence, elle s'en était sortie – presque – indemne.

— Ouais. Heureusement qu'elle a invoqué la foudre plutôt que le feu, sans quoi je ne serais plus qu'un amas fumant !

Camille accourut, pupilles dilatées.

— Oh, par la Mère Lune, Menolly, je suis désolée ! Tu vas bien ? Je n'imaginais pas que ce serait si puissant, continua-t-elle dans un murmure en contemplant la corne. Je crois bien que je vais devoir me familiariser sérieusement avec elle avant de pouvoir la contrôler. J'ai pourtant figé un éclair dans sa course, quand Eriskel m'a mise à l'épreuve.

Eriskel était le jindasel de la corne – un esprit-gardien, qui s'apparentait aux djinns, sans en avoir la puissance, ni la méchanceté. Il veillait sur les élémentaux enfermés dans la corne de cristal. Je n'avais pas tout compris aux explications de Camille, mais je savais en tout cas qu'elle possédait là une arme extraordinaire. Mon instinct me disait qu'elle-même ignorait encore à quel point.

—Ouais, c'est ça, entraîne-toi, répondit Menolly d'un ton un peu pincé. Mais assure-toi d'abord que je ne suis pas dans ton champ.

Elle alla étudier l'endroit où la liche avait péri. Plus le moindre signe de sa présence. Elle était littéralement partie en fumée.

En échangeant un regard avec mes compagnons, je surpris Vanzir à observer le fond de la salle. Sur une pensée aussi vile que peu charitable, je m'enfonçai dans la dernière pièce.

Sur un piédestal de granit reposait une boîte en cristal ouverte, contenant un pendentif. Un rubis, serti dans du bronze. Je soulevai doucement le lourd talisman, époustouflée par la lumière qui tournoyait à l'intérieur. Nous avions trouvé le quatrième sceau.

Je lançai un coup d'œil vers la sortie. Appuyé à l'arche, Vanzir regardait fixement le sceau. Je tendis la main vers ma dague. Il renifla.

—Si je voulais te le prendre, ce n'est pas ton arme qui m'arrêterait, me dit-il d'un ton hautain. Crois-moi, chat-garou, rien ne pourrait se mettre en travers de mon chemin.

L'espace d'un instant, il parut grandir. Ses yeux lumineux flamboyaient. Puis il se détendit, et l'impression passa.

—Je vous ai donné ma parole. Je me suis lié à vous dans ce rituel de soumission. Je ne peux pas faire grand-chose de plus pour que tu me croies, à part me trancher la gorge. Mais je vais essayer encore une fois : je ne veux pas du sceau, et je ne souhaite pas non plus que l'Ombre Ailée mette la main dessus. Tu sembles penser le contraire, mais sache que la survie de mon espèce dépend de celle des hommes. Nous avons une raison très sérieuse de vouloir vous aider.

Cela dit, il tourna les talons et s'en fut.

Je le suivis des yeux en me demandant ce que cela voulait dire. Je me sentais presque coupable de douter de lui. Mais, confortée par les voix de mes sœurs à l'approche, j'étouffai mes remords. Nous étions en guerre. Je devais me montrer méfiante. Si Vanzir ne comprenait pas nos inquiétudes, il n'aurait qu'à apprendre à vivre avec.

La marche, pour rejoindre les voitures, parut interminable, autant d'ailleurs que le trajet du retour. Nous étions moulus. Camille s'endormit à l'arrière, la tête sur l'épaule de Menolly. Vanzir se tenait, silencieux, à l'écart.

Morio succomba bientôt à la fatigue entre Flam et Roz. Zach conduisait. Assise à côté de lui, je regardai ses mains sur le volant alors que nous filions dans la nuit glacée. J'étais claquée, vraiment, mais l'adrénaline courait toujours dans mes veines. J'aurais du mal à dormir. Je me penchai vers lui.

— Tu restes avec moi ce soir ? murmurai-je.

Il me lança un coup d'œil et reporta son attention sur la route.

— Tu es sûre ?

Je hochai la tête.

— Et Chase ? continua-t-il.

J'inspirai, puis expirai profondément.

— C'est mon choix. Je prends la décision de passer la nuit avec toi, si tu veux bien de moi.

Ma voix tremblait un peu. Accepterait-il encore, après tout ce temps ? Sans parler de la frustration… Je comprendrais qu'il ne veuille pas s'engager.

Mais il sourit.

— Delilah, bien sûr que je veux de toi. N'en doute jamais.

Sur ce, la question fut réglée.

Nous roulâmes en silence jusqu'à la maison, où Flam et Menolly nous quittèrent avec le sceau pour se rendre au portail. Camille et Morio, vannés par l'intensité de leur sort, ne pouvaient pas les accompagner. Quant à moi, j'étais lasse, dans tous les sens du terme.

Aux lumières allumées dans le salon, je compris qu'Iris nous avait attendus. En nous voyant entrer, elle me lança un regard inquiet, auquel je répondis par un petit sourire et un hochement de tête.

— Nous avons trouvé le sceau, annonçai-je. Il est en route pour… sa nouvelle maison.

Je rechignais toujours à évoquer la reine Asteria devant Vanzir.

Roz parut sentir mon hésitation. Il donna une tape sur l'épaule du chasseur de rêves.

— Allons-y. Je t'invite dans ce trou que je sous-loue pour le mois. Les filles, on vous laisse tranquilles. Appelez-nous demain quand vous voudrez parler. J'ai mon portable.

Tout en les saluant, Camille secoua la tête.

— Besoin de dormir. Vais bientôt m'effondrer. Morio n'est pas mieux. Flam a une clé. Verrouillez la porte avant de vous coucher.

Se hissant l'un l'autre dans l'escalier, ma sœur et son démon renard disparurent pour la nuit.

— Oh, Delilah. Avant que tu montes : tu as reçu un coup de fil, m'annonça Iris en me tendant sa moitié de sandwich, que j'avais dû lorgner avec trop de convoitise.

— Je ne veux pas en entendre parler si ce n'est pas une urgence. (Je tapotai l'épaule de Zach.) Va m'attendre là-haut.

Obligeant, il sortit.

Iris secoua la tête.

— Non, ce n'était pas Chase, mais Sharah. Elle a dit que c'était important.

— Est-ce qu'elle a dit : « urgent » ?

— Non, répondit-elle lentement, en fronçant les sourcils. Mais elle semblait inquiète. Tu ne vas pas la rappeler ?

— Demain matin. Si c'est pressé, elle rappellera. D'ici là, je vais me détendre, m'amuser, et dormir pendant au moins un siècle. (Je me passai la main dans les cheveux. J'avais besoin d'une douche, puis de quelque chose de bien plus sensuel.) Zach dort ici, ajoutai-je.

Iris sourit.

— Nous vivons une époque troublée, Delilah. Ne te prive pas du plaisir d'une agréable compagnie par peur, ou culpabilité mal placée. Chase et toi aurez beaucoup de choses à vous dire avant de pouvoir prendre une décision, mais entre-temps, si j'étais toi, je me considérerais comme un électron libre.

Un électron libre. Je n'étais pas sûre d'aimer la formulation. Mais je déposai un baiser sur sa joue et montai rejoindre l'homme qui m'attendait à bras ouverts.

CHAPITRE 18

D e la musique filtrait sous la porte de ma chambre. *Magic Man*, de Heart. Zachary devait écouter la *playlist* de mon lecteur MP3. Je le trouvai assis sur le petit banc devant la fenêtre, un genou remonté contre la poitrine. Du pied, il battait la cadence sur le sol.

Assis dans le noir, il regardait par la fenêtre. La lumière du couloir dessinait les contours de son profil royal. Il se tourna vers moi. Ses lèvres galbées et sensuelles étaient comme une invitation. Ses cheveux couleur de blé, parsemés de filaments d'or, jouaient, légers, dans son cou.

L'odeur de sa veste en cuir me coupa le souffle. Je pouvais presque suivre le dessin de ses muscles en dessous. L'image de sa forme de puma, dans les montagnes, brûlait dans ma mémoire, et le souvenir de cette course dans les rochers près de lui bouillonnait dans mes veines. Quelque part, dans les profondeurs de mon être, Panthère gronda doucement.

Nous n'avions pas été seuls, sans chaperon, depuis bien longtemps. Lentement, je me dirigeai vers lui en contournant le lit, pleinement consciente des couvertures qui tombaient sur le sol et de la pile de linge sale que je piétinais au passage. Il me suivit des yeux, en silence.

Soudain, je me surpris à penser à Chase. Il était encore temps d'arrêter avant de ruiner un peu plus les choses entre nous. Je pourrais l'appeler et le supplier de me parler, lui dire qu'il me manquait. Merde, je pourrais même aller trouver Erika pour lui botter le cul et lui coller la frousse de sa vie!

Mais je n'avais pas envie de faire ça.

J'étais fatiguée de cogiter, fatiguée de me sentir blessée, jalouse. Je détestais le sentiment qui grandissait en moi. Cela frisait l'insécurité, et s'il y avait un trait hérité de ma mère dont je ne voulais pas, c'était bien celui-là. Je n'aimais pas l'impression qu'il laissait dans mon cœur. Si Chase avait envie d'Erika, grand bien lui fasse. Pour l'instant, je n'avais pas envie de réfléchir à toutes ces conneries. Je voulais juste…

— Delilah.

La voix de Zach, rauque et basse, parut s'enrouler autour de moi. En un bond, il se planta devant moi. Sa main caressa ma gorge. Je frissonnai en sentant ses doigts légers courir sur mon cou, par-dessus mon tee-shirt, entre mes seins.

— Ne dis rien, soufflai-je. Ne pose pas de question. Embrasse-moi.

Lentement, il se pencha pour poser ses lèvres sur les miennes. Ses bras se refermèrent sur moi. Il me serra contre lui. Je me mis à trembler. Alors que nous échangions ce baiser, que nous mêlions nos souffles, je gardai les yeux ouverts et plongés dans les siens, posés, impassibles, sur moi.

— Oh, grande Bastet, sussurai-je, rappelle-moi ce que je suis!

Zach s'arrêta et recula légèrement sans me quitter des yeux.

— De quoi as-tu envie? Dis-moi, et je le ferai.

Je sentis Panthère s'agiter en moi.

— Suis-moi, dis-je, en le prenant par le poignet.

Je l'entraînai dans ma salle de jeux, dépassai l'arbre à chat et le bac à litière pour ouvrir la fenêtre, et sortis en rampant sur le toit. D'un bond, je franchis la courte distance qui me séparait du chêne poussant là. Au moment où mes mains saisirent le tronc, où mes pieds trouvèrent appui sur les branches, je commençai à me transformer. Panthère arriva rapidement, sans douleur. En quelques secondes, je descendis par les branchages et sautai sur le sol. J'attendis Zach au pied de l'arbre. Il se transforma en Puma alors qu'il atterrissait près de moi.

La nuit était épaisse, opaque. La lune courait vers sa phase noire. Toutefois, nous n'avions pas besoin de sa lumière. Je m'élançai vers les bois qui menaient à l'étang aux bouleaux en savourant la sensation de mes muscles puissants, le contact de la terre sous mes pattes, l'air qui faisait frissonner ma fourrure. Tous les sens en alerte, je ressentais le monde avec intensité.

J'entendais le bruissement de petits animaux courant dans l'herbe haute. L'odeur du terreau, de l'eau, des champignons, et du désir de Zach flottait dans le vent, comme un tourbillon entêtant qui m'entraînait plus intimement encore vers mon être félin.

Je levai la tête et poussai un profond rugissement, dont les vibrations, dans ma gorge, allumèrent en moi un désir fulgurant. J'avais envie de lui. Je voulais qu'il me plaque au sol et qu'il s'enfonce en moi. Comme s'il avait lu dans mes pensées, il se mit à me tourner autour en émettant des grognements gutturaux. Nous nous jaugeâmes. Nous étions des garous – ni humains ni félins, mais un étrange mélange des deux.

Zach était aussi incroyable en puma qu'en homme. Fin, musclé, avec une fourrure fauve, et des yeux brillants qui oscillaient entre la topaze et le marron clair, il se glissa derrière moi. Réceptive, je me baissai en lui présentant ma croupe, mais il recula dans un tourbillon de lumières étincelantes qui remodela sa silhouette et lui rendit sa forme de bipède. Surprise, je l'imitai.

—Qu'est-ce qui ne va pas ? demandai-je. Ne me dis pas que tu as senti un démon !

—Je te ferais mal en te prenant comme ça, expliqua-t-il d'une voix brisée. Je sais que tu as déjà couché avec des chats, mais c'est beaucoup plus douloureux quand il s'agit d'un grand félin. Comme tous les pumas-garous mâles, j'ai le sexe barbelé, et je ne veux pas que ça se passe de cette façon. Pas cette fois. Pas maintenant. Pas avant que la lune soit pleine et qu'elle chevauche nos âmes en nous faisant oublier tout le reste. Laisse-moi t'aimer comme un homme, dans la forêt à laquelle nous appartenons.

Il me tendit les bras. Son regard brûlant me frappa en plein cœur.

Frénétiques soudain, nous fîmes voler nos vêtements. Ses yeux, lumineux, fixés sur moi, il poussa son jean du pied, lança son tee-shirt par-dessus sa tête. J'arrachai mon haut, mon jean, ma culotte. Un grondement sourd monta dans sa gorge. Narines dilatées, il rit tout doucement.

—Je te sens… Viens par ici, petite chatte…

Mon estomac se noua. Il était nu, et excité. Je fis courir les doigts sur ses tablettes de chocolat, le long de ses épaules larges, traçant une ligne jusqu'au V d'où naissait son pénis dressé, centre de toutes mes attentions.

—Maintenant. Ici. Dans la terre, fis-je, murmurant à peine.

—À vos ordres.

Il me saisit par la taille et m'entraîna vers le sol. La mousse chatouillait ma peau et titillait mes sens. Une main se glissa entre mes jambes. Ses doigts savaient exactement où toucher, quand se déplacer. Il referma les lèvres sur mon sein et suça, fort, un éclat de rire dans le fond de la gorge.

Je gémis doucement. Une série d'explosions s'allumaient en moi, chacune un peu plus forte que la précédente. J'essayai de reprendre mon souffle, mais il n'y avait pas de pause, pas de répit. La langue remplaça les doigts en m'arrachant un petit cri. Je lui tins la tête pendant qu'il me léchait, riant aux éclats au contact de ses cheveux épais, bouclés contre mes cuisses, emportée par la joie pure de la force qui nous animait.

Couverte de boue et de débris, je me rassis enfin en le poussant sur le dos.

—À ton tour, soufflai-je en descendant vers son sexe.

Prudente, cherchant à éviter le problème des crocs, je le léchai sur toute sa longueur et fis le tour de son gland, en l'excitant de plus en plus fort.

—Je te veux, fit-il en se redressant soudain pour me regarder dans les yeux. J'ai envie d'être en toi.

Je m'écartai, à quatre pattes. Il s'agenouilla et, me prenant par la taille, il s'enfonça profondément en moi, m'écartant d'une poussée ferme. Je levai la tête et grognai alors qu'il entamait un mouvement de va-et-vient, lentement d'abord, puis plus vite, changeant de position, balançant les hanches, tel un tison chauffé à blanc, qui venait toucher mon centre et allumer ma flamme.

Il se pencha pour me lécher la nuque, la mordiller douce-ment. Je me pressai contre lui, les doigts enfoncés dans la terre. Si nous ne pouvions pas baiser sous forme de félins, nous pouvions au moins le faire dans la même position.

Il donnait de grands coups de rein à présent. Je me plaquai au sol et il s'allongea sur moi, en me pénétrant avec tant de force que je ne savais plus où il finissait et où je commençais. Ma poitrine frottait contre les feuilles humides, l'humus s'accrochait à ma peau, caressait mes seins comme si la Terre Mère elle-même était en train de les téter.

Nous étions sales, mouillés, couverts de bleus, et j'adorais ça : la mousse sous mon ventre, la sensation de la boue qui recouvrait mes jambes, Zach m'explorant de l'intérieur en caressant mon clitoris. Je sentais venir la poussée ultime qui ouvrirait les digues.

Et soudain je me retrouvai au bord du précipice, les bras écartés, suppliante. J'entendis un grondement lointain, celui des eaux tumultueuses d'une cascade sur une terre distante, et comme au ralenti, je me jetai dans le vide, et je jouis.

Zach prononça mon nom dans un rugissement. Alors, s'élevant des profondeurs de nos deux cœurs tels des fantômes du passé, des ombres de nous-mêmes s'accouplant en même temps que nous, Puma et Panthère se superposèrent à nos deux corps mêlés. Et tandis que je soupirai, les membres soudain faibles et couverte de sueur, les deux grands félins connurent l'orgasme, et leurs rugissements résonnèrent à mes oreilles comme des tambours dans la jungle nocturne.

Zach posa doucement la tête sur mon dos. Il était trempé d'humidité et de sueur musquée.

—Ça va ? me demanda-t-il au bout d'un moment en roulant près de moi.

Je m'assis, les muscles douloureux. Chaque centimètre de mon corps semblait meurtri, dedans comme dehors. Mais c'était une bonne douleur ; du genre qui me laissait claquée, vidée de toute tension, prête à prendre un bon bain chaud et à me glisser dans la tiédeur de mon lit.

—Ouais, je me sens bien, bâillai-je.

La fraîcheur du soir descendait à présent, et je sentis le froid contre ma peau mouillée. J'enfilai mon jean et mon haut à la hâte. J'étais couverte de boue, qu'importe. Mes vêtements étaient sales, eux aussi.

—Il faut que je rentre, annonçai-je. Viens. Tu dors là ?

—C'est vraiment ce que tu veux ? demanda-t-il sans me quitter des yeux.

Je réfléchis à la question. Chase était le seul homme qui ait jamais couché dans ce lit.

— Ouais.

— Je te suis, répondit-il en remettant son jean.

Il garda son tee-shirt à la main jusqu'à la maison. Alors que nous courions sur le sentier, je me demandai comment j'allais pouvoir gérer ça. Je n'avais jamais baisé de cette façon. Pour la première fois, j'avais eu le sentiment que les deux parties de mon être, femme et garou, étaient invitées à la fête. Je me sentais entière, désirée, pleinement acceptée. Et je ne voulais surtout pas que ça s'arrête.

Chapitre 19

Au matin, lorsque j'ouvris les yeux, Zach, blotti dans mon dos, ronflait légèrement, un bras passé sur ma taille. Il murmura quelque chose dans son sommeil, et sa barbe vint me chatouiller l'épaule. Le soleil était levé. Un rayon paresseux s'écoulait en travers du lit, nous baignant d'une lumière et d'une chaleur inattendues.

Je clignai des yeux en cherchant le réveil. Huit heures et demie. Il était l'heure de se lever. Bien que nous nous soyons couchés très tard, je préférais faire de petites siestes pendant la journée. Quelques heures par-ci, par-là et j'étais prête à repartir. Surtout après le sexe, et le bain chaud que nous avions pris ensemble après cela.

Je n'aime pas beaucoup l'eau. Mais une fois installée dans les bulles, contre Zach qui me frottait délicatement le ventre et la poitrine, je ne pensai plus qu'au contact de ses mains sur ma peau. La marée était remontée entre nous. J'avais grimpé sur lui, les genoux enserrant ses hanches, les mains posées au fond de la baignoire, et il m'avait prise de nouveau, nous conduisant jusqu'à l'extase mousseuse dans une eau devenue froide. Je m'étais effondrée au moment où ma tête avait touché l'oreiller.

Je bâillai, le regard encore trouble, et me levai. Zach grogna puis se poussa en position assise, et m'ouvrit grand les bras avec un sourire gauche qui me réchauffa le cœur.

Lâchant mes sous-vêtements, je me glissai de nouveau sous la couette pour planter un gros baiser de bonjour sur ses lèvres.

Au bout d'un moment, il s'appuya contre la tête de lit en me regardant d'un air sérieux.

—Très bien, nous n'en avons pas parlé hier, mais maintenant il le faut. Qu'est-ce qui se passe avec…

—Chase? terminai-je pour lui.

Je n'étais toujours pas prête à discuter de la situation, mais Zach voulait une explication, et je la lui devais.

—Chase, ouais, répondit-il en soupirant. La nuit dernière, ça a été incroyable. J'espère de tout mon cœur que tu as ressenti la même chose que moi. Nous sommes faits l'un pour l'autre, Delilah. Tu ne le sens pas? Nous n'avons pas juste baisé. Nous nous sommes accouplés.

Je faillis avaler ma langue. Je savais parfaitement ce qu'il voulait dire, mais j'avais hésité à le formuler moi-même, ne sachant pas s'il avait ressenti la même chose. Ç'avait été fantastique; mais au-delà de cela, j'avais l'impression que nous avions fusionné et qu'il m'avait acceptée tout entière. Fae, humaine, chat-garou, panthère-garou… Chaque aspect de ma personne avait pris part à notre acte d'amour, et si Chase et moi étions plutôt en phase, il y avait des endroits en moi où il ne pouvait – ou ne voulait – pas aller.

—Je sais, soufflai-je. Je sais. Mais Zach, il se passe tellement de choses en ce moment, Chase et moi… Chase…

J'observai les sous-vêtements en satin vert de chez Victoria's Secret que je tenais à la main. Un cadeau de Chase. Je me trouvai soudain incapable de les mettre. Les fourrant dans le fond du tiroir, je dénichai un autre ensemble, tout simple, en coton rose pâle. Celui-là, c'était beaucoup plus moi. Mon style, et mon confort. Je l'enfilai en me tournant vers le puma-garou étendu sur mon lit.

Zach : une boisson au rhum par une longue nuit d'hiver. Du lait et des biscuits dans l'après-midi, des flocons d'avoine le matin. Des bottes, un jean et une veste en cuir qui fleurait le paradis. Il était tout ce que j'étais, à part Fae.

— Je suis furieuse qu'il m'ait menti. J'aurais pu supporter de savoir qu'il couchait avec son ancien amour, parce que franchement, j'aime vous avoir tous les deux dans ma vie. Mais il ne m'a rien dit, et je me sens stupide. Pour l'instant j'ignore ce qu'il veut ou ce qu'il pense. (Je m'assis au bord du lit en me tenant la tête entre les mains, les yeux rivés au sol.) En plus, je crois que je ne sais pas ce que je veux. J'ignore même ce que j'ai le *droit* de vouloir. (Je me retournai en lui désignant la marque sur mon front.) Je n'en ai encore parlé à personne, mais hier, pendant le combat, le seigneur de l'automne m'a dit… m'a dit qu'un jour, il projetait de faire de moi celle qui porterait son enfant. S'il est sérieux, je n'aurai pas le choix. Je suis liée à lui. Et où est-ce que ça me laisse ? Chase essaie bien d'être cool et de se faire à nos usages – je parle de ceux du peuple de mon père – mais il y a des limites à ce qu'il peut – ou *veut* – accepter. Et un truc comme ça, ça ne passera jamais. Comment tu le prendrais, toi ?

Zach me regarda un moment sans rien dire, puis il me caressa le bras.

— Pour être honnête, je ne suis pas sûr de pouvoir répondre à cette question maintenant. Je pense que si le seigneur de l'automne est d'accord pour que tu aies un amant mortel, je pourrais apprendre à accepter que tu portes un enfant immortel. La troupe de pumas ne le verrait certainement pas de cet œil, mais je n'écoute pas tout ce qu'ils disent. Plus maintenant. Mes derniers « caprices », comme disent les anciens, n'ont pas été très bien reçus. Je suis désolé, mais je ne peux pas te donner de meilleure réponse que celle-là.

Je haussai les épaules.

—Je préfère que tu sois honnête. Ça me va très bien, pour l'instant. Alors, qu'est-ce que tu as fait pour fâcher le conseil ?

Il me sourit, un peu penaud.

—Je me présente aux élections municipales de Puyallup.

—Tu quoi ??

— Je me présente aux élections en tant qu'indépendant et créature surnaturelle membre de la troupe des pumas de Rainier. Je veux être conseiller municipal. J'ai reçu le soutien de Vénus, et c'est bien la seule chose qui les empêche de me jeter du conseil pour l'instant. Mais je suscite beaucoup de colère autour de moi.

Je hochai la tête. La troupe des pumas de Rainier – en particulier le conseil des anciens – avait sur les choses une opinion bien arrêtée. Ils nous prenaient de haut, mes sœurs et moi, bien que nous ayons sauvé leurs miches de la menace d'un serial killer impitoyable, qui se trouvait être l'un de leurs anciens ennemis. Mais nous avions au moins deux alliés dans leur camp : Zachary et Vénus, l'enfant de la lune, leur chaman. Grâce à eux, la troupe avait fait appel à nous à maintes occasions. Sans leur appui, nous serions *persona non grata*.

—Conseiller municipal, hein ! ricanai-je. Hé ! Tu pourras faire quelque chose pour les tickets de stationnement si tu es élu ?

Son grand rire de gorge me donna envie de mordre ces superbes lèvres. Mais il roula aussitôt du lit en s'étirant. Ses muscles roulaient dans la douce lumière du matin. Grimaçant, il souleva son jean crotté en le tenant à deux doigts. Je lui lançai un peignoir en éponge.

—Donne-moi ces trucs dégueu.

Il haussa les sourcils en les échangeant contre la sortie de bain.

—Hmm, c'est… rose. Rose chewing-gum, pour être précis. Pas très sexe.

—Hé, il se trouve que j'aime le chewing-gum ! Il va falloir vivre avec ! rétorquai-je avec un grand sourire. T'inquiète, on va juste laver tes fringues avant que tu rentres chez toi…

Je fus interrompue par un coup frappé à la porte. Zach ferma hâtivement le peignoir pendant que j'allais ouvrir, découvrant une Iris visiblement inquiète.

—Sharah est au téléphone. Elle a besoin de te parler. Je l'ai mise sur la ligne une. Pourquoi ne pas prendre l'appel pendant que je mets ça au lave-linge ? Zachary, je pense pouvoir trouver un jean et un tee-shirt qui t'aillent dans cette maison. (Elle me prit les vêtements des bras pendant que Zach s'efforçait d'empêcher le peignoir de s'ouvrir.) Relax, dit-elle en souriant. Tu n'as rien là que je n'aie déjà vu.

Sur ce, elle ramassa prestement une partie du linge sale qui traînait sur le sol et s'éclipsa.

Je soulevai le combiné posé près de mon lit. Nous avions fait installer des extensions à mon étage et à celui de Camille pour ne plus avoir à dévaler l'escalier à chaque appel. Nous avions également signé pour une ligne supplémentaire.

—Salut, Sharah.

Si c'était Chase qui lui demandait de jouer les intermédiaires, je le boufferais tout cru. Pas besoin d'entraîner un tiers dans notre dispute. Mais elle semblait hystérique.

—Delilah ! Dieu merci ! J'essaie de te joindre depuis hier, mais tu n'as pas rappelé !

Je coulai un regard vers Zach.

—J'avais… à m'occuper d'autre chose. Désolée. Qu'est-ce qu'il y a ?

—C'est Chase…

—Oui, et… ?

Je n'avais pas du tout envie d'entendre qu'il était énervé, ou qu'il se morfondait dans un coin. Il ne pouvait s'en prendre qu'à lui-même, après tout.

— Je ne l'ai pas revu depuis hier midi. Il ne disparaît jamais comme ça. Je m'inquiète. J'ai vraiment peur qu'il lui soit arrivé quelque chose.

Une main glacée m'étreignit le cœur.

— Qu'est-ce que tu veux dire ? Tu crois qu'il a des ennuis ?

Quelque chose se noua dans mon ventre et entreprit de remonter doucement dans ma poitrine.

— Je dis qu'il n'est pas encore arrivé ! Il a quitté le bureau de bonne heure hier soir. Je lui ai téléphoné un peu plus tard parce que j'avais un problème, et je suis tombée sur son répondeur. Ça m'a un peu inquiétée, mais je me suis dit qu'il avait peut-être une urgence familiale, ou quelque chose comme ça. Alors je t'ai appelée. Maintenant je stresse vraiment. Ça ne répond pas chez lui.

Je me mordis la lèvre et sentis le goût du sang dans ma bouche. Ma canine s'était malencontreusement prise à un petit bout de peau – je ne pensais jamais à mettre le baume à lèvres offert par Camille. Sharah avait raison. Ce n'était pas le genre de Chase de disparaître sans laisser de numéro d'urgence. Il avait beaucoup trop de respect pour son travail. Quoique, il menait quand même une double vie depuis quelque temps. Peut-être qu'Erika avait influé sur son sens des responsabilités.

— Tu as parlé à Erika ? (Les mots me déchiraient la gorge comme des lames de rasoir.) Elle sait peut-être où il est.

Silence. Elle savait. Au bout d'un moment, elle s'éclaircit la voix.

— Je l'ai appelée, sans réponse. Je suis désolée, Delilah. Je ne sais pas quoi dire…

Je sentis le regard de Zach sur moi et mes joues s'empourprèrent. Je détestais me sentir gênée, et rougir encore plus. Les larmes me montaient aux yeux. Je secouai la tête en m'efforçant de me concentrer sur le problème présent. Le fait était qu'avec ou sans Erika, Chase n'était pas du genre à négliger son devoir. S'il avait pu appeler, il l'aurait fait. Donc, quelque chose n'allait pas. Un souci mécanique, peut-être ? Ou autre chose.

— Tu as envoyé quelqu'un chez lui ?

— Non. Pas encore. J'ai préféré passer quelques coups de fil avant. Dis, tu accepterais de le faire ? Je comprendrais que tu aies envie de dire non, mais il y a un sérieux bug et on manque de mains, ici.

Je soupirai longuement. Pourchasser Chase était bien la dernière chose dont j'avais besoin, mais il y avait effectivement un truc qui ne collait pas dans cette histoire.

— Ça va. Je vais aller jeter un œil. S'il arrive avant que je t'aie contactée, fais-le-moi savoir, que je puisse enchaîner sur mes autres courses.

J'avais trois cas sur mon bureau qui attendaient que je m'y mette. Rien d'urgent, mais ça paierait les factures du mois prochain.

— Promis. Merci. Une fois encore, pardon. Je suis désolée d'avoir eu à t'appeler.

Alors que je reposais doucement le combiné, Zach me passa un bras autour de la taille.

— Je crois que j'ai compris ce qui se passe. Tu veux que je t'accompagne ?

Je secouai la tête.

— Ce n'est probablement pas une très bonne idée. Si je le trouve, nous aurons pas mal de choses à nous dire. Dans le cas contraire… (Laissant l'idée en suspens, je désignai la porte.) Et si on descendait manger un bout ? C'est quoi tes plans pour la journée ?

Il noua sa ceinture d'un air détendu et me tint la porte.

— Oh, pas grand-chose. Parler à mon directeur de campagne, me faire prendre en photo… Cet après-midi, nous remplaçons une barrière au domaine. Je dois superviser l'équipe. (Il fit une pause.) Tu voudras bien m'appeler après et me dire comment ça s'est passé ?

Je hochai la tête.

— OK. Viens. Allons prendre des nouvelles du sceau.

Nous trouvâmes Flam, Iris et Maggie dans la cuisine. La petite, assise sur les genoux du dragon, jouait avec une mèche qui lui chatouillait le ventre.

La Talon-Haltija tendit des vêtements propres à Zach, qui se retira dans la salle de bains pour les enfiler, puis me désigna la cuisinière. Une poêle contenait des œufs brouillés, une autre d'épaisses tranches de bacon. Des boules de melon s'empilaient sur la table, ainsi que des tranches de pain grillé. J'attrapai un toast et y plongeai voracement les dents.

— Servez-vous, s'il vous plaît. Je dois m'occuper du linge et du ménage aujourd'hui. Camille est déjà au travail, et Morio fait des courses. Menolly dort, bien sûr, et je n'ai pas encore vu l'ombre de nos démons jumeaux.

Je m'étouffai avec une miette. Elle avait pris l'habitude d'appeler Roz et Vanzir de cette façon, à leur plus grand chagrin. Nous trouvions ça drôle, mais eux (surtout le chasseur de rêves) n'appréciaient pas beaucoup son humour.

— Iris : tu sors ! dis-je en souriant. Quant à moi, j'ai promis à Sharah d'aller vérifier un truc pour elle. Chase a disparu, et personne ne sait où.

— Par la grande Mère ! J'espère qu'il ne lui est rien arrivé !

— Moi aussi, marmonnai-je en prenant place à table.

Zach revint peu après. Je lui offris une assiette d'œuf et de bacon, mais il secoua la tête et, attrapant quelques tranches de pain, me déposa un baiser sur le front.

—Je ferais mieux d'y aller. Je t'appelle plus tard. Au revoir, tout le monde.

Il partit sans me laisser le temps de l'accompagner jusqu'à la porte. De la fenêtre, je le regardai monter dans son camion. Puis je me retournai vers Flam, qui m'observait attentivement.

—Alors? demandai-je en revenant m'asseoir, comment ça s'est passé hier, chez la reine?

J'attaquai mon assiette, affamée. Camille et moi avions un métabolisme exigeant, et nous mangions comme des ogres. Menolly aurait le même, si elle était encore en vie.

Le dragon haussa les épaules.

—Ta sœur a besoin de travailler sa diplomatie, mais dans l'ensemble, tout s'est bien déroulé.

Oh-oh.

—Qu'est-ce qu'elle a encore fait?

Il haussa les sourcils, et j'eus l'impression qu'il réprimait un sourire.

—Elle a failli laisser échapper que nous étions au courant pour Trillian. Ce ne serait pas très sage, compte tenu des efforts que les elfes ont faits pour s'assurer du secret de la mission. J'ai réussi à couvrir sa gaffe, mais je ne suis pas sûr qu'ils aient cru à ma quinte de toux subite.

Magnifique. Nous aurions dû savoir qu'il valait mieux éviter de laisser Menolly conduire cette petite visite. Notre sœur était une combattante hors pair, et aussi fiable que l'Old Faithful, ce geyser du Yellowstone, mais elle avait du mal à contrôler ce qu'elle disait, et à qui. Elle ne divulguerait jamais de secret d'État, mais si on l'énervait suffisamment, elle explosait au quart de tour. J'imputais le fait à son état

261

de vampire, en sachant cependant qu'elle avait toujours été comme ça.

—Alors, qu'a dit la reine?

—Elle était ravie d'avoir le quatrième sceau. Elle s'inquiète énormément au sujet du troisième, et de ce que l'Ombre Ailée peut être en train d'en faire. Les licornes de Dahns ont rapporté une série d'attaques plutôt troublantes aux frontières de leurs terres. Au début, elles ont cru qu'il s'agissait de gobelins, mais une étude approfondie des blessures a révélé une méthode de frappe différente de celle de ces créatures.

Je finis d'essuyer mon assiette.

—Au moins, le quatrième est en sécurité et on n'a pas eu trop de mal à le trouver. Bon, je sors. Je rentrerai d'ici une heure ou deux. J'aurai mon portable, si besoin.

—Je m'en vais également rejoindre mes terres, annonça-t-il en me posant Maggie dans les bras. Tiens, occupe-toi de ta pupille. Si Camille me demande, je passerai la soirée au tumulus. J'ai plusieurs choses à régler, et ces satanées reines Fae sont en train de semer la pagaille sur mon territoire. Je dois m'assurer qu'elles ne le détruisent pas carrément.

Il grimaça. Ces deux derniers mois, il ne nous avait pas caché ce qu'il pensait du projet de Morgane, Aeval et Titania de restaurer les Cours de lumière et de l'ombre.

Déchirées lors de la Grande Séparation, durant laquelle Outremonde s'était dissocié de la Terre, les Cours Fae avaient été décimées, et leurs reines, Aeval et Titania, bannies. Quelques mois plus tôt, grâce à l'intervention de Morgane, et à un léger coup de pouce de Camille, elles avaient décidé que la plaisanterie avait assez duré, et qu'il était temps de reconstruire leur royaume. Nous n'étions pas tout à fait convaincus du bien-fondé de cette idée, mais au moins, elles ne traînaient pas dans nos pattes, et les HSP étaient ravis de ce rebondissement. Restait à savoir où établir cette Cour. Titania essayait de réclamer une partie du terrain de Flam, qui ne bougeait pas d'un poil.

— Fais gaffe à toi. Ces trois-là sont dangereuses, et je ne leur fais pas confiance.

Je posai Maggie dans son parc en m'assurant qu'elle avait bien ses cubes et son jouet préféré, un singe en peluche appelé River que Chase lui avait offert.

— Tu as bien raison. Ce sont des vauriennes. J'aurais préféré que Camille ne s'acoquine pas avec elles, mais enfin, lorsque les sorcières du destin donnent un ordre, j'imagine qu'on le suit.

Il enfila son long manteau blanc et sortit.

Il avait raison, au sujet des sorcières du destin. Et aucun de nous ne souhaitait voir Camille mêlée aux histoires des trois reines. Bien que Morgane fasse, techniquement, partie de notre arbre généalogique, nous savions que « liens du sang » n'impliquent pas nécessairement « loyauté ». Mais Grand-mère Coyote avait veillé à ce que Camille n'ait pas le choix.

Les reines Fae nous rendaient cependant un service en captant sur elles l'attention – et la pression – du public. Depuis notre arrivée dans ce monde, on nous observait par une lorgnette teintée de mystique, en nous portant mépris autant qu'adoration. Mais cette Cour tout droit sortie de l'établi à Fae égalisait le score. Toutefois, je ne vendais pas la peau de l'ours. Lorsque les HSP comprendraient que les Reines des Fées n'allaient pas copiner avec le péquin moyen et encore moins lui faire du pied, l'humeur pourrait changer en un claquement de doigts. Et les trois reines étaient tout sauf joviales.

Je griffonnai un mot pour Iris qui s'occupait du linge, embrassai Maggie sur la joue, et attrapai mes clés. Tout en m'installant dans ma Jeep, je repensai à Chase. Je doutais qu'il ait vraiment disparu. Il s'était probablement enfui avec Erika, ou un truc débile de ce genre. Dans un coin de ma tête, je me demandai pourquoi j'étais encore aussi en colère. Après tout, je venais de passer la nuit – une nuit incroyable – avec Zach, et j'avais bien l'intention de le lui dire. Pas de lui mettre le nez dedans, non, mais d'être claire avec lui. Peut-être que je devrais quand même lui laisser un peu de temps.

D'un autre côté…, commença une seconde petite voix. Ce n'étaient pas seulement ses mensonges qui me contrariaient, pas même par omission. Chase avait poussé des cris d'orfraie en apprenant que je voyais toujours Zach, comme un ami. Du coup, je m'étais concentrée sur lui. Je lui avais accordé toute mon attention. Et pendant ce temps-là, il était allé s'en taper une autre.

Profondément troublée, sentant le chaud et le froid courir dans tout mon corps en quantités égales, je pris l'autoroute à toute allure et me dirigeai vers son immeuble. Il vivait à Renton, bien que son code postal le rattache au sud de Seattle.

En me garant dans le parking, je jetai un regard alentour pour voir si sa nouvelle Subaru s'y trouvait. Bingo. Donc, soit il ne répondait pas au téléphone, soit il était sorti avec quelqu'un – Erika, pour ne pas la nommer. *Ou alors, continua la petite voix, il est chez lui mais il ne peut pas répondre.* Je bondis de la voiture et montai l'escalier quatre à quatre. Après avoir frappé deux fois sans réponse, je sortis ma clé et la regardai en me demandant brièvement si c'était la dernière fois qu'elle me permettrait d'entrer dans son appartement. Si nous nous séparions, je devrais la lui rendre, et cette idée m'attristait considérablement.

Mais alors que je faisais mine de la glisser dans la serrure, je m'aperçus que la porte était déjà ouverte. J'entrai timidement. Toutes les lumières brillaient dans le salon. Chase avait beaucoup de lampes chez lui, et il prenait toujours soin de les éteindre en quittant une pièce. Mauvais signe numéro un.

Le numéro deux s'étalait sous mon nez. On aurait dit qu'une tornade avait ravagé les lieux. Les livres traînaient un peu partout, et tout ce qui se trouvait autrefois sur le bureau – papiers, crayons – jonchait le sol. Son ordinateur portable, ouvert, clignotait. Je ne sais comment il avait survécu à la chute. La gorge serrée, j'avançai au milieu du désordre. Bon sang, mais qu'est-ce qui avait bien pu se passer ?

Prise de panique, je courus vers la chambre. Pas de signe de bagarre, ni de valise ; la penderie était pleine, et le lit encore fait. Il devait avoir eu le temps de le faire ce matin. À moins qu'il n'y ait pas dormi.

Le répondeur indiquait des messages en attente. Sans prendre le temps de penser aux empreintes digitales, je pressai le bouton et m'assis sur le lit. Le premier, du teinturier, le prévenait que son costume était prêt. Dans le deuxième, Sharah lui demandait de la rappeler. Le troisième était d'Erika. Je me figeai.

— Dis donc, Chase, tu croyais t'en sortir après un coup pareil ? Je croyais qu'on était d'accord pour faire les choses à ma manière, cette fois. On ne me fait pas passer en deuxième, moi ! Ni pour le travail, ni pour la *raclure* avec laquelle tu baises. Tu me rappelles dès que tu as ce message, ou ce ne sera plus la peine de chercher à me joindre.

Waouh ! Était-ce le vrai visage de la femme qu'il voyait à côté ? Les yeux rivés sur le répondeur, je me demandai ce qu'il pouvait bien lui trouver. D'accord, elle était jolie, mais son langage mettait un point final à tout ce que je pourrais lui trouver de séduisant. Nous avions eu quelques disputes, mais jamais je ne lui avais parlé sur un ton aussi irrespectueux. Le quatrième message me tira de ma rêverie. C'était de nouveau Sharah, comme le cinquième, datant de ce matin. Et ce fut tout.

Je remarquai alors une photo sur la table de nuit. C'était Chase qui l'avait prise quelques mois plus tôt. On m'y voyait sous ma forme de chat, pelotonnée et profondément endormie sur sa veste Armani préférée – celle-là même sur laquelle j'avais, bien malgré moi, vomi une boule de poils. Il en avait pleuré de rire, en refusant catégoriquement que je paie le nettoyage. Avant de pouvoir m'en empêcher, je me mis à pleurer.

Glissant la photo dans ma poche, je retournai dans le salon pour chercher le téléphone et appeler Sharah. Je décidai d'aller voir Erika. J'allais lui parler, parce que je voulais l'affronter, confronter le démon qui s'était dressé entre Chase et moi. Le monstre venu de son passé, et né de mes propres appréhensions.

Et, pour une fois, je priai, *oh, chère dame Bastet, fais que Chase soit là-bas ! Fais qu'il soit en vie, et en sécurité avec elle !* Parce que, dans le cas contraire, nous aurions de vraies raisons de nous inquiéter.

CHAPITRE 20

J e ne savais pas où trouver Erika, mais je mis rapidement la main sur le carnet d'adresses de Chase. Après quoi, il me suffit de le parcourir en diagonale, jusqu'à trouver son adresse et son numéro de téléphone. Elle occupait une suite meublée dans un hôtel, ce qui me laissa penser qu'elle n'était pas encore tout à fait sûre de vouloir revenir s'installer à Seattle.

Je griffonnai ses coordonnées dans mon calepin, et sortis. J'avais laissé mes empreintes partout, mais Sharah savait que j'étais venue. Je la croisai d'ailleurs en quittant le parking, alors qu'elle s'y garait. Je lui adressai un signe de la main, auquel elle répondit par un bref hochement de tête.

J'atteignis l'hôtel en moins de dix minutes. Erika s'était installée aussi près de Chase que possible. Depuis combien de temps y séjournait-elle ? Une semaine ? Deux ? Quatre ?

Quand j'entrai dans le bâtiment luxueux, il m'apparut que cette dame avait de l'argent. Chase n'aurait jamais pu payer ça sur son salaire. Je m'approchai d'un pas nonchalant du comptoir et me penchai par-dessus le plateau de marbre en laissant tomber le masque qui dissimulait mon glamour. J'évitais habituellement de me servir de ce charme inhérent à mon sang de Fae, mais cette fois, je voulais mettre toutes les chances de mon côté.

Laissant l'employé me reluquer à loisir, je lui souris lentement.

— J'ai besoin d'un renseignement, commençai-je.

— Qu'est-ce qu'il vous faut, jolie madame ?

Sa voix essoufflée donnait la chair de poule, mais je n'allais pas chercher la petite bête. Il était ferré.

— Depuis combien de temps Erika Sands réside-t-elle ici ? demandai-je avec une moue qui offrait la promesse d'un baiser.

Il me dévisagea en se passant la langue sur les lèvres. J'eus l'impression qu'il n'en était même pas conscient.

— Quatre semaines, à peu près.

Donc, Chase se la tapait depuis presque un mois.

— Était-elle déjà descendue ici auparavant ?

— Pas que je sache, fit-il en secouant la tête. Elle est dans sa chambre. Souhaitez-vous que je l'appelle ?

— Non, donnez-moi juste le numéro de sa suite.

Il s'exécuta. N'étant pas du genre à allumer gratuitement, je me penchai plus avant et l'embrassai rapidement sur la bouche. Il frissonna.

— Merci beaucoup, Cliff, soupirai-je en lisant son badge. Vous m'avez été d'une grande assistance.

— À votre service, murmura-t-il en me suivant des yeux.

L'ascenseur se traînait, mais pour une fois je n'avais pas envie de prendre l'escalier. Quelques minutes plus tard, je me retrouvai devant la porte 403. Que faire ? Frapper ? Débouler à l'intérieur ? Toquer serait la chose correcte à faire, aussi rejetai-je l'idée. J'attrapai la poignée et tournai. C'était fermé. Ni une ni deux, je tirai mes crochets de ma poche et me mis au travail. Ce fut l'affaire d'une poignée de secondes.

Erika n'était pas dans le salon, mais rien ne semblait dérangé. Captant un bruit d'eau, je me dirigeai vers l'une des deux portes fermées.

Un parfum de lavande synthétique filtrait par-dessous. Je fronçai le nez. Elle avait visiblement assez de fric pour se payer une essence naturelle. Soit elle était bas de gamme, soit elle avait des goûts de chiotte. Je fronçai les sourcils, savourai un instant la perspective de la trouille monstre que j'allais lui coller, puis ouvris violemment la porte.

Allongée dans une baignoire pleine de bulles à l'odeur métallique, elle poussa un cri strident.

— Vous ! Qu'est-ce que vous foutez là ? J'appelle les flics… (Elle fit mine de se lever, puis se laissa retomber dans l'eau.) Sortez d'ici tout de suite !

— Ta gueule, fis-je, ignorant ses récriminations. Est-ce que tu as vu Chase, depuis hier ? Je sais que tu lui as laissé un message.

— En quoi est-ce que ça vous re…

— J'ai dit : ta gueule, sauf si c'est pour répondre à mes questions. Pour l'instant, je te demande gentiment. Je pourrais aussi bien te traîner hors de ton bain et te forcer à me dire ce que je veux savoir. Crois-moi, évite de me donner des raisons de te malmener !

La jalousie prenait le dessus. J'avais envie de la secouer, de lui en coller une. Rah ! J'aurais voulu qu'on règle ça par un bon vieux combat de chats ! Mais à ce jeu-là, c'était moi la plus forte, et elle s'en sortirait la queue entre les jambes. Grâce aux dieux, la raison l'emporta et je me dominai.

— Écoute-moi attentivement : Chase a disparu. Si tu l'as vu aujourd'hui, je te conseille vivement de me le dire maintenant, sans quoi j'aurai, comme je te l'ai dit, les moyens de te faire cracher la pilule. Ne me pousse pas trop, Erika.

— Disparu ? répéta-t-elle, livide, en se rallongeant dans son bain. Qu'est-ce que vous voulez dire ?

— *Disparu*, comme dans « il n'est pas venu travailler ce matin » ! Sharah a tenté de l'appeler hier soir mais il n'a pas répondu. Quelqu'un a retourné son appartement, le salon, du moins, et maintenant, personne ne sait où il se trouve. Bon, tu vas sortir de cette baignoire où il faut que je t'aide ?

J'avançai d'un pas. Elle bondit du Jacuzzi surdimensionné, faillit déraper sur le carrelage, et s'empara d'une serviette. J'observai sa nudité, décidai que j'étais plus jolie qu'elle, et détournai les yeux.

— Grouille-toi. Je t'attends dans le salon.

Moins de cinq minutes plus tard, elle me rejoignait, vêtue d'une robe de chambre en soie, les cheveux enroulés dans un turban. Ses pantoufles à pompon semblaient tout droit sorties d'un film de starlettes des années 1950. Elle devait avoir une petite trentaine d'années, mais elle me parut vieille. Ancienne.

Elle alla se servir un scotch.

— Vous buvez quelque chose ? (Je secouai la tête.) Comme vous voudrez. Quand j'aurai répondu à vos questions, je veux que vous disparaissiez, et soyez gentille de ne plus revenir. J'ai dit à Chase de rompre avec vous lorsque j'ai découvert votre existence, mais il n'a rien voulu entendre. Alors, ne me faites pas porter le chapeau pour tout ce qui s'est passé, termina-t-elle en plissant les yeux, avec un air indéfinissable, rusé peut-être, ou méfiant.

— Tu as fait le choix de continuer à le fréquenter alors que tu savais qu'il était avec moi. Tu portes une partie de la faute. Mais ce n'est pas ce qui m'amène. Quand est-ce que tu l'as vu pour la dernière fois ?

Je soupirai. Ses manières calmes, contenues, déteignaient sur moi. Je ne voulais pas être l'hystérique de service – j'avais horreur de ça – alors qu'elle gardait son sang-froid.

— Asseyez-vous, dit-elle en sirotant son verre.

Je m'installai avec précaution au bord du canapé, tandis qu'elle prenait place dans le fauteuil. Jambes croisées, elle balança nerveusement sa pantoufle au bout de son pied gauche.

— Alors comme ça, Chase a disparu ? Eh bien, je n'ai pas la moindre idée de l'endroit où il se trouve. Nous nous sommes disputés hier, pendant le déjeuner. Quand il a prétendu partir, je lui ai dit que s'il ne m'emmenait pas danser comme prévu, ça ne serait plus la peine de revenir. Il me devait des excuses. Je ne voulais plus entendre parler de lui tant qu'il ne serait pas prêt à me sortir un « je suis désolé » contrit. (Elle prit une nouvelle gorgée.) Je n'ai plus eu de nouvelles. J'ai donc supposé qu'il était encore en colère. De toute façon, ce n'est certainement pas moi qui l'aurais rappelé la première !

J'avalai, partiellement, mon irritation. Elle semblait aussi furieuse que moi.

— Quel était le sujet de la dispute ? demandai-je en forçant la question à passer mes lèvres.

Elle m'adressa un petit sourire que je crus sournois. Mais au ton de sa voix, je compris qu'il disait : « Nous sommes des femmes, nous savons que les hommes peuvent être de véritables porcs. »

— Vous tenez vraiment à le savoir ?

En fait, non, pas plus que ça ; mais Chase étant introuvable… Je soupirai.

— Cela m'aidera peut-être à le retrouver.

Elle ricana.

—Ma foi, j'en doute. Enfin, qu'importe. J'imagine que vous êtes sur un petit nuage de savoir que nous nous sommes disputés. Bref. Chase m'a proposé une relation libre. Pour *vous* inclure. Je lui ai dit d'oublier. Il s'est fâché. (Elle se leva sans bruit et alla observer le parking par la fenêtre.) Il me tient responsable de tout ce merdier.

Je cillai. Chase, en couple libre? En voilà, une nouvelle! Il était farouchement contre lorsque j'avais évoqué la possibilité en parlant de Zachary. Aurait-il changé d'avis?

—J'aimerais savoir autre chose. Est-ce que Chase t'a dit qu'il sortait avec moi, quand tu es arrivée en ville?

Elle demeura immobile, mais, dans son léger changement de posture, dans l'affaissement insensible de ses épaules, je connus la réponse.

—Non, n'est-ce pas? continuai-je. Tu ne savais pas, au début.

—Très bien, dit-elle en soupirant puis en terminant son verre. Non, je ne le savais pas. Il ne m'a rien dit. (Elle pivota vers moi, l'air déjà moins confiant.) Je l'ai découvert il y a deux semaines en allant le chercher au bureau. Il était sorti déjeuner. Pour passer le temps, j'ai commencé à discuter avec cette elfe – Sharah? – qui m'a dit que vous étiez sa petite amie. Elle ignorait ce qui se passait entre nous. Quand il est revenu, je lui ai demandé des explications. Il m'a dit que votre couple battait de l'aile. J'ai rétorqué qu'il fallait rompre, dans ce cas. Avant cette semaine, je n'avais pas réalisé qu'il exagérait. J'aurais pourtant dû me douter qu'il ferait un truc comme ça, putain!

Les larmes lui montèrent aux yeux. Malgré moi, j'eus de la peine pour elle.

—Qu'est-ce que tu veux dire par là?

—Je parle de la raison pour laquelle on s'était séparés. À mon tour de vous poser une question. Vous a-t-il jamais parlé de moi ?

Elle posa le récipient vide sur un dessous-de-verre et se laissa tomber dans son fauteuil.

Je secouai la tête.

—Non. Il n'a… Il m'a dit qu'il n'avait jamais eu de relation sérieuse.

—Je vois. (Bien qu'elle s'efforce de garder un visage impassible, la peine commençait à gagner du terrain.) Nous avons été fiancés. Trois ans. Je suppose que chez lui, cela n'entre pas dans la catégorie « sérieux ». À moins que ce soit moi qui fantasme. Enfin, reprit-elle en secouant la tête. Deux mois avant le mariage, j'ai découvert qu'il s'était tapé ma meilleure amie. Il m'a juré que cela n'arriverait plus. Je l'aimais. J'ai fermé les yeux. Mais la veille des noces, je l'ai surpris avec une stripteaseuse. Dans notre lit. Je l'ai quitté. J'ai déménagé.

J'eus l'impression qu'on m'avait assené un coup de brique sur la tête. Chase avait fait ça ? *Mon* Chase ? Certes, il pouvait parfois se montrer corrosif, mais il semblait toujours prêcher la bonne attitude. Et maintenant, j'apprenais qu'il avait un passif de connard ?

Le regard d'Erika courut sur mon visage.

—Et alors ? Vous ne vous réjouissez pas ?

Je secouai la tête.

—Ce n'est pas mon genre.

Ce n'était pas tout à fait vrai. Mais cette fois, je le pensais.

—Eh bien, merci. Quoi qu'il en soit, j'ai cru… Quand je suis arrivée ici le mois dernier, j'ai eu l'impression qu'il avait changé. Il s'est excusé. Il m'a apporté des fleurs en disant qu'il était heureux de me revoir. Je n'avais jamais vraiment tourné la page, et je… nous… j'ai craqué de nouveau. Mais quand j'ai découvert votre existence, j'ai compris que rien n'était différent. Alors j'ai décidé de m'amuser un peu avec lui, et d'en tirer tout ce que je pourrais. Je n'ai pas l'intention de le garder, Delilah. Je voulais juste le rendre accro, puis le jeter comme il m'avait laissé tomber. Le faire souffrir.

Purée! Je la dévisageai. La vengeance brûlait aussi fort dans le sein des HSP que dans celui des Fae. Chase aurait probablement sa propre version des faits, et la vérité se trouvait quelque part entre les deux. Quoi qu'il en soit, toute cette affaire me donnait matière à réflexion.

— Alors, vous vous êtes disputés à cause de moi, soufflai-je.

— À propos de vous, des responsabilités, de la bonne chose à faire… Franchement, je me fous pas mal que vous vous mettiez le minou à l'envers à cause de cette histoire. Je suis furieuse de voir que Chase n'a toujours pas les couilles de redresser la tête, de dire «Oui, j'ai fait ça» et d'accepter les conséquences. Hier, quand il m'a accusée d'être à l'origine de tous les problèmes, j'ai décidé que ça suffisait. Je suis trop vieille pour jouer au con avec un enfant gâté. Et je ne fais pas dans les triangles amoureux ou les relations à trois.

Elle se leva, les bras croisés. Ses jolis ongles peints pianotaient sur le satin.

— Ma devise, à présent, c'est: «Quand ce n'est plus drôle, je me casse.» Et ce n'est plus amusant du tout. Vous vouliez savoir quand je l'ai vu pour la dernière fois? Hier midi, au restaurant *Pour l'amour de la viande*! Nous en étions à l'apéritif. Il est parti en me laissant l'addition. Maintenant, je vais aller m'habiller, et quand je reviendrai, j'apprécierais beaucoup que vous soyez partie. Je quitte la ville aujourd'hui. Il est tout à vous, chérie. Mais je ne vous conseille pas d'envisager un engagement durable avec lui. C'est un sérieux bagage, qu'il se trimballe!

Je la regardai s'enfoncer dans la salle de bains puis me levai et sortis, en m'assurant de verrouiller de nouveau la porte derrière moi.

Ainsi, Chase m'avait menti à plusieurs reprises. Si Erika disait la vérité, il s'était montré encore plus moche avec elle qu'avec moi. La veille de leur mariage… Même en Outremonde, personne ne se permettait une attitude pareille, excepté la noblesse. Et encore, uniquement celle qui s'amassait autour de Lethesanar.

Je me dirigeai lentement vers ma Jeep en ruminant la conversation. Chase avait disparu. Chase courait plusieurs lièvres à la fois. Chase m'avait raconté des craques, ainsi qu'à Erika, et cela faisait longtemps qu'il menait les femmes en bateau.

D'une certaine façon, j'étais un peu soulagée de ne pas être la seule victime. Si seulement il avait pu accepter l'idée d'une relation libre dès le début, tout cela ne serait peut-être jamais arrivé. Mais il en était incapable. Du moins, il ne tolérait pas que l'idée vienne de ses femmes. Je commençais à y voir plus clair. Chase avait besoin de cavaler, mais il ne pouvait pas supporter qu'on renverse les rôles. Que restait-il de nous, dans tout ça ? De moi ? De lui ?

Erika avait dit qu'elle s'en allait, et je la croyais. Je comprenais à présent qu'elle n'était pas l'ennemie. En fait, il n'y en avait même pas… Excepté le gouffre creusé par mon incapacité nouvelle à croire un homme qui me répétait qu'il m'aimait. Un homme qui m'avait fait connaître la passion, l'amour, et découvrir mes racines émotionnelles d'humaine.

Qu'est-ce que j'étais censée faire, à présent ? Lui tourner le dos ? M'en aller ? Impossible. Nous avions besoin de lui, à cause de son travail, et du problème des démons. Pourrions-nous revenir en arrière et rester amis ? Plus j'y pensais, plus l'idée me semblait bonne. Au moins tant que nous n'aurions pas fait le ménage dans nos têtes.

Je rentrai à la maison en me demandant où il pouvait bien être, et résolus d'attendre que nous ayons une chance de discuter pour prendre une décision.

Quand je m'engageai dans l'allée, j'eus le sentiment très net que quelque chose n'allait pas. Je me garai assez loin, par prudence, et me coulai par les bois jusqu'à la maison. Montant deux à deux les marches du perron, je me figeai, les yeux rivés sur la porte de la cuisine. On l'avait arrachée à ses gonds.

Merde! J'entrai en courant, heurtant du pied le panier à linge renversé. La pièce était un champ de ruine. Il y avait des morceaux d'assiettes et de nourriture partout. Je m'assurai d'un coup d'œil que l'entrée du sous-sol de Menolly était toujours fermée. Avec un peu de chance, l'intrus ne l'avait pas trouvée.

Mais Iris? Et Maggie? Je pivotai vers le parc: en miettes.

Refrénant un cri, je m'élançai dans le salon, que je trouvai dans le même état. Une étrange odeur me parvint, entêtante, semblable à celle des fruits pourris… orange, sucre vanillé, jasmin… J'eus un mouvement de recul. Oh, chier! Putain de merde! Le parfum des Rākṣasas! Karvanak était passé par là.

Lentement, je m'accroupis en sentant les vagues d'énergie rouler en moi. J'avais envie de me transformer, de courir me cacher sous quelque chose, dans un coin obscur, invisible et tranquille. Combattant la pulsion qui me dévorait comme un junkie en manque, je me demandai si Karvanak se trouvait toujours dans nos murs, et si Iris et Maggie étaient encore en vie.

CHAPITRE 21

— Oh, non, non! geignis-je. Si seulement je pouvais me métamorphoser! Je ne voulais pas être celle qui découvrirait les cadavres. Ni voir ce que Karvanak avait fait à notre maison. Où diable était Camille? Elle savait mieux gérer ces choses-là que moi! Pourquoi n'était-elle pas là? C'était elle, la grande sœur! C'était son travail de veiller sur nous!

Je me balançai d'avant en arrière, la tête entre les mains, en essayant d'effacer la scène de destruction qui m'entourait. J'aurais déjà dû me transformer. Pourquoi mon corps ne se décidait-il pas à prendre les choses en main, à me forcer à faire ce que j'espérais tant? Pendant des années, mes changements involontaires m'avaient servi d'abri contre la peur et la colère, d'îlot de calme au milieu des discordes. Où avaient-ils disparu, maintenant que j'en avais le plus besoin?

Je finis par comprendre que ça n'arriverait pas.

À la fois soulagée et chagrine, je regardai autour de moi. Le besoin urgent d'aller me tapir quelque part était déjà revenu à un niveau plus gérable. Au bout d'un moment, je parvins à reprendre ma respiration. Avalant ma terreur, je me relevai et redressai les épaules. Je n'avais pas le choix. J'allais m'occuper des conséquences du passage du Rāksasa.

Le cœur battant la chamade, j'ouvris mon portable et composai le numéro du *Croissant Indigo*.

—Ramène tout de suite tes fesses à la maison! ordonnai-je en entendant la voix de ma sœur. Les démons sont venus. Contacte Flam, si tu peux. On risque d'avoir besoin de lui.

Je rempochai le téléphone et me faufilai vers l'escalier. J'étais capable de me déplacer sans un bruit, comme un chat, et je m'y appliquai cette fois intensément. À l'étage de Camille, je trouvai les portes grandes ouvertes et vérifiai chaque pièce. Tout était sens dessus dessous. Le contenu de ses penderies s'éparpillait à travers la chambre. On avait détruit ses fioles d'huiles magiques ainsi que les divers ingrédients pour ses sorts. Grâce au ciel, elle gardait toujours la corne sur elle.

Je repris mon ascension en prêtant attentivement l'oreille. Je trouvai la même situation au deuxième : toutes mes affaires par terre, quelques objets cassés. Personne.

Il ne restait plus que l'antre de Menolly. Je m'élançai dans l'escalier en priant pour qu'elle aille bien, et pour que Maggie et Iris soient avec elle. Je faillis renverser Camille, et Flam qui la tenait par la taille, alors qu'ils entraient dans le salon.

—Nous sommes passés par la mer ionique, m'expliqua-t-elle, en promenant son regard alentour d'un air désorienté. J'ai laissé la voiture à la boutique.

—Grâce aux dieux, vous êtes là! Je n'ai pas encore trouvé Maggie et Iris. J'ai regardé chez toi et chez moi. Aucun signe de cadavre, de sang ou de démons. Tu sens cette odeur ? Karvanak était là.

Elle huma profondément l'air et pâlit en percevant la fragrance des Rāksasas.

—Sacré nom de…!

—Allons voir chez Menolly, dis-je en la dépassant.

Devant la bibliothèque, nous nous immobilisâmes. Flam était avec nous. Je regardai ma sœur.

—Il finira bien par le découvrir, un jour ou l'autre, décida-t-elle en hochant la tête. Ouvre.

Ainsi, pour la seconde fois depuis notre installation, nous révélâmes l'entrée secrète du repaire de Menolly. Quand les étagères pivotèrent, Flam hocha la tête, mais ne dit pas un mot.

J'entrai la première et allumai la faible lumière de l'escalier, en cherchant, pendant toute la descente, à capter le parfum du démon. Mais rien n'indiquait qu'il avait découvert cet endroit.

—Iris? Iris? appela doucement Camille vers les profondeurs de la cave que nous avions aménagée pour notre cadette.

Alors que je posai le pied sur la dernière marche, je me retrouvai nez à nez avec la Talon-Haltija. Ses yeux bleus brillaient, immenses, pleins de rage et de peur. Elle brandissait sa baguette terminée par un cristal d'aqualine. Maggie était cachée derrière elle.

—Restez où vous êtes! ordonna-t-elle en levant son arme.

—Iris, c'est nous… (Je m'interrompis. Elle avait raison de douter. Les Rāksasas étaient les maîtres de l'illusion. Sa clique et lui auraient très bien pu prendre nos apparences.) Vas-y. Vérifie. Au moins, tu en auras le cœur net.

Je vis sa main trembler lorsqu'elle pointa la baguette vers nous, mais d'une voix forte et claire, elle appela :

—*Piilevä otus, tulee esiin!*

Une vague de lumière déferla sur nous. Je me sentis un peu bizarre, et crus un instant que j'allais me transformer, mais non. Quand la clarté mourut, Iris se laissa tomber sur le sol et serra Maggie dans ses bras.

—Oh, merci, merci, grands dieux!… J'ai cru…

—Que nous étions les démons, terminai-je en m'élançant vers elle.

Camille s'assura que Menolly allait bien. Quand elle
marchait en songe, notre sœur, blême et pâle, semblait aussi
morte que le vampire qu'elle était. Elle ne respirait pas et
ne faisait pas le plus petit mouvement. Je me demandais
parfois où ses rêves l'emmenaient, mais elle refusait de nous
le dire. Je savais cependant qu'il lui arrivait de revivre certains
souvenirs.

J'embrassai Iris sur le front et m'apprêtais à l'aider à se
relever quand Flam me poussa gentiment. Soulevant l'esprit
de maison et la gargouille dans ses bras comme s'il s'agissait
de plumes, il s'engagea dans l'escalier. Camille et moi le
suivîmes, en prenant soin de bien refermer la bibliothèque
derrière nous. Il déposa Iris dans la cuisine, près du rocking-
chair, et lui fit signe de s'asseoir.

—Thé, lança-t-il à Camille.

Elle hocha la tête et se mit à farfouiller dans les débris de
porcelaines et les casseroles qui jonchaient le sol. Retrouvant
la bouilloire à thé, cabossée mais toujours utilisable, elle la
remplit d'eau et la mit à chauffer.

Nos tasses n'étaient plus qu'un lointain souvenir, mais
je parvins à trouver quatre mugs encore intacts. Dans les
placards retournés, je finis par dénicher une boîte de thé au
citron et déposai un sachet dans chacun.

Iris frissonnait. Camille s'assit près d'elle en tenant
Maggie dans ses bras.

—Peux-tu nous dire ce qui s'est passé? demanda-t-elle.

—Peu après le départ de Flam et Delilah, j'ai entendu un
grand bruit dans le salon pendant que je faisais la vaisselle. Je
n'ai pas appelé. Je savais tout le monde sorti. En outre, cela
ressemblait au bruit qu'on fait en retournant des tiroirs, pas
à une porte qui claque. Alors j'ai senti cette odeur d'orange,

de jasmin et de sucre vanillé, et j'ai compris que Karvanak était dans la maison. (Elle baissa la tête.) J'ai eu trop peur pour m'enfuir par-derrière. Il avait peut-être posté des gardes à l'extérieur. J'ai attrapé Maggie et je me suis glissée chez Menolly. Au moment où la bibliothèque se verrouillait, j'ai entendu qu'on entrait dans la cuisine. Une seconde de plus, et c'était trop tard. J'ai perçu des cris, et un grand bris d'objets. Je me suis assise dans le noir et j'ai attendu. Je ne savais pas quoi faire d'autre. Je n'avais pas mon portable, et le téléphone de la chambre n'avait plus de tonalité.

Je soulevai le combiné mural et écoutai.

— Ici non plus. Ils ont dû couper les câbles.

Camille tendit la petite gargouille à la Talon-Haltija pour aller étudier les restes de son parc. Elle en tira le matelas, dont elle sortit une grande poêle à frire, le secoua pour s'assurer qu'il ne contenait aucun débris de verre, puis installa le bébé Crypto dessus et s'agenouilla près d'elle.

Iris poussa un profond soupir en promenant son regard dans la pièce.

— Dans quel état se trouve le reste de la maison ?

— Pareil que la cuisine, sauf chez Menolly. Un sacré ménage nous attend. Nous avons subi de grosses pertes.

La bouilloire siffla. Je versai l'eau sur le thé.

— Oh, mon Dieu ! fit Camille en se levant d'un bond. Le miroir des murmures !

— Je n'ai pas fait gaffe, avouai-je alors qu'elle s'élançait dans l'escalier.

Je me pressai les tempes. Un mal de crâne gros comme un camion battait en rythme survolté. *Ça se passe comme ça, chez McMigraine*, songeai-je.

Flam ouvrit la porte du réfrigérateur. Le contenu était encore intact. De toute évidence, le démon l'avait ignoré. Il en tira une miche de pain, de la viande froide, et tous les ingrédients nécessaires à la confection de sandwichs, puis il se mit à l'œuvre. Je devais bien admettre que quand tout allait mal, il faisait ce qu'il fallait sans rechigner, et sans qu'on le supplie pendant trois heures.

Lorsque Camille revint, il avait préparé une pile de casse-croûtes. Tous les yeux se tournèrent vers elle.

Elle secoua la tête.

—Pulvérisé, annonça-t-elle. Nous allons devoir envoyer quelqu'un par le portail pour en demander un autre à la reine Asteria. Les ingrédients pour mes sorts ont été détruits. On en a même volé quelques-uns. Et dans la série des trucs pas vraiment urgents mais franchement énervants, on a piétiné tout mon maquillage. Merci Seigneur pour les parquets en bois! Si j'avais un tapis, il serait ruiné. (Elle tira son portable de sa poche.) J'appelle Morio et Roz. Nous avons besoin d'aide.

Tandis qu'elle parlait doucement au téléphone, Iris alla chercher une poubelle à l'extérieur. Je reportai mon attention sur le capharnaüm. Sandwich en main, j'entrepris de jeter des morceaux de verre et des casseroles pliées.

La Talon-Haltija me rejoignit et s'agenouilla près de la table, devant les restes de notre service en porcelaine. Ramassant les deux parties d'un grand plat, elle baissa la tête.

—Je suis tellement désolée, les filles! Je n'arrête pas de penser que j'aurais pu les arrêter.

—Ne sois pas ridicule! répondit Flam. Tu as eu de la chance de pouvoir te cacher à temps. Tu as sauvé ta vie, et celle de la petite. Sans cette réaction, vous seriez de la pâtée pour démon à l'heure actuelle. Les Rāksasas sont cannibales, tu sais. Bipède ou quadrupède, même combat. Karvanak t'aurait joyeusement grignotée en guise de quatre-heures, avant de s'offrir Maggie en dessert. Alors, ne pense pas une seconde que tu as manqué de courage. Tu as agi avec intelligence. Maintenant, viens t'asseoir et mange quelque chose.

Elle lui lança un sourire reconnaissant.

— Merci, ami dragon. Je me suis sentie tellement impuissante, assise comme ça dans le noir! J'ai passé près de deux heures à me demander si je pouvais remonter, et à m'inquiéter de ce qui se passerait si Camille ou Delilah tombaient nez à nez avec le Rākṣasa. C'était une matinée sous le signe de l'introspection, croyez-moi!

J'observai le désordre. Un sentiment perturbant, jusqu'alors étouffé par mes craintes pour Iris et Maggie, m'assaillit d'un seul coup.

— Oh merde! Merde!

— Qu'est-ce qu'il y a? Qu'est-ce qui se passe? demanda Camille qui tirait des assiettes encore intactes du champ de ruines un peu plus loin.

— Chase! Je suis allée chez lui. Le salon était complètement retourné. Je suis passée voir Erika, mais elle m'a dit qu'elle ne l'avait pas revu depuis hier midi, et je la crois.

Je sentis mes entrailles se nouer. Karvanak était-il allé là-bas? Je n'avais pas flairé son parfum caractéristique, mais cela ne voulait rien dire. Il avait de nombreux serviteurs.

— Tu crois… Tu ne penses pas que les démons s'en sont pris à lui, n'est-ce pas? s'écria ma sœur en lâchant son sac-poubelle.

— Je ne sais pas, admis-je, malheureuse. Je n'ai pas trouvé de sang, et le reste de l'appartement était intact. Je suis partie au moment où Sharah arrivait. Mais, est-ce que ça pourrait être une coïncidence? Iris, aurais-tu une idée de ce que les démons cherchaient?

— Non, répondit-elle en secouant la tête. Le sceau, peut-être?

Poussant un gros soupir, elle fit signe à Camille de venir s'asseoir avec nous, puis remua les doigts. La balayette et la pelle que ma sœur utilisait jusqu'alors se redressèrent, et se remirent toutes seules au travail.

—Inutile de nous embêter avec ce chantier quand les outils peuvent s'en charger, termina-t-elle.

—Ou «qui», fit soudain Flam.

—Qui, quoi? demandai-je.

Camille avait trouvé un reste de salade de pommes de terre dans le frigo et nous la distribuait pour accompagner les sandwichs, dont la copieuse garniture de viande et de fromage éclipsait la tomate, la salade et le pain. Cela ne me gênait pas. Je suis une carnivore. Je mordis dans un second sandwich et fermai les yeux de délices au contact du bœuf saignant qui coulait dans ma gorge.

—Les démons ne cherchaient peut-être pas *quelque chose* mais *quelqu'un*, expliqua le dragon. Auquel cas, j'inclinerais à penser qu'il s'agissait d'Iris et de Maggie. Vous étiez parties toutes les deux. Il ne restait que la voiture de Menolly. Karvanak sait que c'est un vampire et il se doutait certainement qu'elle dormirait. Vous remarquerez qu'ils ne sont pas venus pendant la nuit ou au petit matin, moment où vous seriez toutes à la maison, et réveillées.

Je n'aimais pas du tout ça.

—Je pense qu'ils ont attendu le moment où Iris serait toute seule et incapable de se défendre, termina-t-il.

—Tu veux dire qu'ils étaient venus la tuer? lâcha Camille en se laissant lourdement tomber sur une chaise.

—Pas nécessairement...

Il fut interrompu par la sonnerie de mon portable, que j'ouvris du pouce.

—Allô?

Une voix basse, masculine et gutturale demanda :

—Delilah D'Artigo?

—Oui.

Une sirène d'alarme se mit à hurler dans mon ventre. L'énergie qui arrivait par le biais du téléphone était si menaçante que je sentis tous mes poils se dresser.

—Karvanak à l'appareil. Ferme ta gueule, et écoute. La survie de ton petit ami dépend de ta capacité à suivre des instructions.

Oh, bordel! Chase! Je fis rapidement signe aux autres en posant un doigt sur mes lèvres, et de la tête, invitai Camille à venir écouter avec moi.

—Je suis là, dis-je.

—Bien! Tu es une bonne petite. Alors voilà comment ça va se passer : je sais que vous avez le quatrième sceau spirituel ; ne perds pas ton temps à essayer de mentir. Vous me le remettez, ainsi que mon larbin renégat, et moi je vous rends l'humain quasiment indemne. Ça marche?

Et merde! En même temps, c'était logique. Comment aurait-il pu savoir que nous remettions les pierres à la reine Asteria? L'Ombre Ailée pensait certainement que nous les cherchions pour les utiliser nous-mêmes! Naïve, peut-être, mais pas stupide, je restai silencieuse. Les mâchoires serrées, Camille me lança un coup d'œil.

—Combien de temps avons-nous pour le trouver? répondis-je enfin. Nous ne savons pas encore où il est.

—Balivernes. Mais, eu égard à la chance, infime, que vous l'ayez *malencontreusement* égaré, permettez-moi de me montrer généreux. Réfléchis. Demande-toi ce que ton policier signifie pour toi. Et sache qu'il finira comme esclave dans les Royaumes Souterrains si vous essayez de me doubler.

J'inspirai profondément.

—Comment puis-je être sûre qu'il est encore en vie?

—Question logique. Je m'y attendais. Dis à ta sœur, ou à ce satané esprit de maison qui vit avec vous, d'aller jeter un œil sous le porche d'entrée. J'attendrai.

Je fis signe à Camille, qui s'exécuta. Quand elle revint, livide, les mains tremblantes, elle tenait une petite boîte ouverte, contenant une chevalière et la phalangette d'un petit doigt. Il semblait avoir été arraché à coups de dents. La bague appartenait à Chase. Je me fis violence pour ravaler la bile qui montait dans ma gorge.

—Putain, qu'est-ce que vous lui avez fait ?!

—Tu aimes notre petit cadeau ? demanda mon interlocuteur en éclatant de rire. Allez, en bonus, tu as même le droit de lui parler.

Suivit un bruit étouffé de téléphone passant d'une main à l'autre, et une voix familière s'éleva à l'autre bout de la ligne.

—Delilah… Delilah !

Chase paraissait à la fois hystérique et brisé.

—Chase ! Oh, par tous les dieux, est-ce que tu vas bien ? Ton petit doigt…

J'envisageai de l'amener à me dire où il se trouvait, mais Karvanak n'était pas un imbécile. Il le tuerait à l'instant s'il me soupçonnait d'essayer de gratter des infos.

—Peu importe. Écoute, je suis désolé, pour tout. Je t'aime.

—Moi aussi, je t'aime ! répondis-je en éclatant en sanglots. On va t'aider. Accroche-toi ! Fais tout ce qu'ils disent. On va te sortir de là !

—Non ! Ne négociez pas avec eux ! s'écria-t-il d'une voix rauque, effrayée. Tu ne peux pas leur donner le sceau… !

—Ça suffit, déclara de nouveau la voix de Karvanak. La sorcière n'a qu'à essayer de lire dans le morceau de petit doigt, si vous doutez encore qu'il s'agit bien du sien ! En attendant, réfléchissez à ceci : la demande d'esclave, et de jouets humains, est toujours très forte dans les Royaumes Souterrains. Et nous nous sommes perfectionnés dans l'art de maintenir nos prisonniers en vie, même quand ils voudraient mourir.

Je me tus, une fois de plus. Je n'aiderais pas Chase en montrant à quel point j'étais bouleversée.

— Nous avons besoin de temps…

Karvanak se mit à rire.

— Je savais bien que tu épouserais mon point de vue. Je suis d'humeur prodige. Vous avez trente-six heures. N'espère aucune rallonge, et ne laisse pas ton téléphone se décharger. Ce seraient de *très* mauvaises idées.

Sur ce, il raccrocha. Je fermai mon téléphone en regardant les autres.

— Tu as parlé à Chase ? me demanda Camille.

Je hochai la tête.

— Je suppose que Karvanak veut le quatrième sceau ?

— Et un peu plus encore. Il exige qu'on lui livre Vanzir. Il menace de vendre Chase aux démons des Royaumes Souterrains si on n'obéit pas.

Ma colère contre le policier n'était plus qu'une goutte d'eau dans une mer d'inquiétude. Je craquai. Baissant la tête, je laissai le sel piquant des larmes rouler sur mes joues.

— Il ne faut pas qu'il lui arrive quoi que ce soit ! hoquetai-je. Je… Je…

— Tu l'aimes, termina Camille en me posant une main sur l'épaule. Même si tu es fâchée contre lui.

J'acquiesçai. Elle me frotta le dos tandis qu'Iris se hâtait de me refaire du thé. Bon sang, qu'est-ce qu'on était censées faire ? Incapable de conserver plus longtemps les apparences, je cédai au chagrin et pleurai toutes les larmes de mon corps.

CHAPITRE 22

L e crépuscule nous trouva réunis autour de la table de la cuisine. La maison, à peine plus présentable que ce matin, paraissait, aussi, nettement plus vide. Nous avions perdu la plupart de nos babioles et une partie des meubles.

Morio, chargé de se rendre à Elqavene pour annoncer la destruction du miroir des murmures, était revenu quelques heures plus tard avec la promesse qu'un nouveau arriverait avant la fin de la semaine.

À présent, Flam et lui étaient assis à côté de Camille, Zach et moi en face d'eux. Menolly prit place à une extrémité, Iris et Roz à l'autre.

Le barman en chef du *Voyageur*, un loup-garou prénommé Luke, tenait la boutique pour la nuit. J'avais demandé à Vanzir de nous rejoindre un peu plus tard. Nous devions discuter entre nous avant de lui apprendre qu'il faisait, techniquement, partie de la rançon. J'ignorais comment il réagirait en découvrant la petite surprise de Karvanak, mais quelque chose me disait qu'il ne compterait pas sur les petits fours et les banderoles « Bienvenue à la maison ! ». Quoi qu'il en soit, je n'avais pas l'intention de le remettre à son ancien propriétaire. Il en savait désormais beaucoup trop sur nos opérations.

—Qu'est-ce qu'on fait ? On ne peut pas lui donner le sceau spirituel, on ne l'a plus. De toute façon, il est hors de question de l'échanger. Même contre la vie de Chase, commença Camille.

Elle avait les traits tirés. Comme nous tous.

—Je sais, répondis-je, les yeux rivés sur mon verre de lait. Si on commence à négocier avec les démons, autant ouvrir tout de suite les portails et inviter l'Ombre Ailée à venir faire son Godzilla ici.

La logique avait un goût amer, mais elle mettait un point final aux interrogations. Pour rien au monde nous ne livrerions le sceau et le chasseur de rêves au Rāksasa. Pas même s'il s'agissait de sauver Iris. Le terrorisme se nourrit de résultats positifs, et céder maintenant reviendrait à admettre notre défaite.

—Dommages collatéraux, résuma Menolly. On hésite moins à refuser un accord quand ce sont des anonymes qui en pâtissent. Si les victimes ont des visages amis, le choix devient nettement plus délicat. (Elle coula un regard vers Camille.) J'ai connu ça, avec Erin.

—Erin…, répétai-je. Tu as raison. Elle aussi a souffert à cause de nous.

Erin Mathews était la propriétaire du magasin de lingerie préféré de Camille, *La Courtisane Écarlate*, ainsi que la présidente du club local des observateurs de fées, association de groupies à l'échelle nationale. Les membres, globalement inoffensifs et enthousiastes, s'échangeaient des photos, des autographes, ou invitaient divers Fae à s'exprimer lors de leurs réunions.

À force de fréquenter leurs boutiques respectives, ma sœur et elle avaient fini par devenir amies. Aussi, lorsque le sire de Menolly était arrivé en ville quelques mois plus tôt, bien décidé à faire couler le sang, il avait enlevé l'humaine pour la seule raison que nous étions proches d'elle, et qu'en lui faisant du mal, il nous blesserait aussi.

Nous l'avions retrouvée avant qu'il ait pu la changer en vampire et la lâcher sur nous. Trop tard pour lui sauver la vie. Mais juste à temps pour que Menolly puisse lui offrir de renaître parmi les morts qui marchent – en lui évitant ainsi d'avoir un tueur en série pour sire. Depuis, Erin l'appelait « Mère », et notre petite sœur passait une bonne partie de son temps à l'initier à la vie du côté obscur.

—J'ai bien peur que les choix difficiles deviennent monnaie courante à l'avenir, soupira Morio. Cette guerre pour le contrôle des portails n'ira qu'en s'intensifiant. Et avec tous ceux qui s'ouvrent çà et là parce que la matière est en train de céder… on est bons pour en baver. Nous devons nous faire à l'idée que nous marchons désormais dans les flammes, et que le feu brûle, par définition.

Camille poussa un profond soupir.

—Il a raison. On en verra d'autres, malheureusement. Cela dit, qu'est-ce qu'on peut faire pour Chase ? On ne va pas donner le sceau à un agent de l'Ombre Ailée, c'est évident, ni lui renvoyer Vanzir. Alors, comment est-ce qu'on le sauve ?

—Trouvons Karvanak. Chase ne sera sûrement pas loin. Cette fois, nous allons devoir tuer ce monstre. Il nous collera jusqu'à la mort comme une sangsue si on l'épargne encore ! grondai-je en tapant du poing sur la table. Pourquoi est-ce qu'on ne l'a pas crevé quand il nous a piqué le sceau ? Non, on a regardé ailleurs en espérant qu'il s'en aille !

—Nous étions occupés, me rappela Iris. En outre, une fois la pierre perdue, il ne représentait plus de menace immédiate. Tu sais parfaitement qu'avant même de songer à l'affronter de nouveau, nous devions procéder au rituel de soumission pour nous assurer la fidélité de Vanzir. N'oublie pas que cela nous a demandé beaucoup de temps, et d'énergie.

J'avalai ma repartie. Malgré l'assistance de Camille et Morio, ce cérémonial avait effectivement reposé en grande partie sur elle.

La créature symbiote constituant le collier vivait dans les royaumes de l'astral. Seul un individu très puissant pouvait espérer l'invoquer, et encore, elle n'acceptait de servir d'agent de soumission qu'en échange d'un sérieux pot-de-vin : le sang de tous ceux qui tiendraient « le fouet du maître ». Sur deux semaines, Camille, Iris, Menolly et moi nous en étions donc prélevé près d'un quart de litre chacune. La Talon-Haltija devait également jeûner pendant toute cette période, ce qui lui rendait la tâche plus pénible encore.

Au début du rituel, le parasite astral, qui ressemblait à une anguille translucide, s'était gorgé de notre offrande avant de serpenter, gros et gras, vers la gorge de Vanzir afin de former la chaîne d'énergie vivante qui le lierait pour toujours à nous.

Le chasseur de rêves, immobilisé par des fers solides, avait grimacé en sentant les petites dents pointues lui déchirer les chairs, mais il s'était efforcé de se détendre. Toutes les fibres de son corps se hérissaient contre ce rituel, mais il paraissait décidé à le subir. J'en étais soulagée. La seule autre option aurait été de le tuer. Nous ne pouvions pas le laisser repartir.

En voyant le lieur d'âmes se tortiller pour élargir le trou, j'avais senti mon estomac se soulever. Lorsqu'il avait commencé à attaquer les muscles, je m'étais retenue de justesse de quitter la pièce en courant. Mais je me devais de rester vigilante, auprès de mes sœurs et d'Iris.

Tandis que l'extrémité de la queue commençait à disparaître, la tête, sous la peau, était ressortie par l'autre côté. Alors, refermant la gueule sur elle-même telle un ouroboros, la créature s'était installée dans les profondeurs des tissus, et la peau avait commencé à cicatriser.

Iris avait alors entonné l'incantation qui devait l'unir à Vanzir, et les soumettre tous deux à notre volonté. Une fois de plus, j'avais eu le sentiment de plonger tête la première dans le terrier du lapin blanc.

La cuiller n'existe pas, avais-je songé alors que le macabre rituel s'achevait. Tout ceci n'était qu'une illusion. Il le fallait. Sinon… Sinon, je n'avais aucune envie d'être là. Et pourtant… Vu d'ici, tout semblait horriblement vrai.

Quand tout fut fini, Vanzir était devenu notre esclave. Nous pouvions, sur un simple caprice, lui ôter la vie. Nous étions ses maîtres. Encore une casquette que je ne souhaitais pas porter, un autre titre que je ne voulais pas voir attaché à mon nom. Mais voilà, c'était fait. Et nous étions désormais enchaînées à un démon par un rituel de sang aussi ancien que le collier lui-même.

— Nous devrions pouvoir localiser Karvanak, assura Roz. Et lui reprendre Chase, très probablement. Mais ce n'est pas un idiot. Il risque de s'y attendre. Je pense, comme Flam, qu'il cherchait des garanties supplémentaires en venant ici. Il pensait probablement que vous ne refuseriez jamais son deal s'il tenait Iris ou Maggie. Ou les deux.

— Merde ! fit Camille. J'ai comme l'impression que tu as raison.

— Bien sûr qu'il a raison, intervint Menolly en repoussant sa chaise.

Elle se mit à flotter doucement vers le plafond. Elle avait toujours préféré s'asseoir dans les arbres quand nous étions petites. Maintenant qu'elle était vampire, elle retrouvait son amour des hauteurs en s'élevant dans les airs sans soutien apparent. Les gens du coin étaient diablement impressionnés.

Iris descendit de son tabouret.

—Eh bien, sans mon ouïe exceptionnelle, il m'aurait eue aussi. (Elle promena son regard sur ce qu'il restait de désordre, des choses que la balayette et la pelle ne pouvaient pas ramasser toutes seules.) Delilah a raison. Si on ne se débarrasse pas de ce crétin, il ne va jamais nous lâcher. Et nous devons sauver Chase. Il fait partie de la famille, ajouta-t-elle en me regardant fixement. Maggie l'adore.

Je la remerciai silencieusement des yeux et me tournai vers Zach, qui me posa une main sur l'épaule.

—C'est un brave mec, et il donne tout ce qu'il a pour servir vos efforts. Je ferai tout ce que je peux pour vous aider.

À cet instant, on frappa à la porte. J'allai ouvrir. C'était Vanzir. En silence, je le conduisis jusqu'à la cuisine et lui demandai de s'asseoir.

—C'est quoi, ces mines d'enterrement? demanda-t-il, nerveux, en se passant la langue sur les lèvres. Il y a un problème. Qu'est-ce qui se passe? J'ai fait quelque chose de mal?

—Non, répondis-je.

Le cœur serré, je pris une profonde inspiration. C'était une chose de gérer les démons comme Rozurial. Il n'était pas mauvais, juste chaotique. Mais je soupçonnais Vanzir d'avoir amplement fait ses preuves lorsqu'il vivait dans les Royaumes Souterrains.

—Tu n'as rien fait, continuai-je au bout d'un moment. Karvanak est de retour. Il a capturé Chase, et il demande une rançon.

Je lui tendis la boîte contenant la bague et la phalange.

Vanzir, déjà pâle, devint livide.

—Saloperie. (Il soupira longuement et se laissa aller contre sa chaise.) Tu as de la chance qu'il lui ait coupé le doigt et rien de plus perso. Cet enfoiré a un cœur de pierre. Il propose de l'échanger contre le sceau spirituel, je parie.

—Oui…

Je ne savais pas très bien comment lui dire qu'il figurait également au menu.

—Ce n'est pas comme ça que vous le récupérerez, décréta-t-il en posant les coudes sur la table, sans quitter le bout de doigt des yeux. Il finira dans l'assiette de Karvanak même si vous lui donnez le sceau. Il est plein de belles promesses, mais il se spécialise dans le double jeu.

—Tu crois qu'il pourrait le tuer avant qu'on arrive ?

—Non. Il garde ses options ouvertes jusqu'à ce qu'il ait conclu son accord. Alors il se débarrasse des preuves. Chase ne reviendra peut-être pas totalement intact, mais il restera en vie jusqu'à ce que Karvanak découvre que vous n'avez pas ce qu'il veut, ou que vous n'allez pas le lui donner. (Il haussa les épaules.) Ne le sous-estimez jamais. Ce n'est pas sa bêtise qui l'a promu au rang de général.

—Il y a autre chose, continuai-je à contrecœur. (Parfois, mieux vaut y aller franco, comme on arrache une dent gâtée.) Il veut également te reprendre.

La réponse fut immédiate. Il se leva d'un bond, les yeux écarquillés.

—Non ! Vous ne pouvez pas… ! (Il se tut et nous regarda tour à tour en pianotant nerveusement sur la table.) Vous comptez accepter ?

Pour la première fois, sa voix ne me tapait pas sur les nerfs. Je vis de la peur, brute, sur ses traits. C'était peut-être un démon, mais il redoutait vraiment ses semblables.

—Non, murmurai-je. Non. D'une part, tu en sais trop sur nous et nos opérations. D'autre part, nous refusons de troquer une vie contre une autre. Si tu étais notre prisonnier, nous le ferions peut-être. Mais tu as choisi de changer de camp, et nous ne sommes pas du genre à trahir nos alliés.

Les mots me collaient à la langue comme des boules de poils. Pourtant, je devais le rassurer. Je ne l'aimais peut-être pas, mais il se battait avec nous.

Je regardai Camille, puis Menolly, qui hochèrent la tête. Pour une fois, nous étions toutes d'accord.

— Mais nous devons d'abord trouver le Rākṣasa, terminai-je. Il se planque depuis que Mordred a foutu le feu au magasin de tapis. Reste à savoir où.

Devant la fenêtre, Vanzir observait la cour. Je le rejoignis et lui posai gauchement la main sur l'épaule.

— Ne t'inquiète pas. Nous n'allons pas te livrer à lui.

— Bien sûr que non, j'en sais beaucoup trop ! riposta-t-il d'un ton revêche en repoussant ma main. Ton amant est entre les griffes d'une créature assez impitoyable pour que son maître ne craigne pas de l'envoyer sur Terre. Mais il y en a de pires, dans les Royaumes Souterrains. (Il pivota en me regardant droit dans les yeux.) As-tu la moindre idée de ce que c'est d'habiter là-bas, aujourd'hui ? La vie y était plutôt chouette avant que l'Ombre Ailée prenne le contrôle. Maintenant, le désespoir règne. Des milliers de démons adoreraient venir sur Terre ne serait-ce que pour s'éloigner de lui !

— Mais alors, pourquoi est-ce qu'ils se battent en son nom ? Ils devraient s'unir et le renverser !

La logique m'échappait.

Vanzir renifla avec mépris en reportant son attention sur l'extérieur.

— J'en connais quelques-uns qui essaient. Mais il va falloir que tu comprennes qui est l'Ombre Ailée. Il contrôle les masses en dévorant toutes les âmes qui se tiennent sur son chemin. Démon, humain, Fae… Même combat. Il règne dans la terreur et le feu. On s'agenouille devant lui pour ne pas finir décapité. (Il croisa les bras en se frottant les épaules, comme s'il faisait archifroid.) Il y a autre chose.

—Quoi ? Dis-le-nous tout de suite ! Si tu dissimules des informations…, commença Menolly en atterrissant près de lui.

—Mais non, pas du tout ! Je devais m'assurer que ce n'était pas mon imagination qui me jouait des tours avant de vous en parler. Je suis allé vérifier ça ce matin, et je ne suis même pas encore tout à fait sûr de mon coup. Mais si j'ai raison, nous devons faire plus qu'empêcher l'Ombre Ailée de retrouver les sceaux. Il faut impérativement le traquer, et le détruire.

Il était si pâle que je crus qu'il allait défaillir.

—Dis-nous, demandai-je. Que crois-tu qu'il se passe ?

Il frotta un instant sa botte sur le tapis persan puis se hissa sur le bord de la fenêtre. On aurait vraiment dit David Bowie en jeune.

—Vous savez, cette rupture de la matrice qui permet à de nouveaux portails de s'ouvrir spontanément ? Eh bien, je crois qu'il a découvert un moyen d'en profiter. Je sens dans mes tripes qu'il fait plus qu'essayer d'ouvrir les portes. Il est complètement barge. Pas juste assoiffé de pouvoir, non. Malade.

—Comment ça ?

Un tel silence régnait dans la pièce que je pouvais entendre chaque craquement, chaque froufrou de tissu contre le bois des chaises.

Vanzir prit une profonde inspiration, puis la libéra lentement.

—Je pense qu'il veut *détisser* les mondes. « Le Détisseur » – c'est comme ça qu'il se fait appeler maintenant.

Je crois qu'il ne veut pas juste conquérir. Il a l'intention de tout annihiler.

— L'enculé fils de pute! gronda Menolly. (Elle ne montrait pas souvent sa peur, mais pour le coup, elle se lâchait bien. Elle avait les yeux injectés de sang et ses canines s'allongeaient.) Qu'est-ce qui te fait croire ça?

— Quelques démons renégats de ma connaissance ont réussi à traverser, confessa-t-il. Globalement, ils se tiennent à carreau et essaient de voler sous le radar. Ils ne veulent rien avoir à faire avec Karvanak et ses potes, ou avec la guerre de l'Ombre Ailée. On discute un peu, parfois. Et non, ils ne sont pas au courant pour le rituel de soumission. Ils croient juste que je me cache.

— Pourquoi ne reviens-tu pas à table? lâcha soudain Flam, de ce ton qui disait «désobéis et je te carbonise». Delilah est fatiguée, elle a besoin de s'asseoir.

Vanzir s'exécuta en le foudroyant du regard.

Je me laissai tomber sur ma chaise. Menolly poussa Zach pour s'asseoir près de moi.

— Et alors, qu'est-ce qu'ils racontent, tes potes? demanda-t-elle, les yeux plissés. D'ailleurs, je te suggère de nous donner leurs noms. On va immédiatement les mettre sous surveillance.

— Apportez-moi un morceau de papier, souffla-t-il, incapable de refuser. Vous n'allez pas les tuer, hein?

— Seulement s'ils commencent à faire des embrouilles. S'ils se tiennent tranquilles, comme tu le dis, on leur foutra la paix. Pour l'instant. Mais gare à leurs miches s'ils sont, de quelque façon que ce soit, sous l'emprise de l'Ombre Ailée! Bien sûr, tu ne leur diras pas que nous sommes au courant de leur présence.

Les pupilles rougeoyantes, elle posa les mains à plat sur la table et se pencha vers lui.

—Tu m'entends, le démon? Si j'ai l'impression qu'ils balancent, ils verront mes crocs de plus près!

Vanzir frissonna. Il n'avait, certes pas, le don de dire ce qu'il fallait au bon moment, mais il n'était pas bête. Il ne connaissait que trop bien la puissance de notre petite sœur.

—Compris. (Il poussa la liste dans sa direction.) Tiens. Je connais l'adresse de quatre d'entre eux. Il y en a d'autres, mais je ne sais pas où ils crèchent.

Elle prit le papier et hocha la tête.

—Bien. Et alors, qu'est-ce qu'ils disent?

—J'ai juste entendu les dernières nouvelles. Un démon du nom de Trytian a réussi à passer il y a quelques semaines. Son père est un daemon, une grosse légume qui conduit une rébellion contre l'Ombre Ailée. Celui-ci a prétendu faire pression sur lui en enlevant son fils, mais il a refusé toute négociation. L'exécution était prévue pour le solstice d'été, et croyez-moi, on ne prend pas ces choses à la légère, dans les Royaumes Souterrains.

La différence entre démons et daemons était plutôt subtile, mais eux s'y attachaient d'autant plus qu'ils ne s'aimaient pas beaucoup. Les diables, quant à eux, descendaient d'une troisième branche encore de l'arbre généalogique infernal.

—Ainsi, résumai-je lentement, ce Trytian est parvenu à s'éclipser sous le nez du bourreau, comme notre cousin Shamas, et à se faufiler en douce jusqu'ici. Pourquoi n'est-il pas allé retrouver son père?

Je me méfiais de toutes ces belles coïncidences, mais il faut dire que je faisais «soupçons renforcés», avec Camille et Menolly.

—C'est ce qu'il a fait. Son vieux a estimé qu'il pourrait être plus utile ici. Voyez-vous, continua-t-il d'un ton plus calme, des rumeurs circulent dans les Royaumes Souterrains au sujet de trois femmes, mi-humaines, mi-Fae, qui déjouent les plans du seigneur démoniaque. Vos noms sont encore inconnus. Je doute d'ailleurs que quiconque là-bas sache qui vous êtes, hormis l'intéressé et ses petits camarades.

Karvanak avait dû le lui dire. Cela paraissait évident.

—Pourquoi tairait-il volontairement nos noms? m'étonnai-je. Il semblerait plus logique d'offrir une récompense au premier qui parviendrait à nous éliminer.

Vanzir secoua la tête.

—Réfléchis. Son pouvoir repose sur la terreur qu'il inspire. S'il vous reconnaissait officiellement, il admettrait du même coup sa vulnérabilité et c'est une chose qu'il ne peut pas se permettre.

—Oui, c'est compréhensible, acquiesça Menolly. Ça marche à peu près de la même façon chez les clans du sang des vampires, à la différence que nous ne sommes pas aussi paranos. En tout cas, je suis contente d'apprendre que l'intégralité des Royaumes Souterrains ne cherche pas à se payer de petites vacances sur Terre.

—Quoi qu'il en soit, je pense que le daemon a espéré que son fils vous rencontre et vous enrôle dans son armée, reprit Vanzir avec un pâle sourire. Vous ne pouvez pas savoir à quel point j'ai eu envie de parler de vous à Trytian. Mais je n'en ai rien fait. Pourtant son père est à la tête d'une vaste force. Il pourrait nous être extrêmement utile.

—L'idée paraît bonne, en théorie, répondit Camille. Mais nous ne pouvons pas nous laisser embarquer dans un conflit entre démons. Je ne veux pas être grossière mais, Vanzir, honnêtement, la plupart d'entre eux ne jouent pas cartes sur table. Et si le père de Trytian était lui-même à la recherche des sceaux? Ne parle à *personne* de nous et de notre mission tant que nous ne t'aurons pas permis de le faire. C'est un ordre. Point final. Affaire réglée.

Elle respira profondément tandis que Flam lui posait une main sur l'épaule.

—Compris, répondit Vanzir.

Ses yeux se mirent à tourner comme des kaléidoscopes. Il semblait vouloir ajouter quelque chose, mais s'abstint.

Zach tira le plateau de biscuits vers nous.

—Bon, et maintenant? As-tu trouvé un moyen de dénicher le Rāksasa? demanda-t-il en croquant dans un Oreo.

—Ouais. C'est la deuxième chose dont je voulais vous parler. À force de garder les yeux ouverts et les lèvres scellées, j'ai touché le gros lot. C'est fou tout ce qu'on apprend quand les gens oublient que l'on est dans la pièce. Bref. Vous vous souvenez de Jassamin?

Je hochai la tête. Il s'agissait d'un djinn de niveau inférieur qui travaillait pour Karvanak. Voire un peu plus que ça, d'après Vanzir. Elle en était la maîtresse, et lui prêtait son pouvoir. Elle avait failli tuer Chase pendant la bataille pour le troisième sceau. C'est à ce moment-là que le chasseur de rêves avait changé de camp, en la transperçant avec un cimeterre.

—Ne me dis pas qu'elle est revenue!

—Non. Il paraît qu'il s'affiche depuis peu avec une nouvelle créature. Je ne pense pas que ce soit un djinn, mais j'ai entendu dire qu'il en faisait ce qu'il voulait. Ce matin, je l'ai aperçue près des débris calcinés du magasin de tapis. Je l'ai suivie aussi longtemps que j'ai pu.

Plongeant la main dans sa poche, il en tira une carte qu'il étala sur la table. Je me penchai pour mieux voir. Il s'écarta pour me laisser de la place.

—J'ai tracé son itinéraire en rouge, expliqua-t-il. Je me suis dit que le chemin qu'elle prenait pouvait être important.

— Merci, dis-je en scrutant le plan. Elle a fait pas mal de détours. Tu crois qu'elle savait que tu la suivais ? demandai-je en lui lançant un coup d'œil.

Il haussa les épaules.

— Ça ne m'étonnerait pas. Karvanak joue probablement la prudence, à présent. Il sait que vous l'avez dans le collimateur, et il n'est pas du genre à sous-estimer ses ennemis. Les Rākṣasas sont extrêmement astucieux, et lui, en particulier, possède une intelligence remarquable. J'ai eu amplement le temps de m'en rendre compte, pendant l'année que j'ai passée à son service. Non, ce n'est pas sa tête qui le perdra, mais sa tendance à la débauche.

Zach rompit le silence.

— Pourquoi travaillais-tu pour lui si tu n'aimes pas ce que l'Ombre Ailée est en train de faire ?

Le chasseur de rêves haussa les sourcils et renifla méprisamment. Je grimaçai. Nous – Iris, mes sœurs et moi – connaissions son histoire. Pas Zach. Je me demandai combien de temps les biscuits resteraient dans son estomac.

— *Travailler* pour lui ? Retente ta chance, mecton ! Je lui ai été offert. En cadeau d'anniversaire. J'ai bêtement misé plus que je possédais sur une partie de q'aresh. Je sais que j'avais la meilleure main, mais mon enfoiré d'adversaire a triché. Nakul, il s'appelait. Un général de l'Ombre Ailée. Quand je lui ai dit que je ne pouvais pas payer, il m'a traîné devant le seigneur démoniaque, qui a ordonné que je serve son gars pendant sept ans. À la fin de la première année, celui-ci s'est lassé de moi et m'a refourgué à Karvanak.

Zach parut mal à l'aise. Il ne réalisait toujours pas à quel point le monde peut être vil et cruel, ce qui me surprenait, compte tenu de son histoire et de son héritage. Sans pratiquer l'optimisme forcené, il s'accrochait parfois à des espoirs qui n'étaient peut-être pas très bons pour lui.

—Pourquoi ne t'a-t-il pas simplement libéré, dans ce cas?

Vanzir renâcla derechef.

—Parce que tout n'est que stratégie, dans les Royaumes Souterrains. Chacun avance ses pions de sorte à asseoir son emprise sur les autres. Si tu peux t'attirer les grâces de quelqu'un par un pot-de-vin, ou un cadeau, tu le fais. Ça pourrait bien sauver tes fesses plus tard. Nakul connaissait les goûts de Karvanak en matière de compagnons de lit. Il apprécie tout particulièrement les femmes dotées de pouvoirs magiques, et les petits culs de jeunes démons sexy. Il aspire le pouvoir des premières chaque fois qu'il les saute, et se contente de brutaliser les seconds. Quand ses nouveaux jouets ne l'amusent plus, il les mange. Il m'a fait subir des choses que je n'oublierai jamais. Je lui dois toujours cinq ans de ma vie, mais je ne pense pas survivre à ses orgies sexuelles de sadique.

Les yeux sur la carte, je grimaçai. Zach se tendit près de moi. Il appartenait à la troupe de pumas la plus puissante, et la plus impitoyable, d'Amérique. Pourtant leur méchanceté, parfois bien réelle, était de la rigolade comparée à la violence qui sévissait dans les rangs des démons. La vie, dans les Royaumes Souterrains, se résumait à tirer le premier. Il fallait ouvrir l'œil et le bon, sans quoi on risquait à tout moment de se retrouver avec une lame pointée sur la gorge… ou pire. Vanzir avait de multiples raisons de haïr Karvanak.

La ligne rouge, sinueuse, menait à un bâtiment situé dans la zone industrielle du sud de Seattle.

—Un club de vampires? demandai-je. C'en est une?

—Ouais, *Le Fangtabula*. J'ai poireauté devant mais je ne l'ai pas vue ressortir. Et non, il ne s'agit pas d'un mort qui marche. J'ai envie de dire que c'est un djinn, mais elle n'a pas la bonne odeur. Elle sent le démon ; peut-être parce qu'elle couche avec Karvanak. (Il tira cette fois-ci un foulard rouge de sa poche.) Elle a laissé tomber ça, termina-t-il en le posant sur la table. C'est imprégné de son odeur.

Camille souleva l'objet avec hésitation, le renifla, puis secoua la tête.

—Ça sent le sexe, dit-elle. Mais à part ça, je ne parviens pas à fixer d'impression particulière.

L'écharpe fit le tour de la table, jusqu'à Roz, qui la porta à son nez et la lâcha comme s'il s'était piqué.

—Bien vu, acquiesça-t-il. Je sais qui c'est.

—Alors ? demandai-je.

Il poussa un profond soupir.

—Je n'aurais jamais cru la revoir. Elle s'appelle Fraale. Une femme bizarre, effrayante et incroyablement chaleureuse à la fois. Parfaite pour qui aime vivre dangereusement. Mais je ne peux pas l'imaginer louant ses services à un démon. Sérieusement. Quelque chose ne va pas.

Menolly le dévisagea, les yeux écarquillés.

—Fraale ? Tu es sûr ?

—Mais enfin, c'est qui, cette fille ? insistai-je. On dirait que tu la connais bien !

—C'est le cas, admit-il avec un sourire penaud. Avant qu'on la transforme en succube spécialisé dans la domination, c'était ma femme.

CHAPITRE 23

L a vache! Du pur Jerry Springer, là, dans ma cuisine! Je fus incapable de me retenir.

—Toi, marié?! Tu déconnes…! m'écriai-je en le dévisageant comme si une seconde tête venait de lui pousser. Il *faut* que tu me racontes ça!

—Delilah. La ferme, souffla Menolly, d'une voix étonnamment douce.

Je sursautai et la regardai. Elle avait l'air de tout, sauf de plaisanter. Je me mordis la langue.

—Hm, OK. Alors explique-nous juste pourquoi elle copine avec Karvanak. Elle a perdu la tête, ou elle est simplement barge?

L'idée d'avoir affaire à un succube tendance dominatrice me glaçait jusqu'aux os. Je l'imaginais grande, mince, toute de cuir vêtue.

Le sourire de Rozurial s'estompa.

—Ni l'un ni l'autre. Fraale et moi… Quand nous étions… Disons que si elle travaille pour Karvanak, c'est qu'elle n'a pas le choix. On a dû la lui vendre, ou la lui offrir, comme Vanzir. Elle est peut-être experte dans le maniement du fouet, mais elle n'use de violence qu'en cas d'offense grave. Je pense qu'elle a des ennuis.

—Dans ce cas, on dirait qu'on va avoir deux personnes à sauver, commenta Menolly en repoussant sa chaise.

Roz lui lança un sourire reconnaissant. Je m'interrogeai. Il paraissait inquiet, et ma petite sœur en savait visiblement plus qu'elle voulait bien le dire.

Je soupirai.

—Menolly, tu es déjà allée au *Fangtabula*?

Elle hocha la tête.

—Une seule fois, avec Wade. Ce n'est pas l'endroit le plus clean de la ville. On les soupçonne de tenir un tripot clandestin, mais chaque fois que les flics débarquent, l'endroit semble se vider comme par magie. Impossible de trouver la moindre preuve. Les condés font quasiment dans leur froc à l'idée de devoir fréquenter une bande de vampires acariâtres d'aussi près.

—J'imagine, fis-je, en me demandant si Chase avait participé à l'une de ces descentes.

Si tel était le cas, il ne m'en avait rien dit.

—Ce n'est pas tout. Je suis prête à parier un mois de salaire qu'ils proposent également un service de putes à sang sous le manteau, termina-t-elle en grimaçant.

—Des putes à sang? répéta Zach, perplexe.

Menolly hocha la tête.

—Ouais. Des mecs et des nanas qui rêvent de devenir vampires, ou de traîner avec eux. Ils leur filent une veine en échange des orgasmes qu'ils connaissent dans leurs bras. C'est tellement intense qu'ils deviennent complètement accros et qu'ils finissent par se laisser mourir, sauf si leurs « propriétaires » les traitent bien. Certains prennent soin de leurs petits compagnons, mais pas tous. Ce truc est complètement illégal, évidemment. Mais c'est comme la prostitution : pas moyen de l'empêcher. J'estime que le gouvernement devrait légaliser la chose, puis taxer les clubs à mort. Au moins, ça leur permettrait d'imposer une sorte de régulation, et d'empêcher que les putes à sang soient maltraitées ou pompées jusqu'à la dernière goutte.

—Tout cela me paraît délicieux, commenta Camille en se resservant du thé. Vous avez pensé à leur proposer une cure de désintox, Wade et toi ?

—Non, répondit doucement notre sœur en plissant les yeux. On s'engueule sur pas mal de sujets en ce moment. C'est peut-être une bonne idée, remarque. Je lui en parlerai à la première occasion. Pour en revenir au *Fangtabula*, je n'aime pas cet endroit, et ça ne m'étonnerait pas que Terrance, le proprio, fricote avec un ou deux démons.

—Bien. (Je me levai et m'étirai.) Dans ce cas, tu vas devoir aller jouer les espions pour nous. Quelqu'un doit parler à Fraale et tenter de découvrir si c'est de son plein gré qu'elle participe aux petits jeux de Karvanak.

Un air légèrement dégoûté passa sur les traits de ma cadette.

—Ah, chier.

Elle soupira, ce qui était voulu, étant donné qu'elle n'avait pas besoin de respirer. Inhaler, souffler, et toutes ces délicieuses activités relatives à l'absorption d'oxygène, étaient, chez elle, uniquement théâtrales.

—Très bien, répondit-elle au bout d'un moment. Mais tu viens avec moi. Tu pourrais être mon petit compagnon pour la nuit. Tu as l'habitude de porter un collier, pas vrai mon chaton ? termina-t-elle avec un petit sourire vicieux.

Je grognai.

—Je viens aussi, intervint Zach.

Je levai la main.

—Non. C'est trop dangereux, même pour toi. Roz… est-ce que tu veux nous accompagner ?

J'avais tenté d'adoucir ma voix, mais la question le frappa de plein fouet.

— Donne-moi une minute pour y réfléchir, demanda-t-il en se dirigeant brusquement vers le salon.

Morio, Zach et Flam lui emboîtèrent aussitôt le pas. Camille alla rejoindre Iris près de l'évier. Menolly, quant à elle, se mit à la fenêtre, les yeux perdus dans l'obscurité.

Vanzir coula un regard vers moi.

— On se ressemble, dit-il.

Peu disposée à avoir une discussion à cœur ouvert, je lui lançai un bref coup d'œil.

— C'est-à-dire… ?

— Que toi et moi sommes identiques sur certains points. Tu ne dis jamais exactement ce qu'il faudrait, alors que c'est pourtant ton intention. (Il se laissa aller contre sa chaise en croisant les doigts derrière la tête.) Je n'ai pas ma place dans mon monde, tu sais ? Je suis doué dans ce que je fais, mais je n'aime pas ça.

Qu'est-ce qu'il ne fallait pas entendre !

— Oh, allez ! Ça ne te fait pas triper d'entrer dans les rêves des gens pour aspirer leur vie, peut-être ? C'est pourtant ce que tu fais le mieux, non ? Moi qui croyais que les démons prenaient leur pied à tourmenter des innocents !

J'aurais voulu rester polie, mais je n'arrivais pas à contenir ma hargne. Avec tout ce qui s'était passé ces derniers temps, plus la capture de Chase, je ne me sentais pas particulièrement patiente.

Il fronça les sourcils.

— Et maintenant tu m'insultes délibérément. Je te comprends, remarque. Non, vraiment. Certains démons sont comme tu dis. Karvanak n'aime rien tant que briser la volonté de ses subordonnés, qu'ils aient été capturés, achetés ou loués. Les Rāksasas naissent méchants, et ils sont arrogants.

— Ouais. J'ai eu cette impression, répondis-je en jouant avec mon biscuit.

Il faisait partie des victimes de Karvanak, lui aussi. J'avais un peu plus de mal à ressentir de la compassion dans son cas, mais je me forçai à le regarder en face.

Il me rendit mon regard, sans ciller. Il était sec, noueux. Ses yeux, brillants comme des prismes, trahissaient sa nature. Mais au lieu d'être rouges, comme ceux de Menolly quand quelque chose la faisait exploser, ils ressemblaient à un arc-en-ciel de couleurs. Soulignés par un trait de khôl, ils ressortaient, lumineux, sur le blond platine de ses cheveux. Toujours silencieuse, je baissai les yeux vers sa bouche. Comme bien des hommes, il avait les lèvres fines, mais pâles comme la nuit. Des fossettes creusaient ses joues pourtant hâves. Au bout d'un moment, il hoqueta et m'offrit un sourire légèrement moqueur.

—Tu as fini de me regarder comme une bête de foire ? (Désignant sa tête, il indiqua :) Pas de cornes en vue. Et pas de queue pointue non plus, je te le garantis. Rien de barbelé. Ni les doigts, ni les orteils, ni la bite.

Je rougis. Il m'envoya un baiser du bout des lèvres.

—Oh, pauvre choupinette ! T'aurais-je incommodée ? Alors, raconte : qu'est-ce que ça fait d'être le dindon de la farce ? J'y avais droit tous les jours avec Karvanak, entre deux absorptions de rêves forcées. Trente-cinq ans sans en pomper un seul, pour finir chez un fils de pute qui m'oblige à me nourrir !

Il se pencha brusquement en avant. Je sursautai, mais il se contenta de poser la main près de la mienne, sans la toucher, et de pianoter sur le bois.

—Je suis un peu comme un alcoolique, tu vois ? Dès que je goûte de nouveau à l'énergie, j'en veux encore. Mais je n'aime pas ce que ça fait de moi. Karvanak savait que j'avais arrêté, et il menaçait de tuer ses – mes – victimes si je n'obéissais pas. Alors oui, je me suis abreuvé à leur âme, pour les sauver. Je me suis nourri de leurs espoirs, de leur amour et de leur force vitale. Au moins, quand je quittais leurs rêves, ils étaient vivants. Tu vois, mademoiselle Delilah, tu as peut-être raison de ne pas me faire confiance. Je peux vivre avec ça. En revanche, ravale un peu tes vannes. Tu ne sais rien de mon monde, et tu n'es pas aussi drôle que tu le crois.

L'estomac noué, je vis soudain resurgir des images du passé…

… un cercle d'enfants fait la ronde autour de mes sœurs et moi en chantant : «*Marche-au-vent, marche-au-vent, tu n'as pas de maison… T'es toute seule, personne ne veut de toi!…* » Ils nous suivent jusqu'à la maison. Mère les entend, sort et les chasse. Nous lui cachons nos larmes. Nous ne voulons pas qu'elle se sente mal à l'aise parce que c'est à cause de son sang qu'on nous tourmente…

… un de mes oncles nous désigne d'un hochement de tête alors que nous entrons chez lui pour le gala du solstice d'été, et murmure à son amie : «*Là, ce sont les trois dont je vous parlais. Les sales petites sang-mêlé de mon frère…* » Camille et moi devons forcer Menolly à se taire pour que Père ne l'apprenne pas…

… le petit voisin qui me poursuit avec son chien, et me fait si peur que je me transforme. Coincée dans un arbre pendant plusieurs heures, incapable de redescendre, c'est finalement Camille qui découvre ce qui se passe et donne une rouste au garnement avant de monter me rassurer dans les branches. Nous ne l'avons jamais dit à personne…

J'avais fait exactement la même chose à Vanzir à cause de ce qu'il était. À quelqu'un qui n'était même pas notre ennemi. Le rituel tenait lieu de garde-fou. Nous pouvions le tuer sur un coup de tête, il ne serait même pas en mesure de lever la main pour se défendre. Et moi, j'en avais profité.

Je lançai un coup d'œil vers l'évier, où Camille nous ignorait délibérément en arrangeant des biscuits dans une assiette tandis qu'Iris s'occupait du thé. Menolly flottait près du plafond, les yeux fermés. Je savais qu'elle entendait notre conversation, mais elle avait choisi de ne pas s'en mêler. Des voix à l'approche m'indiquèrent que les garçons revenaient.

Vite, je me penchai par-dessus la table pour lui souffler à l'oreille :

—Je suis désolée. Vraiment. J'ai agi comme une conne, et je te demande pardon. (Je ravalais ma fierté.) J'ai déjà connu ça. Comme mes sœurs. Je suppose qu'il nous arrive parfois de devenir précisément tout ce que l'on hait.

Sans me quitter des yeux, il hocha la tête.

—Ouais, je sais. On rentre avec bien trop de facilité dans les moules qu'on aimerait fuir à tout prix. Je connais, j'ai vu, et je ne tiens pas à le vivre de nouveau.

Il s'étira. Il portait un tee-shirt des Dead Zombies rafistolé à coup d'épingles de nourrice, et un pantalon de cuir poussiéreux, mais pas sale. Je songeai qu'il avait vraiment un bon look de rocker.

À ce moment, Flam et Morio entrèrent dans la pièce, Zach et Roz sur les talons. L'incube tourna vers la vampire un regard sans expression. Quel qu'ait été le sujet de leur conversation, j'avais le sentiment qu'ils ne comptaient pas nous en faire part.

—Je viens avec vous, annonça-t-il. Et je veux que Zach nous accompagne. Vous croyez peut-être qu'il est trop naïf, mais faites-moi confiance, ce sera un bon allié. Et mon ex aime les garous, ajouta-t-il d'une voix douce en me regardant. Comprends-moi bien : elle joue des deux côtés de la barrière.

—Je crois qu'on devrait y aller, déclara Menolly. Même si Fraale n'y est plus, quelqu'un l'aura sûrement remarquée. Chaton, il faut que tu te changes.

Je me levai en me demandant de quel accoutrement elle allait m'attifer.

—J'arrive. Camille, Morio, vous croyez que vous pourriez localiser Chase à l'aide de la magie ? J'ai des trucs à lui dans ma chambre, si ça peut vous servir.

Camille hocha la tête.

—On s'y met tout de suite. Flam va aller voir chez lui si la triple Menace a entendu parler de quelque chose.

Nous utilisions ce surnom pour désigner Morgane, Aeval et Titania depuis quelque temps déjà, mais uniquement entre nous, jusqu'ici. Les garçons la regardèrent.

—La triple Menace… Et elles savent que vous les appelez comme ça ? demanda Roz en souriant comme un abruti.

—Bien sûr que non, crétin ! répliqua Camille.

—Et toi ? continua l'incube en se tournant vers le dragon. Tu t'adresses à elles de cette façon ?

Flam se racla bruyamment la gorge.

—C'est une bande de démentes, mais je suis un gentleman…

Mes sœurs et moi ricanâmes, mais il se contenta de hausser le sourcil.

—Au moins, vous devez bien admettre que j'ai de meilleures manières que mon épouse bien-aimée, ajouta-t-il en lançant à l'intéressée un regard en dessous. Ce n'est pas vrai ? Quoi qu'il en soit, je n'ai rien à craindre d'elles. Elles ne présentent aucune « menace » pour moi.

— Il faut t'y faire, amour, tu es coincé avec une femme vulgaire, salace, et crue, rétorqua-t-elle en tapotant amicalement la main qu'il lui posait sur l'épaule.

— Et je ne voudrais pas qu'il en soit autrement, assurat-il en se penchant pour l'embrasser. Bien qu'il me faille te partager avec le renard. Et le Svartan.

Sur ce, il se glissa telle une ombre dans la nuit par la porte de derrière.

Je sifflai.

— Hé ben ! Quand il bouge ses fesses, celui-là, il les bouge !

— Tu peux le dire, commenta Camille, un petit sourire rusé aux lèvres.

— Oh, pour l'amour du ciel ! Ce n'est pas ce que je voulais dire… !

— Chaton ? Magne-toi le train, appela Menolly depuis l'escalier.

Je la trouvai plantée devant ma penderie avec un air dégoûté.

— Tu ne pourrais pas être un peu plus féminine ? Je veux dire, tes sous-vêtements, ça passe, mais tu n'as rien d'autre que des marcels et des jeans déchirés ? (Elle souleva le plus confortable d'entre eux, celui qui avait des trous aux genoux et aux cuisses.) Quelque chose avec un peu de dentelle, ou des paillettes ?

Elle comptait se lancer dans une critique déconstructive du contenu de ma penderie ou quoi ?

— Tu es sérieuse ?

— Tu veux entrer dans ce club sans éveiller les soupçons ? Alors il faut que tu aies l'air d'être mon jouet. Ce qui implique de montrer un bout de décolleté, une jambe, ce que tu veux.

Je grimaçai.

— Tu vas te moquer de moi. Je ne l'ai jamais porté, expliquai-je en plongeant dans une boîte cachée au fond de ma penderie. Je l'ai acheté sur un coup de folie. Au moment où je suis sortie de la boutique, j'ai compris que j'avais fait une bêtise, mais j'avais trop honte pour le rapporter. Je l'ai caché avant que Camille ou toi puissiez le découvrir et vous payer ma tête.

Je n'avais vraiment, vraiment pas envie de lui montrer ma honte secrète! Mais elle ne tenait plus en place maintenant que j'avais lâché le morceau. Je sortis un sac en plastique du carton et le lui lançai en levant les yeux au ciel.

Elle s'empressa de l'ouvrir. Alors qu'elle en tirait le pantalon doré en lamé et le top à franges assorti, elle trembla légèrement et son rictus moqueur s'étira davantage.

— Je te l'avais dit! marmonnai-je en essayant de les lui reprendre.

— Oh, non! fit-elle, s'éloignant d'un bond. Tu vas mettre ça! Je sais, ce n'est pas tout à fait ton style…

— Ce n'est rien de le dire! (Je la foudroyai du regard et me jetai à plat ventre sur mon lit en me lamentant sur mon sort.) Je ne vois rien de plus humiliant que d'apparaître en public dans cet accoutrement!… euh… à part trouver Chase en train de tremper sa nouille dans Erika.

— Bizarrement, ça me paraît plus irritant qu'humiliant. Tu ne devrais pas te sentir gênée. S'il a besoin d'une morveuse geignarde pour se sentir homme, ce n'est pas ta faute. Mais…

Elle s'arrêta, hésitante.

— Quoi? Tu as manifestement une opinion sur le sujet, remarquai-je en me rasseyant.

— C'est vrai. Mais je ne sais pas comment tu vas le prendre.

— Alors dis-le simplement.

—Très bien. (Elle me regarda bien en face.) Si tu veux mon avis, Chase cherchait à se rassurer. Ce n'est sûrement pas facile, chaton, de sortir avec une fille qui est non seulement plus forte, mais plus rapide, plus magique, et plus sexuelle que toi – encore moins pour un HSP. Il faut voir la vérité en face. Toutes les trois, on est de sacrés morceaux, pour n'importe quel homme – ou femme. Seul un individu très fort peut avoir un partenaire au sang de Fae sans se sentir émasculé. Chase a été débordé avec les deux facettes de son boulot. Il te voit constamment plus brillante, et meilleure combattante, que lui. Je dis juste que ça doit piquer son *ego*.

Je contemplai mon dessus-de-lit en refrénant l'envie féroce de lui coller une gifle. Je n'avais jamais traité Chase comme un inférieur ! Jamais ! Puis, je me figeai. Si. Nous le faisions toutes. Nous étions toujours en train de lui dire de se pousser pendant les combats, ou de rester derrière nous, ou de reculer encore un peu, parce que c'était trop dangereux. Mais c'était pour le protéger, pas parce que nous le jugions « médiocre » ! Je compris, pour la première fois, qu'il ne le percevait peut-être pas ainsi.

—Oh mon Dieu, murmurai-je. Il a quand même été stupide de me mentir, mais… je crois que tu as raison. Il s'est peut-être tourné vers Erika pour avoir le sentiment d'être enfin le plus fort. (Les yeux rivés sur les motifs de la courtepointe, j'ajoutai :) Mère n'a jamais éprouvé ça… Tu crois que si ?

En aucun cas je ne l'avais entendue se plaindre de la force exceptionnelle ou de la longévité de Père. En fait, elle avait même refusé de vieillir avec lui au-delà de son temps de vie normal, parce qu'elle ne s'estimait pas capable de gérer ces années en plus.

Menolly s'assit à côté de moi et me prit la main.

—Je ne sais pas. Pas encore. Mais une chose est sûre : Mère n'a jamais voulu faire partie de la Garde. Sa vie d'épouse et de mère lui convenait parfaitement. Elle était la maîtresse de l'âtre, du foyer, et Père n'empiétait pas sur son domaine. Il n'y avait pas de rivalité entre eux. Nous ignorons s'ils rencontraient des problèmes dans la chambre, mais leur dynamique était totalement différente de la vôtre, à Chase et toi. Pourquoi penses-tu que j'hésite tant à soutenir votre relation ?

— J'ai cru que c'était parce que tu ne l'aimais pas, avouai-je, d'une toute petite voix.

— Au début, peut-être. Mais non. Ce n'est pas pour ça. Il fait partie des gentils. Nous avons besoin de son aide, et nous savons pouvoir nous fier à lui. Mais être un HSP le rend vulnérable. Embourbé avec nous dans cette affaire, il se retrouve catapulté dans la même cour que toi. Et ce n'est pas équitable, chaton. Permets-moi de te le dire. (Elle haussa les épaules.) Même si on arrive à le sauver, je ne sais pas comment tu vas pouvoir surmonter cet obstacle. Pas s'il n'arrive pas à se détacher un peu, et à ne pas tout prendre pour lui.

Je regardai tristement le sol. Comment avais-je pu être aussi aveugle ? En même temps, je découvrais à peine les relations amoureuses, et leurs complexités. Je ne savais pas encore gérer les nuances de la vie à deux. Je me demandai soudain si j'étais vraiment taillée pour ça. J'étais un chat, nom de Dieu ! Un animal notoirement solitaire !

— Hé, chaton, ça va ? (Elle se leva et m'embrassa sur le front.) On ferait mieux de se bouger.

— Si je vais bien ? Je ne sais pas, répondis-je doucement. Mais tu as raison. On a du boulot. (Je me forçai à me lever alors qu'elle me collait les vêtements dans les mains. Pour l'instant, la priorité était de sauver Chase.) Il faut vraiment que je mette cette merde ?

Elle me sourit.

— Sois forte : oui. Tu dois passer pour mon petit compagnon, et les putes à sang portent des horreurs de ce genre, crois-moi. (Je compris, à son expression, que je n'allais pas pouvoir m'en sortir.) Change-toi.

— Mais je ne veux pas le porter !

Partie pour une grande pleurnicherie, je lui lançai mon plus beau regard de chat battu. Ce fut un flop total.

— Dur. Et les pompes ? Est-ce que tu aurais une paire de bottes noires ? À talons, j'entends, pas des écrase-merdes.

Elle semblait prête à retourner ma penderie, aussi je la poussai, tirai une boîte de l'étage supérieur, et la lui mis dans les mains.

— C'est Camille qui m'a convaincue de les acheter, expliquai-je. Elles sont belles, mais je mesure un mètre quatre-vingt-quinze avec ça aux pieds. Tu es sûre de vouloir un « petit compagnon » de cette taille ? Tu ne fais qu'un mètre cinquante-cinq, tu sais.

— Et alors ? Tu es grande, et je suis un vampire. Oui, ce sera très bien, opina-t-elle en observant les chaussures. Il faut qu'on te voie, chaton, et que tu rentres dans un certain moule. *Le Fangtabula* s'adresse aux vampires qui possèdent un jouet ou une pute à sang. Si tu entres là-dedans vêtue d'un jean et d'un de ces hauts genre « mec qui bat sa femme », on va tout de suite se faire repérer. Leur clientèle a, disons, plus... mauvais goût. J'espère que personne ne me reconnaîtra. Le travail que j'accomplis avec Wade pourrait me désavantager.

— Je ne porte pas de fringues de vieux macho ! renâclai-je en me déshabillant. Ce sont des débardeurs, d'accord ? Des hauts de muscu.

— Ouais, ouais, appelle ça comme tu voudras. (Elle désigna mes sous-vêtements.) Tu n'as pas les seins de Camille, alors tu peux te passer de soutif. Et tu ne voudrais pas qu'on voie la marque de ta culotte, quand même ? On s'en fout si le fut' est serré et qu'on devine autre chose. Évite tout ce qui pourrait avoir un parfum de normalité.

— Quand tu en auras fini avec moi, je n'aurai plus rien de normal, va.

Je me tortillai pour entrer dans le pantalon moulant, et retins mon souffle alors qu'il se refermait sur mon pubis. Le tissu me grattait, et un coup d'œil au miroir m'apprit que les gens auraient droit à un peep-show gratuit. On voyait mes lèvres. Et je ne parle pas de celles sur lesquelles on met du gloss.

J'essayai de tirer un peu sur le pantalon, mais il semblait collé à moi. Renonçant, j'enfilai le haut et le nouai dans ma nuque. Il s'arrêtait quinze centimètres au-dessus du nombril, drapant mon ventre de longues franges qui me démangeaient. En fait, il me donnait envie de me changer en chat et de me déchaîner dessus, mais j'étouffai l'idée.

Menolly me tendit les bottes, que j'enfilai. Après quoi je tournai sur moi-même en me sentant complètement ridicule.

Elle hocha la tête.

— Bien. Maintenant, il te faut un collier. Une écharpe en dentelle noire, attachée, avec un nœud. Si tu n'en as pas, Camille en trouvera certainement une dans ses placards.

— Oh, ce n'est pas possible ! Il y a un code vestimentaire ou quoi ? demandai-je en farfouillant dans mes tiroirs, jusqu'à trouver un foulard noir tout simple qui reçut l'approbation de ma sœur.

— Bien sûr, tout tacite qu'il soit. (Elle tourna l'écharpe de sorte que le nœud se trouve dans ma nuque.) Ça, c'est la position qui dit « dispo pour tous ». Avec le nœud devant, ça voudrait dire que personne n'a le droit de t'approcher ; tu es à moi, pas touche. À gauche, que je ne te laisserai jouer qu'avec des filles, à droite, qu'avec des gars.

Je cillai. Dans quelle grotte avais-je vécu jusque-là ?

—Comment tu peux savoir tout ça ?

—Je sors, le dimanche, répondit-elle en haussant les sourcils avec un sourire mauvais. Souviens-toi, ce code s'applique uniquement dans la sous-culture vampire. (Elle me fit signe de m'asseoir et saisit ma trousse à maquillage.) Les symboles de propriété et de domination varient d'une société à l'autre.

Elle étudia les cosmétiques que Camille m'avait donnés parce qu'elle n'en voulait plus. J'avais assez de réserves pour tenir plusieurs années.

—Voyons voir… Oh ! Ça, ce sera très bien.

Quelques minutes plus tard, mes lèvres arboraient un rouge brillant et mes paupières un fard couleur chartreuse. Après avoir souligné mes yeux d'un trait d'eye-liner vert velours éclatant, elle me pâlit consciencieusement à coup de houppette.

—Il ne faut pas que tu aies l'air trop robuste. Tu es censée me nourrir régulièrement. (Elle recula.) Je crois qu'on est bons.

Je cillai en me regardant dans le miroir.

—Vouai. Bonne à abattre, pour ma part. Regarde-moi ça ! J'ai l'air d'une drag-queen ! Bon. Alors c'est quoi, notre histoire ? demandai-je en m'engageant derrière elle dans l'escalier.

—On s'est rencontrées dans un club lesbien. Si on te demande, tu dis que c'est *Le Bleu Saphique*. Je t'ai choisie, je t'ai emmenée chez moi, et je me suis nourrie de toi. Ça t'a tellement plu que tu es revenue.

—Tiens, je suis lesbienne maintenant. Bon, ça me va. Je crois. N'espère quand même pas que je te roule une pelle ! pouffai-je.

Elle se retourna subitement et me poussa contre le mur.

—C'est bien beau, de rigoler. Mais rappelle-toi que *ce n'est pas un jeu, chaton!* Ne fous pas tout en l'air. Nous devons trouver ce sale FDP de Karvanak. La vie de Chase en dépend. Si tu veux le revoir, tu *dois* rentrer dans ton personnage.

Elle semblait si féroce que je trébuchai et m'assis sur les marches.

—C'est vrai. Je suis désolée.

—Un peu, ouais! OK; tu veux une histoire? Alors en voilà une: on est un couple. Tu fais partie de mes petits compagnons – ce qui signifie que tu es entretenue. Je bois ton sang, et on couche ensemble. Quand je ne me sers pas de toi, tu traînes dans le salon, à regarder la télé et à parler au téléphone.

Je déglutis.

—Je ne travaille pas?

—Non. Je m'occupe de tout, et je paie quand on sort. Laisse ton sac et ton argent dans la caisse, à part un billet ou deux planqués dans ta botte en cas d'urgence. Je suis plutôt cool. Tu n'as pas besoin de me demander l'autorisation de manger, d'aller aux toilettes ou de parler aux gens. Mais c'est moi qui prends les décisions. Quand tu t'adresses à moi, appelle-moi « maîtresse ».

Je m'étranglai.

—Maîtresse? Oh là là, de mieux en mieux! Bon, et par quoi on commence?

—La première chose est d'attirer l'attention de Fraale. Elle est nouvelle ici. Avec un peu de chance, elle n'a pas encore eu le temps de nous ficher. Mais s'il s'avère qu'elle travaille bien pour Karvanak, il a dû la mettre au parfum. Dans ce cas, nous devrons changer très rapidement de tactique. Il faudra peut-être qu'on la tue. Roz est sûr qu'elle s'intéressera à toi et qu'elle aura envie de t'essayer.

—Mais ce n'est pas un vampire…

Elle s'immobilisa sur la dernière marche.

—Non, mais les clubs de vampires font un bon terrain de chasse pour elle, et, apparemment, le sang des succubes est savoureux. Je n'y ai jamais goûté, je ne sais pas. À mon avis, elle se laisse mordre contre une heure ou deux avec le jouet de son choix. Elle s'amuse un peu, file à boire au vampire, et s'en va. Nous devons découvrir pourquoi elle traîne avec Karvanak et où il se cache. Si on a du pot, elle l'évoquera d'elle-même. Sinon, on établit le contact, on joue un peu, et on la traîne à la maison.

—Exquis. Tu veux dire que je pourrais gagner une fessée, dans tout ça.

Ce n'était pas une question. J'avais renoncé à lutter contre le courant.

—Possible.

Je frissonnai.

—OK, c'est parti. Je suppose que si Camille a été capable d'affronter la couche d'un dragon pour nous, je peux prendre le risque de me faire draguer et tripoter par un succube. Dis-moi juste pourquoi c'est toujours avec le sexe qu'on achète de l'aide ? On ne pourrait pas juste leur cuisiner un repas et les emmener voir un film ?

Ce fut à son tour de ricaner. Elle me sourit, puis se rembrunit.

—Laisse-moi te dire un truc, avant qu'on retrouve les autres. Fraale et Roz étaient déjà mariés quand on les a changés. Ils s'aimaient tendrement. Elle était la seule famille qui lui restait après que Dredge a tué ses frères et sœurs, et ses parents.

—C'étaient des Fae normaux ?

—Exact. Il était encore très jeune quand cela s'est passé : dans les quatre-vingt-dix ans. Un sorcier de passage s'est arrêté chez eux, et il a tenté de séduire Fraale. Alors que Roz intervenait pour le mettre à la porte, l'épouse du mec est apparue et elle a changé Fraale en succube. C'est là qu'ils ont compris qu'il ne s'agissait pas du tout d'un type normal et de son épouse frappadingue, mais de Zeus, qui tentait encore une fois d'aller voir ailleurs.

—Laisse-moi deviner. Sa femme, c'était Hera.

—Bingo. Et elle ne venait pas pour l'après-midi crochet. Elle était furieuse contre Zeus, mais elle s'est défoulée sur Fraale. Roz a supplié Zeus de la retransformer, mais il ne pouvait pas, alors il l'a changée en incube en croyant sans doute que ça réglerait le problème.

—Les dieux sont vraiment cons, parfois, grondai-je. Ils ne respectent même pas les règles.

—Les divinités grecques ? Jamais, dit-elle en soupirant. Je suppose que le joyeux duo a complètement oublié Roz et Fraale. Petit à petit, leurs nouvelles natures ont pris le dessus, et ils ont fini par se séparer. Ils ne pouvaient pas rester ensemble sans se traumatiser l'un l'autre. Ils étaient monogames avant cela, tu sais. Comme Père et Mère. C'est assez rare, chez les purs Fae, je sais, mais ça arrive.

Et merde.

—Je tâcherai d'être plus délicate, promis-je. J'ai bien vu sa tête quand il a senti l'écharpe.

—Bien, fit-elle en me poussant. Allons chercher Chase.

Quand je pénétrai dans la cuisine, toutes les conversations cessèrent. Camille lâcha son biscuit, qui sombra avec un « plouf » sonore dans sa tasse de thé. Iris s'interrompit au milieu d'une phrase. Flam toussota et dissimula promptement son hilarité, tandis qu'une expression horrifiée s'affichait sur les traits de Morio et de Zach. Roz sourit. Vanzir secoua la tête.

La seule voix à s'élever fut celle de Maggie, qui de son parc cria d'un air ravi :

—De-ya-yaaa!

Je la pris dans mes bras et frottai mon nez contre le sien, puis la tendis à une Iris toujours muette.

—Pas tous en même temps, surtout, fis-je. Est-ce que je vous parais prête pour *Le Fangtabula* ?

—Bon sang! s'étrangla Camille. Où as-tu déniché cet accoutrement? Certainement pas dans mon armoire!

—J'espère bien! commenta Flam.

—Va te faire… (Je levai les yeux au ciel.) Je n'aurais jamais cru que quelqu'un le verrait. J'aurais dû le jeter.

—Non, c'est parfait, m'assura Menolly. Et maintenant, en route. La fête commencera à battre son plein dans quatre-vingt-dix minutes à peu près, et je veux qu'on y soit avant qu'il y ait trop de monde. Avec un peu de chance, on aura le temps de trouver des indices.

Zach et Roz se levèrent pour prendre leurs vestes. Je lançai un coup d'œil aux autres.

—J'ai mon portable. Menolly aussi. Faites de votre mieux. Nous devons retrouver Chase avant que Karvanak…

Le souvenir de ce qu'il avait fait endurer à Vanzir, de toutes ces humiliations, tournait et retournait dans ma tête. Chase ne survivrait pas à un tel traitement. Ce n'était pas un démon, lui. Parviendrait-il seulement à se remettre de ce qu'il avait déjà traversé, si toutefois il survivait… ?

—On bouge, fis-je. Il n'y a pas de temps à perdre.

CHAPITRE 24

Le Fangtabula se situait à deux pas de l'endroit où nous avions combattu les vénidémons. Je songeai soudain que si les démons pactisaient effectivement avec certains vampires locaux, nous allions avoir de sacrées emmerdes. Et s'ils s'emparaient de nos maisons pour y installer leurs nids de mouches grotesques, que pouvaient-ils bien faire d'autre ? Où s'étaient-ils encore infiltrés ?

Je m'inquiétais également de la présence du portail que nous avions vu dans la vieille bicoque. Les démons avaient-ils également formé des alliances avec les créatures du royaume spirituel ? Essayaient-ils de gratter de tous les côtés pour grossir les rangs de leur armée ? J'exposai ces craintes à mes compagnons.

— Tu as peut-être mis le doigt sur quelque chose, répondit Menolly en fronçant les sourcils. D'habitude, les démons font un grand détour pour éviter les profondeurs, mais avec tout ce qui se passe en ce moment, les vieilles querelles et les coalitions ne sont peut-être plus ce qu'elles étaient. Si Vanzir a raison et que l'Ombre Ailée a vraiment pété un câble, on ferait mieux de se préparer à tout. Mais pourquoi les habitants des profondeurs voudraient-ils l'aider ? Que pourraient-ils y gagner ?

Elle conduisait la Lexus de Camille. Sa Jag était trop petite, et ma Jeep ne collait pas à son style. Toute en cuir, elle faisait vraiment maîtresse, en effet.

—Certaines créatures des profondeurs détestent les vivants, expliqua Roz. Celles qui ont un jour adopté une enveloppe corporelle sont frustrées d'avoir dû l'abandonner pour revenir errer parmi les ombres. Les démons leur ont peut-être proposé de leur faciliter l'accès au monde physique, en échange de leur aide.

—Je ne suis pas au courant de tout cela, intervint Zach en fronçant les sourcils, mais il se passe des choses bizarres, chez les pumas. Une atmosphère instable flotte aux frontières de nos terres, et nous avons doublé la garde pendant la nuit. On croirait presque que les araignées-garous sont de retour.

Je regardai par la fenêtre en frissonnant. Les araignées-garous avaient été un sacré morceau. À bien y réfléchir, Kyoka et Karvanak étaient peut-être du même acabit… à la différence que l'ancien chaman nourrissait une vieille rancune contre les pumas-garous, tandis que le Rākṣasa nous tenait directement dans sa ligne de mire.

—J'en doute. Du moins, j'espère que non, marmonnai-je. On a déjà assez de soucis comme ça. Peut-être qu'un autre garou a pris la place de Kyoka, mais lui il est mort, en tout cas.

Un autre frisson me parcourut en repensant à cette nuit. Hi'ran, le seigneur de l'automne, m'avait donné des ordres précis, et je les avais appliqués. J'avais envoyé l'âme de Kyoka vers les profondeurs de l'immense bassin d'énergie qui nourrit l'univers. Le peu d'essence qu'il lui restait peut-être avait depuis longtemps disparu dans les flammes blanches de la création. Pas moyen qu'il revienne. Mais cela ne voulait pas dire que le clan des chasseurs de la lune n'avait pas décidé de se reformer et de revenir à la charge.

Alors que nous filions à toute allure sur le macadam trempé, j'entrouvris la fenêtre pour laisser entrer un peu d'air. Les printemps, au nord-ouest, étaient plutôt frisquets, mais la fraîcheur humide me fit du bien. Je m'en remplis les poumons, la gardai un temps, puis la libérai doucement. On pouvait ne pas aimer la pluie et en apprécier les bienfaits.

Rozurial demeurait étrangement silencieux, et il me semblait percevoir comme une sorte de communication entre Menolly et lui. Je ne m'expliquais ni pourquoi, ni comment, mais j'avais vraiment l'impression qu'ils étaient en train de discuter. Qu'ils aient développé un rapport secret, ou juste appris à se comprendre, il y avait un lien entre ces deux-là. Je me demandai s'ils couchaient ensemble, puis chassai cette idée. Rozurial était tout sauf réservé, et il n'aurait jamais été capable de garder un tel secret pour lui.

— Qu'est-ce qu'on fera, en arrivant? questionnai-je. Est-ce que Zach est censé être un de tes jouets? Et si oui, pourquoi n'est-il pas en string?

Il grogna. Je souris.

— Un string? Tu te fous de moi? Je suis un homme à boxers moi, madame!

Je savais aussi qu'il ne portait, souvent, absolument rien.

Menolly toussota.

— Zachary en string laisse si peu de place à l'imagination que je préfère ne pas y penser. Ne le prend pas mal, Zach. Tu es très beau. C'est juste que ça ne colle pas.

Il se mit à rire.

— L'idée que tu puisses observer ma peau nue avec ces crocs étendus ne met pas particulièrement à l'aise non plus, donc on est quittes. Pas de string si ce n'est pas pour aller nager, et en pleine journée.

Elle renifla.

— Bien pensé. Pour répondre, ouais. Zach devrait jouer ma toute dernière acquisition, bien qu'il n'ait pas exactement la tenue qu'il faudrait, je te l'accorde.

Elle lança un regard par-dessus son épaule et se glissa sur la voie de gauche, avant de tourner sur Giles Boulevard. Nous n'étions plus qu'à quelques encablures du club.

— Ça me va, fit Zach. Je suppose, puisque tu es ma maîtresse, que je dois marcher quelques pas derrière toi ?

— Oui, et Delilah aussi. Il ne faut pas non plus me contredire en public, ni parler avant moi, sauf si c'est pour formuler une requête.

— Entendu, répondit Zach.

Alors qu'elle ralentissait pour entrer dans le parking, j'aperçus déjà plusieurs autres voitures. Je lançai un regard alentour. Il n'y avait pas grand monde dehors, mais compte tenu de la pluie, ça n'avait rien de surprenant. Les doubles portes de l'espèce d'entrepôt transformé en club arboraient une peinture rouge vif, qui contrastait affreusement avec les rayures noires et blanches des murs. L'édifice, haut de deux étages, était autrefois – à en croire le signe défraîchi encore inscrit sur le mur de derrière – une usine de conditionnement de viande. Vive l'ironie.

En descendant de voiture, je remarquai les deux videurs plantés devant les portes. L'instant d'avant, il n'y avait personne. À présent, ces gentlemen très imposants ouvraient le cordon de velours qui restreignait l'accès à la porte. Il allait falloir passer par eux pour pouvoir entrer. Ils portaient des tenues en polychlorure de vinyle qui semblaient aussi serrées que la mienne, de grosses bottes de motard et des lunettes noires, ainsi que des bâtons courts qui semblaient capables de fracturer les os d'un seul coup.

— Note pour plus tard, chuchotai-je. Ne pas laisser les frères Simili-cuir frapper les premiers.

— Ça ne va pas tourner à la confrontation, répondit Menolly d'une voix tendue. Ces gars sont des vampires. Si tu essaies de te battre avec eux, ils n'auront pas besoin de leurs matraques pour te maîtriser, chaton. L'un d'eux me paraît très ancien. J'ai l'impression qu'il a pas mal roulé sa bosse. Et plus la vie est longue, plus le vampire est puissant. Je me demande pourquoi Wade ne m'a pas parlé de lui.

— Il ne le connaît peut-être pas, avançai-je en arrangeant ma frange.

Zach regardait l'entrée d'un air hésitant.

— Je ne vous dis pas à quel point je n'ai pas envie d'entrer là-dedans. Mais je suis là.

Sa voix couinait légèrement, et je sentis des effluves de peur émaner de lui. Je ne pouvais pas lui en vouloir. Une bande de papillons organisait justement une petite sauterie dans mon ventre.

— T'inquiète, fit Menolly en lui tapotant le dos. On ne laissera personne te toucher. Si Fraale vient se présenter, laisse-moi parler.

J'inspirai profondément en tentant d'adopter l'état d'esprit, et l'attitude, du petit joujou d'un vampire. Soudain, je pensai à une expérience analogue : lorsque j'étais chat, et que j'avais envie qu'on me brosse ou qu'on me câline, je me frottais à Iris, ou à mes sœurs, en jouant la carte de la boule de fourrure toute douce.

Le chat domestique, tous les félins le savent, n'est qu'un leurre. Il aime ses humains, très certainement, et apprécie d'avoir une bonne maison. Mais, sous le vernis de coopération, bat toujours un minuscule cœur de tigre. *J'entre volontiers dans une cage dorée,* miaule le chat domestique à la tombée de la nuit, *mais jamais tu ne pourras emprisonner mon esprit.*

Je me concentrai sur le souvenir des bras d'Iris autour de moi, des ronronnements de plaisir qui montaient dans ma gorge. Je me rappelai ces fois où je dormais sur l'oreiller de Camille et qu'elle se réveillait dans la nuit pour me gratter derrière les oreilles en me disant combien j'étais mignonne. Oui, sous ma forme de chat, j'étais prête à porter un collier si cela me permettait d'être acceptée, aimée et protégée.

Sombrant dans l'énergie, je me rapprochai légèrement de ma sœur en poussant un petit miaulement. Elle se tourna vers moi, et sourit.

— C'est bien, ma belle. Je le vois dans tes yeux. Quand nous serons à l'intérieur, je t'appellerai Désirée, pour que personne n'entende ton vrai prénom. Toi, tu dis juste « maîtresse ». Tu es prête ?

— Oui… maîtresse.

— Très bien. Zach, tu devrais t'inventer un autre nom, toi aussi. Pourquoi pas Jerry ?

— Jerry ? cilla-t-il. D'où est-ce que tu sors ça ? Bon, va pour Jerry. Euh… oui, maîtresse. (Il inspira profondément et me regarda.) Delilah… Sois prudente… S'il te plaît ?

Je hochai la tête. Roz indiqua qu'il était prêt et s'éloigna. Il entrerait seul, et ferait profil bas, jusqu'à ce qu'on ait besoin de lui. Sur un dernier coup d'œil au parking, Menolly se dirigea vers les portes du *Fangtabula*.

Quand elle leur eut montré ses crocs, les videurs reculèrent avec un bref hochement de tête, et nous laissèrent passer en nous suivant des yeux.

Le club était *vampyr* à l'extrême. En d'autres termes : décoré pour plaire aux aspirants et aux touristes. Rouge et noir constituaient l'essentiel des couleurs, avec des touches de blanc et d'argent çà et là. L'espace qui s'ouvrit devant nous semblait tout droit tiré d'un film d'Elvira.

Un escalier descendait vers la salle principale, une pièce gigantesque au sol dallé de carreaux noirs et blancs. Du plafond, de plus de six mètres de haut, tombaient de grands panneaux de velours noir et rouge qui faisaient comme un labyrinthe de murs ondoyants.

Les lampes, faibles, mais stroboscopiques, créaient un vortex de lumière et d'ombres. On se serait cru sous le chapiteau d'un Cirque du Soleil gothique. Sauf qu'il s'agissait ici d'un entrepôt, pas d'une immense tente, et que les acrobates se fiaient plus à leurs pouvoirs surnaturels qu'à la force physique de leurs enveloppes mortelles.

De part et d'autre de la pièce, deux escaliers imposants menaient à l'étage, et au centre, je distinguai trois barrières délimitant l'espace d'une troisième cage d'escalier, qui descendait pour sa part vers les niveaux souterrains.

Le bar se trouvait contre le mur de gauche, entouré de tables et de box. Une grotte s'ouvrait dans la paroi d'en face. Elle me fit penser au « gouffre » du *Collequia* d'Outre-monde, une boîte de nuit doublée d'une fumerie d'opium que Camille fréquentait par le passé. Elle ne s'était jamais intéressée aux drogues, mais elle rencontrait là-bas nombre d'individus passionnants, y compris Trillian, ce qui résumait bien quel genre d'endroit c'était.

Plusieurs trios amoureux reposaient, alanguis, sur les divans ou les poufs géants qui constituaient le mobilier de la grotte. De toute évidence, une femme était en train de jouer les hôtes pour un vampire qui semblait sorti d'une version motard de *GQ*. Pas moyen de savoir si c'était une pute à sang ou non.

Le vampire était tout simplement magnifique. Ses cheveux roux, lumineux, lui tombaient jusqu'aux reins. Il portait un pantalon en cuir moulant, et pas grand-chose de plus. Il avait le nez enfoui dans le cou de la fille, et je crus qu'il l'embrassait, jusqu'à ce que j'aperçoive un mince filet de sang. Tandis qu'il léchait les gouttelettes, une à une, la blonde ferma les yeux et rejeta le menton en arrière avec un air d'extase.

Sentant, peut-être, mon regard sur lui, il releva la tête, et, sans cesser de laper, il plongea ses yeux dans les miens. Je fus incapable de me détourner. Hypnotisée par son incroyable beauté, je me figeai, rougis, et commençai à respirer plus fort. Il me déshabillait, couche après couche, des vêtements jusqu'aux os. À ma plus grande horreur, je me sentis mouiller, et ma main glissa vers mon pubis sans que je puisse l'en empêcher.

Je geignis.

Menolly pivota en un éclair, me regarda, et se tourna vers le vampire en faisant s'étendre ses canines avec un sifflement puissant. Surpris, il fit refluer son énergie et je le sentis sortir de mon espace. Sur un hochement de tête courtois à ma « maîtresse », il reporta son attention sur la jeune femme qui le nourrissait.

—Merde! souffla ma sœur. C'était vraiment charmant! Essaie de garder les yeux baissés, chaton. Toi aussi, Zach. Certains de ces vampires sont très puissants. Je ne serais peut-être pas capable de les empêcher de vous séduire. Ne les regardez pas en face. De toute façon, vous êtes censés m'appartenir, et garder les yeux sur vos pieds jusqu'à ce que je vous ordonne le contraire.

Sur un signe de tête, elle se dirigea vers le centre de la salle. Zach et moi la suivions à trois pas de distance. Je sentais la présence toute proche de Roz, mais ne le vis nulle part. Il savait se cacher.

Plus nous nous enfoncions dans le club, mieux je comprenais pourquoi Menolly avait voulu qu'on arrive en avance. Déjà, cela nous permettait de repérer Fraale plus facilement. En outre, je ployais presque sous l'énergie de l'endroit, pourtant si peu fréquenté encore. Terrifiante, enivrante, elle me donnait envie de me transformer. *Le Fangtabula* était un buffet varié d'émotions et de faims.

Soudain, ma cadette se figea en levant très légèrement la main. Je faillis lui rentrer dedans. Zach aussi.

Juste devant nous, assise à une table ronde entourée de chaises rouges en plastique dur, se trouvait une femme. Ce n'était pas un vampire ; même moi je le savais. Quelque chose me dit qu'il s'agissait de Fraale.

On ne pouvait pas dire qu'elle soit d'une beauté époustouflante. D'ailleurs, au premier regard, on l'aurait même qualifiée de « commune ». Pas désagréable à regarder, mais rien de la beauté classique. Des cheveux châtains, ternes. Mais au deuxième coup d'œil, le cœur chavirait complètement. Elle irradiait. Sa chevelure prenait des reflets dorés, et ses lèvres un bombé délicieux.

En nous voyant approcher, elle se leva. Ce n'était pas du tout la femme que j'avais imaginée : ni très grande – juste deux centimètres de moins que Camille, à vue de nez, ni vraiment élancée – elle devait probablement s'habiller en 42, voire en 44. Mais je suivis avec plaisir ses courbes exquises, glissant sur les seins souples et ronds remontés par un soupçon de dentelle rose appartenant sans doute à un *push-up*. Mon regard s'arrêta sur la gaine en latex, qui enserrait sa taille avant d'épouser la rondeur de ses hanches sous une robe rouge moulante.

Je tentai de ralentir le rythme de ma respiration. Qu'est-ce qui se passait…? Il m'était déjà arrivé de me sentir attirée par des femmes, mais ce soir ma libido semblait en feu. D'abord le vampire, puis un succube… Étais-je soudain devenue obsédée? À moins qu'ils vaporisent quelque chose dans l'air. Sans doute du Brise touche et sexe, dans ce cas.

Menolly rejeta les épaules en arrière. À sa posture, je compris que la femme l'attirait également. Zach se rapprocha de moi, millimètre par millimètre. Je sentais la tension dans tout son corps.

Mais avant que ma sœur ait pu ouvrir la bouche, Fraale nous fit signe de la rejoindre. Notre plan soigneusement fignolé s'effondra sur lui-même quand elle nous dit, d'une voix si basse que je faillis ne pas entendre:

—Je sais qui vous êtes. Vous prenez de gros risques en venant ici. Inutile de poursuivre le petit scénario que vous avez préparé. (Elle regarda tout autour d'elle.) Rozurial, tu crois vraiment pouvoir te cacher de moi? Je sais que tu es là. Tant qu'à faire, montre-toi. Je reconnais ton odeur malgré toutes ces années.

Sa voix était douce, presque blessée. Elle inclina la tête, et j'eus envie de l'embrasser pour chasser la peine que j'avais sentie dans ses mots.

L'incube apparut derrière un pilier voisin.

—Je ne serais pas venu si nous n'avions pas besoin de ton aide. Dis-moi une chose, une seule – et si ton cœur se souvient du respect que nous nous portions autrefois, tu me répondras honnêtement: t'es-tu associée avec le Rāksasa?

Fraale nous regarda lentement, l'un après l'autre. Quand ses yeux s'arrêtèrent sur moi, je crus y voir briller l'éclat d'une larme. Elle cilla.

— Sur mon honneur, et sur celui des jours que nous avons passés comme mari et femme, je jure que je ne suis pas son alliée. Il me contrôle. Ce n'est pas mon choix.

— Comment ? demanda l'incube en lui faisant signe de s'asseoir pendant que nous nous installions. Dis-nous.

Elle lui lança un regard peiné et baissa la tête. Alors qu'elle reprenait sa place, son glamour parut s'estomper un peu, et je n'eus plus devant moi que les yeux malheureux d'une femme endeuillée.

— Il ne devrait plus tarder à arriver. S'il me surprend en train de vous parler…

— Nous serons partis avant, la coupa Menolly. S'il te plaît, on a besoin de ton aide. Si tu n'es pas de mèche avec lui, peux-tu au moins nous écouter ?

Elle y réfléchit un moment, puis soupira.

— Très bien. Qu'ai-je à perdre, après tout, sinon la vie ?

— Ce ne sera pas le cas, assura Roz. Maintenant, dis-nous ce que tu fais avec Karvanak.

— J'ai croisé son chemin par accident, commença-t-elle lentement. Il m'a trouvée au lit avec un de ses plus jeunes jouets. Il était fou de rage. Il se faisait une joie à l'idée de… de déflorer ce pauvre garçon. Je ne pouvais pas le laisser faire. Ce petit n'avait pas même dix-huit ans. C'était un poète, un artiste. Il n'aurait jamais survécu au traitement que Karvanak lui réservait. Le démon m'a fait une proposition : il le laisserait partir, en échange de quoi je lui permettrais de se nourrir de mon énergie pendant un an. Comment pouvais-je dire non, et envoyer ce pauvre enfant à l'échafaud ? Il me rappelait mon frère, Rozurial. Il ressemblait à Marion [1].

Roz pinça les lèvres et baissa la tête.

— Alors tu as sacrifié ta liberté pour le sauver ? fit Menolly.

Fraale hocha la tête.

— Et je le paie d'un prix bien amer. Karvanak est ignoble. Il m'ordonne de venir ici chercher un camarade de jeu et de le, ou la, ramener chez lui. Et là, il les détruit. J'ai obéi par deux fois déjà, mais je ne pourrai pas continuer très longtemps. Je préférerais mourir. Croyez-vous pouvoir faire quelque chose pour moi ?

J'allais répondre quand Menolly sursauta sur son siège.

— Karvanak. Il est là.

Elle nous désigna une table près du fond. Nous ne voyions pas grand-chose, à part l'arrière de sa tête. Impossible pourtant de se méprendre sur ce crâne luisant, ce costume onéreux, et l'odeur de jasmin, d'orange et de sucre vanillé qui flottait jusqu'à nous.

Je me levai prudemment en tâchant de ne pas attirer l'attention.

— Je crois qu'il ne nous a pas vus, mais il faut qu'on s'en aille tout de suite. Fraale, tu connais cet endroit. Par où peut-on sortir ?

Si nous nous dirigions vers la porte, nous passerions juste devant lui, et la grotte n'était pas suffisamment pleine pour se faufiler dans la foule.

Elle hésita.

— Les catacombes, répondit-elle enfin. C'est le plus simple. Il ne descendra jamais là-dedans. Il n'aime pas

---

1. « Marion » est un prénom masculin aux États-Unis.

les vampires et ne vient ici que pour finaliser des accords commerciaux. Venez, suivez-moi, vite !

Avant que le Rāksasa ait pu nous apercevoir, nous nous glissions dans l'escalier. Je priai tous les dieux actuellement disponibles pour qu'elle nous ait dit la vérité. Sans quoi, nous risquions de nous retrouver très bientôt dans de sales draps.

CHAPITRE 25

Les niveaux inférieurs du club étaient nettement plus glauques que le rez-de-chaussée. Ici, les gros carreaux noirs et blancs s'étiraient sur les murs *et* le sol. J'en avais presque le tournis. L'escalier débouchait sur un hall, qui lui-même s'ouvrait sur plusieurs couloirs. Les portes, situées à égale distance les unes des autres, avaient toutes la même taille et la même couleur. Pas le moindre signe distinctif. Bizarrement, cela me donna la chair de poule. Qu'est-ce qui pouvait bien rôder derrière ? Et comment les gens savaient-ils où entrer ?

Je me rapprochai de ma sœur.

—Qu'est-ce que c'est que cet endroit ?

Elle coula un regard vers Fraale.

—Les catacombes. Les vampires viennent ici pour se reposer et se nourrir. Il doit y avoir un moyen d'attribuer les salles, mais j'ignore lequel. De toute façon, je vous déconseille d'ouvrir ces portes au hasard.

Roz et Zach prirent l'arrière de notre formation. L'incube lançait de fréquents coups d'œil par-dessus son épaule. Son ex et lui avaient à peine échangé quelques mots, et maintenant, il semblait regarder partout, sauf dans sa direction.

—On ne peut pas rester trop longtemps ici, dit-il. On est trop remarquables. Quelle est la prochaine étape ?

Je me tournai vers le succube. Inexplicablement, j'étais désolée pour eux deux.

— Pourrais-tu nous conduire à la planque de Karvanak? lui demandai-je. Nous devons secourir mon petit ami.

Elle me dévisagea un instant sans répondre, puis elle hocha la tête.

— Je vais vous aider. Il se cache non loin d'ici, dans le sud de Seattle.

Elle parlait d'une voix lasse. J'eus le sentiment qu'elle avait vu trop de choses dans sa vie. Elle ne semblait pas taillée pour l'existence à laquelle Hera l'avait soumise.

— Tu prends de gros risques, remarquai-je.

Elle haussa les épaules.

— Je m'en fiche. Si Karvanak doit me tuer, alors qu'il le fasse. Ce n'est pas comme si j'avais une famille qui m'attendait chez moi. Je ne peux plus continuer à lui amener des innocents pour qu'il les brutalise. Je refuse de vivre comme ça.

Elle s'adressait à moi, mais ses yeux restaient fixés sur Rozurial. Je compris qu'elle l'aimait toujours.

— Dans ce cas, on ferait mieux de bouger, décréta Menolly. Il y a une sortie souterraine ici, ou…? (Elle s'interrompit, main levée.) Attendez! Je sens une odeur familière…

— Karvanak? demandai-je.

— Non. C'est…

— Putain de merde! criai-je.

Une porte venait de s'ouvrir sur ma droite et une main m'attrapa le bras. Vêtu d'un tee-shirt noir et d'un jean, le vampire m'attira près de lui avec une telle poigne que je ne pus strictement rien faire. Je me débattis, en vain. Les canines de Menolly s'allongèrent dans un sifflement menaçant. Il me mordit.

D'instinct, je m'écartai et sentis ma peau se déchirer sous ses dents. Il avait une force de pit-bull! Pourtant, surpris par le mouvement, il me lâcha. Je m'éloignai en titubant. Le sang coulait de ma nuque perforée.

Menolly fondit sur lui et le jeta par terre alors qu'un second vampire entrait dans le hall. Celui-ci semblait plus vieux. Je sentais sa puissance. Il observa ma sœur, qui se figea, et lui rendit son regard.

— Tu appartiens au clan du sang d'Elwing, murmura-t-elle.

Mon vampire aux mains baladeuses, qui affichait déjà une belle ecchymose et n'était, de toute évidence, pas un adversaire de taille à affronter ma sœur, lança un coup d'œil à la scène et se coula furtivement dans l'escalier. Sage décision. Cependant, je réalisai soudain qu'un seul mot de lui risquait de retourner toute la maison contre nous. Je saisis Roz par le bras et lui désignai le fuyard.

— Il faut l'arrêter ! m'écriai-je en commençant à courir.

Il me retint par le poignet.

— Si tu remontes en saignant comme ça, tu es morte. Non, on dégage. C'est trop tard. Il va donner l'alerte, et Karvanak pourrait bien décider de descendre avec les autres pour voir ce qui se passe.

Pendant ce temps, Menolly et le vieux vampire se tournaient autour.

— Salope ! siffla-t-il. Traîtresse ! Tu as tué notre sire ! Tu as brisé le serment et tu t'es retournée contre ta propre lignée ! Je préférerais te rejoindre en enfer que te laisser sortir d'ici vivante !

D'un bond, il fut sur elle. Menolly parvint à se dégager et à lui planter son talon dans la poitrine. Le choc le projeta contre le mur. Malheureusement, elle avait raté le cœur.

Rugissant, il revint à la charge, et cette fois-ci la mit à terre. J'eus envie de m'élancer, d'intervenir, mais je n'étais pas folle. Ils avaient tous deux adopté leur forme démoniaque, crocs étirés, yeux rouge sang. Leurs démons intérieurs avaient brisé leurs chaînes. Si j'essayais de m'interposer, je finirais en charpie. Soudain le sol trembla, et un grand vacarme nous parvint de l'étage.

Frénétique, je me tournai vers Roz.

—Il faut qu'on dégage!!

Sur un dernier regard à la cage d'escalier, il ouvrit son manteau comme un exhibitionniste forcené. Le métal d'une dizaine d'armes différentes suspendues à des crochets étincela brièvement dans la semi-pénombre. Il tira un objet rond d'une poche et le jeta sur le sol à côté des deux combattants. Une puissante odeur d'ail emplit la salle.

Menolly et son adversaire se séparèrent en hoquetant. L'incube en profita pour lancer une autre bombe à l'ail dans la bouche ouverte du vieux vampire, qui se mit à hurler et à se consumer de l'intérieur dans une bouffée soudaine de fumée blanche. Zach et Roz attrapèrent chacun Menolly par un bras pour la remettre debout tandis que Fraale nous désignait un passage latéral.

—Il y a une sortie par là. Je l'ai déjà prise.

La nuque palpitante, je m'élançai dans le dédale de couloirs avec mes compagnons. Les portes s'ouvraient sur notre passage. Des vampires aux yeux brillants nous regardaient passer d'un air affamé. À l'intérieur des pièces, je perçus de brèves images d'hommes et de femmes à demi nus, mollement étendus sur des lits ou des divans. Le sang ruisselait, là sur un torse, ici entre des seins. Les geignements s'élevaient un peu partout. Extase et agonie marchaient main dans la main, au *Fangtabula*. Mais personne ne nous poursuivit. Du moins, pas sur le coup. Nous avions réussi à prendre un peu d'avance quand des cris s'élevèrent derrière nous.

Quelques marches nous séparaient encore d'une porte métallique surmontée d'un gros panneau «sortie» lorsque la première vague arriva. Menolly, qui s'était remise de la bombe aillée, fit volte-face et se campa devant nous, avec Roz. Zach et moi étions juste derrière, et Fraale dans notre dos.

Une dizaine de vampires se dirigeait vers nous, conduits par celui qui m'avait attaquée. L'adversaire de Menolly était également là, soutenu par l'un de ses frères. Parmi eux se trouvait l'entraîneuse que j'avais remarquée près du bar. Lorsqu'elle s'avança, je grognai.

Elle avait dû faire du body-building dans son ancienne vie, parce qu'elle était bâtie comme une maison en briques : des seins et des biceps énormes, une taille minuscule, et des quadriceps archidéveloppés qui me mettaient mal à l'aise. Pour couronner le tout, elle était légèrement plus grande que moi. Elle portait un pantalon à franges blanc lacé sur le côté, un petit haut court à l'effigie des Hooters, qu'elle remplissait largement, et des bottes de cow-boy avec des talons de un kilomètre de haut parsemées de diamants fantaisie couleur orange. Ses longs cheveux blonds coulaient dans son dos. Il ne lui manquait plus que le bronzage californien. Pour ça, elle était aussi livide que les autres. Elle sourit, allongeant les canines, et presque sans y penser, je songeai que le rouge à lèvres rose pâle n'était peut-être plus tellement sa couleur.

— Ton invitation vient d'expirer, dit-elle à ma sœur.

— On s'en allait, justement. Laissez-nous partir, et on ne fera pas de problème.

La vampire amazone se lécha les babines en louchant sur ma nuque.

— Trop tard, lâcha-t-elle en tentant de s'élancer entre Menolly et Roz.

Ma sœur poussa un grondement féroce et lui balança un coup de boule qui la fit reculer de quelques pas. L'incube tira de son arsenal un truc qui ressemblait à une cordelette de pétards, qu'il alluma et jeta dans la foule. Succédant à l'odeur de poudre brûlée, un relent d'ail, épais, s'éleva de nouveau.

Je toussai en m'étranglant sur la vile mixture, mais je constatai que les vampires en souffraient beaucoup plus. Plusieurs d'entre eux firent marche arrière pour s'élancer vers l'escalier. La femme stéroïde, par contre, y semblait quasiment insensible, ainsi qu'une poignée d'autres.

—Ah, merde, gronda Roz. Elle doit être immunisée.

Elle éclata de rire.

—Dis donc, tu crois qu'on laisse les employés sans protection, ici?

Avisant Menolly qui s'apprêtait à l'attaquer, elle lui colla une gifle phénoménale du revers de la main. Ma sœur, précipitée sur moi, m'entraîna vers le sol.

Alors s'éleva un hurlement strident qui m'aurait fait exploser les tympans si je n'avais pas eu le réflexe de les protéger. Fraale bondit par-dessus nos corps étendus, et, atterrissant avec légèreté sur la pointe des pieds, prit une grande inspiration.

—Couvrez-vous les oreilles! cria Roz.

Nous obéîmes sans hésiter. De la bouche grande ouverte du succube jaillit un cri funèbre d'une puissance inégalée. Pire encore que celui d'une banshee. Les poings sur les hanches, jambes écartées, elle avait quelque chose de terriblement inhumain qui me figea. Les vampires, tout aussi surpris, reculèrent comme un seul homme en la dévisageant avec un mélange d'avidité et… de peur?

Roz me saisit par le bras en me guidant vers l'escalier.

—Monte!

Menolly poussait Zach devant elle. Fraale s'élança derrière nous. Déjà nos poursuivants reprenaient du poil de la bête. Tout en courant de toutes mes forces vers la voiture, je vis Roz tirer quelque chose de son manteau et le lancer sur un véhicule noir. Nous avions juste rejoint la Lexus lorsqu'une violente explosion fit trembler le parking et nous projeta, Zach et moi, sur le capot.

—Putain de merde! Qu'est-ce que...

—Bouge! ordonna Roz en m'entraînant vers la place avant tandis que Menolly nous ouvrait les portes grâce au système de fermeture à distance.

Nous bondîmes à l'intérieur. Zach, Roz et Fraale s'effondrèrent pêle-mêle à l'arrière.

Je regardai les flammes dévorer ce qui était un bref instant plus tôt une BMW flambant neuve. Les vampires se tenaient à distance, sauf deux, qui avaient réussi à contourner le brasier. Gonflée par le vent, la boule de feu ressemblait à un champignon de fumée et de flammes, et lançait une pluie d'étincelles dans la nuit.

Menolly quitta le parking à quatre-vingt-dix à l'heure dans un crissement de pneus. Les flics devaient être occupés avec une autre affaire, ou réunis pour danser la java toute la nuit dans je ne sais quelle guinguette. Quoique le hurlement des sirènes grandisse au loin, je ne vis aucune voiture de patrouille. Je remerciai mentalement l'État d'avoir réduit leur budget. Chase se plaignait constamment du manque de main-d'œuvre, et je savais qu'il ne plaisantait pas.

Nous étions à cent vingt lorsque nous retrouvâmes les artères principales. Ma sœur leva, légèrement, le pied et regarda dans le rétro. C'était sûrement très déconcertant pour les autres de ne pas voir le reflet de leur conductrice, mais j'avais l'habitude.

—Tout le monde est en un seul morceau? demanda-t-elle.

—Je crois, répondit Zach. En tout cas, une chose est sûre.

Je me laissai aller contre mon siège en essayant de retrouver mon calme.

— C'est quoi ? demandai-je.

— Vous allez devoir blinder vos barrières magiques. Je ne crois pas que les membres du *Fangtabula* ont l'intention d'en rester là.

— Zach a raison, dit Roz. Ils sont frappés, là-dedans. Ne nous leurrons pas : nous étions à deux doigts de nous faire piéger comme des rats. Et croyez-moi, ça n'aurait pas été joli joli.

— Encore moins quand Karvanak nous aurait mis la main dessus, renchérit ma sœur. Fraale, tu ne peux pas y retourner. On va chercher Chase et on se casse. Dis-moi où je dois aller.

Le succube renifla.

— Oh, oui, je suis sur sa liste noire à présent. Il ne fera qu'une bouchée de moi s'il m'attrape. Et ce n'est pas une métaphore. Je l'ai vu faire. Un jour, il était tellement en colère contre l'une de ses servantes qu'il s'est changé en tigre pour lui manger le bras. Vous ne voulez pas savoir ce qu'il lui avait fait avant cela. Elle s'est vidée de son sang en hurlant.

À sa voix étranglée, je sus qu'elle disait vrai.

Tremblante, je pêchai mon portable dans la boîte à gants où je l'avais jeté avant d'entrer dans le club, et composai le numéro de Camille, qui répondit presque instantanément.

— On a eu des ennuis, annonçai-je, mais pour l'instant, on se dirige vers chez Karvanak avec Fraale. Prends Flam et Morio et rejoins-nous là-bas. Grouillez-vous. On a besoin de vous. On a peut-être des vampires aux trousses, aussi, alors assure-toi que Maggie ne reste pas seule. Je ne sais pas ce que tu peux faire, mais nous allons devoir rester sur le qui-vive, même chez nous, à partir de maintenant. Menolly a rencontré quelqu'un du clan du sang d'Elwing qui n'a pas semblé enchanté de la revoir.

— Par la grande mère des dieux! murmura-t-elle. C'est la merde! OK, je trouverai un truc. On se met tout de suite en route. Je ne peux pas contacter Flam autrement que par un appel silencieux, mais il devrait l'entendre et nous rejoindre. Où est-ce qu'on va?

Je tendis le téléphone à Fraale.

— Donne-lui l'adresse, s'il te plaît.

— C'est au 23 585, rue des Forsythias. Une petite maison verdâtre, un peu en retrait. Faites attention au jardin, il est piégé. Restez bien sur le chemin.

— C'est bon? demandai-je en reprenant l'appareil.

Je lançai un coup d'œil au rétroviseur extérieur. Jusqu'à présent, rien n'indiquait que nous étions suivis, mais ça ne voulait rien dire. Les vampires et les démons avaient de nombreuses façons de se déplacer.

— Ouais, c'est noté, répondit Camille. Vanzir est là. Nous l'emmenons. Nous avons besoin de tout le monde sur ce coup. Il devra juste veiller à ne pas se faire prendre. Ce n'est pas la meilleure idée du monde, je sais bien, mais je vais… (Elle baissa la voix. Je compris qu'elle ne voulait pas qu'on l'entende.) Je vais lui ordonner de… de se tuer, s'il pense être sur le point de se faire attraper.

Je gardai les yeux rivés sur l'obscurité. La lune courait vers sa phase sombre, et la nuit ressemblait à un long silence de cimetière.

— Ouais. C'est probablement le mieux, répondis-je au bout d'un moment. Tu crois qu'on aura de nouveau une vie normale, un jour?

Elle partit d'un rire légèrement étranglé.

— Oh, mon chaton, on pourrait prendre un escalier pour les étoiles sans jamais retrouver la normalité! Non,

347

j'ai bien peur qu'on soit coincées dans le cauchemar. Et tu sais quoi ? Ce n'est pas grave, parce que nos vies ont un sens. Je pense que nous devrions être fières de porter ce fardeau alors que tout n'est que fureur et violence aveugle autour de nous. Nous avons un impact sur les choses. Du moins, c'est ce que nous devons nous dire, sans relâche. Soyez prudents. On arrive dès que possible.

Refermant mon portable, je regardai par la vitre. Alors que Menolly sinuait dans les ruelles, nous menant à sait-on quel désastre encore, les nuages se fendirent brièvement, laissant apparaître une portion de la voûte étoilée. Froids, austères contre le velours du ciel, les astres brillaient, magnifiques. Certaines choses ne changeaient jamais. Dans ce tourbillon de colère, de folie et de haine, les étoiles au moins étaient, pratiquement, éternelles.

CHAPITRE 26

L a rue des Forsythias se nichait dans la zone industrielle, très à l'écart de la route principale, si bien qu'il fallait vraiment savoir où chercher pour avoir une chance de tomber dessus. Avant de s'y engager, Menolly coupa les phares, transformant ainsi la Lexus de Camille en ombre pure, fantomatique et silencieuse, se coulant imperceptiblement dans la nuit. Fraale nous indiqua la maison au passage. Nous allâmes nous garer quelques mètres plus loin.

—J'aime mieux éviter de m'arrêter juste en face, expliqua ma petite sœur. Il y a trop de risques qu'on remarque la voiture et qu'on la démolisse pour nous empêcher de fuir.

Elle descendit du véhicule en glissant les clés dans sa poche de poitrine, qu'elle ferma.

—Allons-y. Il faut qu'on soit ressortis avant que Karvanak arrive.

Karvanak. Je frissonnai. Plus j'en apprenais sur ce démon, plus mon estomac réagissait avec violence à l'évocation de son nom. L'histoire de cette pauvre servante qui l'avait agacé restait ancrée dans ma mémoire. Pas moyen de la chasser. Et pourtant, j'étais à moitié chat… j'avais déjà tué sous cette forme, mue par la faim, bien sûr, mais par ma seule nature également. Toutefois, la réaction du Rākṣasa transpirait la rancune et la malveillance pure. Quoi qu'elle ait fait, cette femme ne pouvait pas être à ce point à côté de la plaque.

—Qu'est-ce qu'on doit s'attendre à trouver, là-dedans ? m'enquis-je. Des démons, à part Karvanak ?

—Plusieurs blurgblurfs, répondit le succube. Quelques vénidémons adultes. Une poignée de guerriers humains et des serviteurs. Mais ces derniers sont généralement des fugueurs qu'il a ramassés à la station de bus pour les exploiter ou s'amuser un peu. Ils risquent surtout d'essayer de s'enfuir. (Elle frissonna, et se tourna lentement vers moi.) Je sais que j'ai fait des choses terribles durant toutes ces années. Cela fait partie de mon travail. J'ai séparé les familles, brisé le cœur des hommes, foulé les rêves des femmes. Mais je n'ai jamais rien vu d'aussi horrible que ce qui se passe derrière ces portes closes.

—Tu ne peux pas lutter contre ta nature, Fraale, lui dit Roz. Je suis sûr que rien de ce que tu as pu faire ne ressemble, même de loin, au gouffre infernal dans lequel Karvanak précipite ses victimes. (D'une voix presque mélancolique, il ajouta :) N'envisage même pas de te comparer à lui. Il est cruel et malsain. Toi pas.

Elle lui lança un regard glacial.

—Ah non ? Parce que tu sais ce que j'ai fait durant ces trois cents dernières années, peut-être ? Tu ignores tout de moi ! Qui te dit que je ne suis pas devenue une psychopathe et une tueuse en série ? Rozurial. Nous nous sommes vus quatre fois, en tout et pour tout, depuis que les dieux ont décidé de détruire nos vies. Et pas une fois, pas une seule, tu n'as pensé à me demander comment j'allais. Tu préfères inventer n'importe quelle excuse pour te débiner !

Rozurial montra les dents.

—Laisse notre vie commune en dehors de tout ça. C'est du passé. Il n'y a pas moyen de faire marche arrière, et les regrets ne feraient qu'empoisonner les souvenirs que nous en conservons. Tu étais la prunelle de mes yeux, Fraale.

Et je t'aimais encore après que cette salope de Hera t'a transformée. J'ai tellement souffert de te voir changer, puis de connaître le même sort que toi! Mais tu sais aussi bien que moi que ça n'aurait plus marché entre ceux que nous devenions. J'ai pleuré toutes les larmes de mon corps, jusqu'à ce qu'il ne reste plus rien de moi, à part un trou béant.

Le visage du succube se contorsionna.

—Alors, tu m'as quittée. Tu m'as laissée toute seule.

—Il le fallait! Pour te sauver. Pour *me* sauver. Pour protéger ce que nous avions partagé. (Il se laissa aller contre la voiture.) Je suis sûr que tu comprends pourquoi nous devions passer à autre chose. Et cette conversation prouve encore que nous ne pouvons pas rester très longtemps à proximité l'un de l'autre. Il y a trop de souvenirs, de regrets, de colère entre nous. Je ne pouvais pas te sauver alors, et je ne le peux toujours pas aujourd'hui.

Elle le dévisagea. Je crus un instant qu'elle allait tenter sa chance, et jouer la carte de l'amour. Comment aurait-il pu résister à ses larmes, à l'expression de son cœur brisé? Mais au bout d'un moment, elle secoua la tête et se tourna vers la maison.

—Tu as raison, dit-elle doucement. Les dieux ont gagné, et nous avons perdu. Dépêchons-nous d'en finir. Plus vite ce sera fait, plus vite je pourrai enfin quitter cet endroit. Et j'aimerais partir avec la certitude que je ne devrai pas passer mon temps à regarder par-dessus mon épaule en me demandant si Karvanak va arriver sur la pointe des pieds pour me trancher la gorge.

Elle lança un coup d'œil à Menolly, et d'un ton hostile, termina:

—C'est évident, ce qu'il ressent pour toi. Mais prends garde à ton cœur. C'est un incube. Il ne pourra plus jamais aimer sans faire souffrir. Il est né pour baiser, et larguer. Comme les succubes. Nous utilisons les autres ; voilà tout.

Ma sœur leva sagement les mains.

— Hé, calmos ! Je n'ai rien à voir là-dedans, moi, ajouta-t-elle, un peu radoucie. Je ne sais pas ce que tu t'imagines, mais il ne se passe absolument rien entre Roz et moi. Tout ce que je veux, c'est entrer là-dedans et sauver le petit ami de Delilah avant qu'il finisse en steak haché au menu de Karvanak.

Fraale fronça les sourcils, et haussa les épaules.

— Dépêchons-nous. Il est certainement en train d'arriver.

— On ne ferait pas mieux d'attendre Camille et les autres ? s'inquiéta Zach en me touchant l'épaule.

Je secouai la tête.

— Non. On ne peut pas se permettre de rester plantés là. On va devoir commencer ce combat tout seuls, et prier pour que ça ne parte pas en vrille avant leur arrivée. Si seulement je ne portais pas cette connerie de merde ! m'écriai-je en tirant sur mon pantalon. C'est pas ça qui va me protéger.

La maison étirait sa grisaille verdâtre sur deux étages, et ressemblait beaucoup au manoir de la famille Munster – sauf qu'au lieu d'un Herman tout guilleret, c'est un démon perse fana de la torture de couilles que nous risquions d'y rencontrer.

Bâtie un peu en retrait, il fallait, pour l'atteindre, suivre une allée étroite en béton craquelé. L'herbe folle poussait dans les lézardes et envahissait le jardin, mélange de feuilles mortes et de jeunes pousses s'éveillant au retour du printemps dans les fougères et les buissons de ronces.

— Où est Chase ? À quel étage ? demandai-je.

Alors que j'observais les lieux, je pris subitement conscience de la situation : le policier, terrifié, se trouvait quelque part là-dedans avec un morceau de doigt en moins. Les dieux seuls savaient ce qu'on lui avait fait d'autre. Et nous étions son seul espoir. Je pris une profonde inspiration et m'engageai dans l'allée, en me souvenant de ce que Fraale avait dit à propos des pièges. Les autres m'emboîtèrent le pas.

— À la cave, je crois, répondit le succube. C'est tout de même le meilleur endroit pour empêcher un prisonnier de s'enfuir.

— Il a des gardes ? continuai-je en faisant craquer mes jointures.

Elle secoua la tête.

— Rien de plus que ce que je vous ai dit : des blurgblurfs, des vénidémons et quelques HSP. C'est déjà suffisant, je pense.

— Ouais, et je suis moyennement chaude pour affronter tout ça. Ces blurgblurfs sont de sacrés durs à cuire. Je l'ai appris tout récemment. (En atteignant l'entrée, je demandai :) Et les portes ? Elles sont piégées aussi ?

— Pas que je sache.

— Bien ! Ça me suffit.

Je soulevai la porte-écran de ses gonds et balançai un grand coup de pied dans la poignée. La serrure céda, et la porte s'ouvrit à la volée. Mon cœur se serrait au souvenir des larmes pâles de Fraale. Rozurial avait laissé partir celle qu'il aimait. Pire, il lui avait tourné le dos. Bien sûr, les chances étaient contre eux ; mais en cédant, il avait laissé les dieux l'emporter. Je ne comptais pas commettre la même erreur avec Chase. Pas tant qu'il ne m'aurait pas dit clairement qu'il voulait que ça s'arrête – alors, je m'éclipserais gracieusement. Dans le cas contraire, nous ferions en sorte que ça marche.

J'entrai dans un salon rempli de meubles aussi ruineux que de mauvais goût. Les autres, derrière moi, se dispersèrent.

— Où est la cave… ? commençai-je, avant d'être interrompue par l'arrivée de trois grands bonshommes solidement charpentés et tout de cuir vêtus.

Ils n'avaient pas une tête à faire de la magie, mais les apparences peuvent être trompeuses. Leurs épées, en tout cas, luisaient d'une légère teinte bleutée. Des lames enchantées. Parfait pour contrôler les créatures comme les vénidémons, quand les armes à feu se révélaient inutiles. Pratique, également, pour sectionner rapidement bras et jambes.

J'inspirai profondément, et… Merde ! Ma dague ! Je l'avais laissée à la maison ! Comment avais-je pu…

— Chaton ! Attrape !

Je pivotai. Camille, Vanzir et Morio déboulaient dans la pièce. Ma sœur me lança mon arme.

— J'ai pensé que tu pourrais avoir besoin de ça, me dit-elle en observant les trois hommes d'un air enchanté. Hé, mais on dirait que vous nous avez trouvé des copains !

Elle se figea, et je sentis l'énergie tournoyer autour d'elle. Oh-oh ! Sort douteux en préparation ! N'empêche que, quand ils fonctionnaient, ce n'était pas à moitié.

J'attrapai ma dague par la poignée et lui lançai un sourire éclatant.

— Je t'aime aussi, beauté ! Allez, c'est parti !

Les hommes s'élancèrent vers nous, les yeux brillant de joie perverse. Je le sais : je reconnus l'expression. L'adrénaline courait dans mes veines. Je bondis, en regrettant de ne pas être en jean. Mais j'oubliai ces considérations vestimentaires en entrant dans le combat.

À ma gauche, Roz brandissait une vilaine lame crantée. À ma droite, Menolly fondait sur l'ennemi, les crocs étendus et les yeux rougeoyants. Tout en attaquant le motard restant, j'entendis Morio dire à Camille :

—Garde la magie pour plus tard. Ils peuvent très bien s'occuper de ces trois-là, et nous allons avoir besoin de toute notre énergie pour Karvanak.

L'affrontement débuta. La longue lame incurvée de mon adversaire était tachée de sang. À l'abri de la mienne, je rassemblai mes forces en me demandant combien d'hommes, et de femmes, il avait déjà tué. Lorsqu'il frappa, je le repoussai en mettant tout mon poids derrière ma dague. Il tituba de quelques pas vers l'arrière, mais se ressaisit bien vite et lança son épée vers mes jambes. D'un bond, je la laissai filer sous moi comme une corde à sauter, et, me la jouant Bruce Lee, je passai par-dessus sa tête pour atterrir dans son dos, arme brandie.

Il se retourna sèchement, surpris. Profitant de sa confusion, je bondis derechef, en lançant cette fois le pied vers son bras armé. Mon talon transperça le cuir et les chairs pour se planter dans le muscle.

Oh, merde! J'étais coincée! Je secouai la jambe, déchirant son bras sur une bonne longueur, tandis que ses hurlements remplissaient toute la pièce. Il fit un saut en arrière, ce qui me permit de me dégager en vacillant, et de me lancer dans un saut périlleux arrière pour atterrir en position accroupie.

—Salope! hurlait mon adversaire, en proie, manifestement, à d'horribles souffrances.

Il était en train de perdre le contrôle, et je comptais bien le pousser par-dessus bord. L'art de la guerre, première leçon : la provocation amène généralement l'ennemi à jeter le bon sens aux orties, et cela, à commettre des erreurs.

Un sourire grandit sur mon visage alors que je faisais claquer ma lame dans ma main.

—Allons, bébé. Tu ne vas quand même pas te laisser rouster par une minette? grimaçai-je en lui envoyant un baiser. Je te proposerais bien de te sucer, mais je sens que ta queue est aussi grosse que mon petit doigt, et je ne fais pas dans la crevette.

Oh, oui, ça fonctionna! Il se jeta sur moi en rugissant, arme brandie au-dessus de la tête, m'ouvrant tout grand l'accès à sa poitrine.

Ah, la magie de la fureur aveugle, songeai-je, *qui transforme un homme adulte en véritable crétin… !*

Ma dague traversa les airs en sifflant pour se planter dans son cœur. Je reculai avec un petit pas de danse. Soudain, il comprit qu'il n'irait plus nulle part. Son épée lui tomba des mains et atterrit derrière lui. Il baissa les yeux vers le manche qui lui sortait du torse, vers les bulles de sang qui jaillissaient déjà, et les releva vers moi, l'air interdit.

L'odeur cuivrée de l'hémoglobine me remplit les narines. Je salivai. En un éclair, je la sentis, éveillée et consciente : Panthère tirait sur ses chaînes. L'homme était proche du trépas, et la fiancée de la mort, en moi, se réjouissait de voir la vie s'en écouler lentement.

Alors qu'il s'effondrait en avant, je récupérai ma lame. Son regard croisa le mien. J'y lus du choc et de l'incrédulité. Puis il tomba par terre et resta immobile. Il était mort.

J'essayai de chercher dans mon cœur un semblant de regret, mais je ne pensais qu'à Chase, que je devais sauver, et au fait que cet homme était peut-être celui qui lui avait tranché le doigt. Essuyant ma lame sur son dos, je me tournai vers les autres.

Roz avait coupé son adversaire en deux. Celui de Menolly gisait dans un coin. Pour l'instant, nous étions de nouveau seuls.

Camille alla ramasser une épée.

—Ça pourrait servir, suggéra-t-elle. Ce n'est pas du fer, mais une sorte d'alliage. L'enchantement sert juste à augmenter leur résistance et leur efficacité. Je ne crois pas qu'il agisse plus particulièrement sur une race ou une espèce quelconque.

Elle en lança une à Morio, l'autre à Rozurial, et me tendit la troisième. J'observai la lame courbe.

—Je ne sais pas, j'ai l'habitude de ma dague, et ça doit être dur de courir avec ça. D'un autre côté, c'est sûrement pratique pour maintenir l'ennemi à distance. Tu la veux, Vanzir ?

Le démon regarda l'objet avec une mine gourmande que je lui avais rarement vue.

—Elle va me servir à lui découper le cœur, murmura-t-il en parlant, je le savais, de Karvanak.

Acceptant l'arme, il la fit siffler dans les airs. À la façon dont elle chantait entre ses mains, je lui supposai une grande expérience.

Je regardai Morio.

—Dis voir, tu n'aurais pas de fringues de rechange dans ce sac par hasard ?

—Quoi, tu n'aimes pas avoir l'air d'une allumeuse ? dit-il. Si, je dois avoir une tenue de karaté. Le pantalon risque d'être un peu court, mais ce sera toujours mieux que ce que tu portes maintenant.

Ouvrant son sac, il me lança un pantalon noir et un haut blanc, ainsi qu'une ceinture, noire également.

—Merci, dis-je en retirant ma tenue de torture. (Tout le monde me regardait. J'étais nue sous le lamé.) Matez tant que vous voudrez, les gars, pour l'instant je m'en fous. Je veux juste enlever cette saleté et enfiler un truc qui ne me démange pas le minou.

Camille se mit à rire alors que je fermai le pantalon (il m'arrivait à mi-mollets) et que je nouai la ceinture.

—Tu te sens mieux ? demanda-t-elle.

— Carrément. Le tissu est beaucoup plus lourd que cette saloperie, ajoutai-je en donnant un coup de pied dans le petit tas doré qui brillait sur le sol. Au moins, ma peau peut respirer maintenant.

— Emporte-la quand même, conseilla-t-elle. Morio, mets-la dans ton sac. Ces vêtements sont imprégnés de son odeur et de son essence. Autant éviter qu'un sorcier mette la main dessus.

— Bien vu, commenta le démon renard en s'exécutant.

— OK, fis-je, maintenant, on va chercher Chase. Il ne nous reste plus qu'une poignée de nains coriaces et de mouches démoniaques à éliminer.

La seule issue donnait sur un couloir, dans lequel je m'engageai. La maison, bien qu'en meilleur état, me rappelait celle des vénidémons. Par contre, je ne pensais pas trouver de portail ici. L'énergie n'était pas assez puissante. Du moins, je l'espérais.

J'ouvris chaque porte devant laquelle nous passions. Derrière la première, nous trouvâmes tout un tas de tapis précieux, en laine, magnifiques, faits main. La suivante donnait sur une salle de bains, et la troisième sur une chambre à coucher somptueuse, dans laquelle flottait l'odeur du Rāksasa. J'allais entrer quand Camille m'arrêta.

— Attention, je sens de puissantes barrières magiques. Si tu passes le seuil, ta tête risque d'exploser. Contentons-nous de trouver Chase et de le sortir de là, suggéra-t-elle en me forçant à reculer.

J'acquiesçai en regardant autour de moi.

— Fraale, où est la cave ?

Je ne voulais pas perdre mon temps à courir dans tous les sens comme un poulet décapité. Camille avait raison : notre priorité était de délivrer le policier. Nous reviendrions plus tard pour Karvanak.

—Tu vois cette porte, là-bas ? Celle qui semble donner sur une nouvelle pièce ? répondit-elle en m'indiquant l'issue, située de l'autre côté de l'arche qui quittait ce couloir. C'est celle-là. Il y fait humide et froid, à cause des travaux. Je n'ai aucune idée de l'endroit où se trouvent les vénidémons. Karvanak a bien insisté pour qu'on ne les laisse pas errer en liberté au sous-sol. Ces créatures débiles auraient pris ton policier pour un buffet à volonté.

Bien. Un problème de moins. Restaient les blurgblurfs. Eux, en revanche, n'étaient pas idiots. Dangereux, oui. Répugnants, assez. Mais stupides ? Non. Je tendis la main vers la poignée.

—Restez sur vos gardes, conseillai-je. À mon avis, ça rote des flammes en bas. N'entrez pas là-dedans sans être prêts à vous défendre, et n'oubliez pas que celui qui rôdait sur notre terrain m'aurait fait griller comme une saucisse sans l'intervention de Roz.

J'ouvris la porte. Une odeur fétide s'éleva des profondeurs. Ouaip. Le doux parfum des blurgblurfs. Délicieux. Une paire de mirettes brillait dans la pénombre.

Ça, c'est sûr, ce ne sont pas des yeux de chat, songeai-je. Décidant de la jouer Han Solo, je dévalai l'escalier en criant de toutes mes forces et j'agitai ma dague comme une enragée.

Apparemment, le courage aveugle et insensé avait ses avantages, parce que j'atterris tout droit sur le ventre d'une ignoble créature avant qu'elle ait pu se remettre de son étonnement.

Le blurgblurf donnait l'impression d'avoir avalé sa langue. Sans lui laisser le temps d'ouvrir la bouche, je levai ma dague et lui crevai les yeux. S'il avait la peau dure, ses globes oculaires, eux, ne l'étaient pas. Une giclée de mucosité verdâtre m'aspergea.

—Euurkkk.

Je grimaçai. C'était franchement dégueu, mais je n'avais pas le temps de m'inquiéter des taches que ce truc laisserait sur les habits de Morio, ni de penser à quoi que ce soit, d'ailleurs. J'étais sur pilote automatique : chercher l'ennemi, et le détruire. Aller secourir le preux chevalier jeté aux oubliettes. Foin des hésitations et des remords ! Je tournais à l'adrénaline et à l'instinct.

Je me levai d'un bond tandis que mes compagnons me rejoignaient, prête à accueillir la raclure suivante.

Un mouvement attira mon regard. Je pivotai à temps pour voir un autre démon libérer un jet de flammes qui frappa Vanzir en plein ventre. Il ne cilla même pas. Je me demandai sérieusement de quel bois les chasseurs de rêves étaient faits. Nous ne l'avions jamais vu sous sa forme native. Un grondement sourd roula dans sa gorge. En un éclair, il s'avança, et découpa une jolie petite niche dans le bras du monstre avant que sa lame rebondisse contre la peau épaisse. La vache, ces enflures étaient résistantes !

—Dégagez ! ordonna Morio, d'un ton qui rappelait un peu celui de Flam.

Il était en train de se transformer. En quelques secondes, il atteignit les deux mètres quarante, le nez et le menton se fondant en longue gueule aux crocs dégoulinant de bave. Je le regardai, comme toujours impressionnée par sa forme de *Yokai*. Contrairement aux garous, il se tenait sur deux jambes, et ses pieds et ses mains, bien que couverts de fourrure rousse, restaient ceux d'un humain. Pourtant, les yeux, dans ce vague faciès de canidé, reflétaient totalement l'âme du Morio que nous connaissions. Le tout donnait un sacré morceau, et plutôt effrayant.

J'eus juste le temps de bondir hors de son chemin pour le laisser plonger sur le monstre ventru et le soulever dans ses bras. Le blurgblurf poussa un cri étranglé, puis prétendit lui mordre la truffe, mais, sans lui en laisser l'occasion, Morio le saisit par la nuque et le projeta contre un mur. Toute la maison trembla. La créature glissa le long de la paroi avec un gargouillement humide. Le *Yokai* se retourna vers Camille, qui hocha la tête.

C'est alors que j'aperçus une porte à l'extrémité de la cave. Chase était là. J'en étais persuadée. Je m'élançai sans m'inquiéter de savoir s'il y avait d'autres démons dans la pièce. Alors que je saisissais la poignée, j'entendis un bruissement derrière moi et lançai un bref coup d'œil par-dessus mon épaule. Menolly et Morio jouaient au volley avec un autre blurgblurf. Je les ignorai – ils étaient capables de gérer ça tout seuls – et ouvris la porte.

Quand j'allumai la lumière, des cafards s'enfuirent dans toutes les directions. La pièce était petite, à peine plus grande qu'un cagibi, et vide, à l'exception d'une chaise située près de la porte, et d'une cage montée contre le mur du fond. Une cellule, vraiment, avec des barreaux courant du sol au plafond. Une ampoule dénudée, vissée à même la voûte, déversait généreusement ses quarante watts. Une épaisse couche de crasse recouvrait les parois. Cela sentait le sang, la merde, et la bouffe pourrie.

Avalant le nœud qui se formait dans ma gorge, j'avançai, les yeux rivés sur la geôle. Blotti dans un coin sous une fine couverture, à même le matelas, se trouvait Chase. Mon doux, mon tendre Chase.

Il leva vers moi un regard vitreux. Au moment où il me reconnut, une profonde incrédulité s'afficha sur ses traits, et il se mit à pleurer.

—Chase! Chase! criai-je en tirant sur la porte, évidemment verrouillée. Attends. Je vais chercher de l'aide. (Je retournai dans l'autre pièce. Le troisième monstre était à terre.) Menolly, viens me plier ces barreaux ! J'ai trouvé Chase !

Ma sœur courut vers moi sans presque toucher le sol et s'enfonça dans le réduit. Elle grimaça en regardant tout autour d'elle, puis, sans se laisser déconcentrer, elle saisit les barreaux et entreprit de les tordre.

— Attends ! intervint Morio en déboulant sous sa forme humaine. Laisse-moi juste m'assurer qu'il ne s'agit pas d'une illusion, au cas où.

Une lumière éclatante remplit la pièce, mais tous les visages se révélèrent authentiques.

Menolly s'attaqua derechef aux barreaux, qui grincèrent d'une façon sinistre en s'écartant un millimètre après l'autre. Malgré les cloques qui lui couvraient les paumes (ils devaient contenir du fer), elle ne montra ni douleur ni hésitation. À la longue, elle parvint à ménager une ouverture assez grande pour lui permettre de se glisser dans la cage.

— Laisse-moi faire, me dit-elle. Je suis plus forte que toi, je pourrai le porter sans problème.

Sur ce, elle alla s'agenouiller près de Chase en lui murmurant quelque chose. Il hocha la tête. Elle le prit dans ses bras et, jetant cet homme qui mesurait trente bons centimètres de plus qu'elle sur son épaule, elle le porta jusqu'aux barreaux.

Je le pris par la main et l'aidai à sortir. Le moignon sanguinolent de son petit doigt avait tout l'air de s'être infecté.

Je me fis violence pour ne pas exploser en sanglots. Je devais rester forte, pour lui. Être son point d'ancrage. Les dieux seuls savaient à quel point il se sentait à la dérive et terrifié en ce moment.

Pâle et tremblant, il s'adossa aux barres et murmura :

— Delilah, je suis tellement, tellement désolé…

Je posai un doigt sur ses lèvres.

—Chut. Tais-toi. Nous aurons tout le temps de discuter plus tard. L'important maintenant c'est que tu reçoives des soins.

Je lui passai un bras autour de la taille pour le conduire hors de la petite pièce. Camille s'étrangla lorsque nous apparûmes, mais, en voyant mon expression, elle resta immobile.

Zach s'avança.

Chase le dévisagea. Son regard las donnait l'impression qu'il avait fait un aller et retour en enfer. Je priai pour qu'il n'ait rien connu de pire que le doigt sectionné. Ses yeux passèrent de Zachary à moi.

—Tu… Tu… Je comprends.

Une fois de plus, je posai un index sur sa bouche.

—Chut, chut. Ce n'est pas important. Inutile d'en parler maintenant. Nous devons sortir d'ici avant que Karvanak arrive…

Un éclair de terreur pure traversa son regard.

—Il est toujours en vie?

J'ouvrais la bouche quand une voix, dans l'escalier, répondit à ma place:

—Hé oui! Elles n'ont pas plus eu l'occasion de me tuer que toi de me combattre. J'ai apprécié tes efforts, policier, ne crois pas. Après tout, c'est vrai, qu'est-ce que tu aurais pu faire? Je te tenais plaqué au sol et te forçais à me baiser les pieds.

Karvanak se tenait là, dans son costume Calvin Klein et ses chaussures vernies, ses yeux cruels disparaissant sous des lunettes de soleil enveloppantes. La lumière dansait sur son crâne rasé. Il me fit un petit sourire.

—Mademoiselle chat, tu as volé mon jouet! Ignores-tu ce qu'il arrive aux matous trop curieux? Je suppose que je vais devoir te l'apprendre. Et toi, Fraale, tu oses te retourner contre moi, comme cette vermine de Vanzir ? Vous n'imaginez même pas l'enfer qui vous attend. Je vous jure que vous allez vous en mordre les doigts tout le restant de votre misérable existence.

Soudain, un grand homme apparut derrière lui. Vêtu d'une longue robe noire, il paraissait vaguement chinois, mais ses origines étaient difficiles à cerner. En tout cas il ne s'agissait pas d'un motard HSP. Non. Son pouvoir, émanant par vagues, déclencha mon alarme interne. Elle se mit à sonner avec tant de force que je me crus sur le point de hurler.

D'un seul coup, je sus. Comment, je l'ignore. Mais je compris. Malgré les apparences, ce n'était pas un humain. Oh non. Rien n'aurait pu s'en éloigner davantage. C'était un Scytatian tiré des profondeurs. Un porte-faux. Karvanak hocha la tête, visiblement satisfait.

— Oh oui, tu peux avoir peur ! Je sais qui tu es, fiancée de la mort, mais tu es encore jeune. Ni toi, ni tes amis ne pouvez espérer battre un porte-faux.

Figée, je sentis mon tatouage frontal tournoyer et pulser en réponse à l'apparition de la créature.

Sans la quitter des yeux, j'expliquai à mes compagnons :

— Les Scytatian viennent du royaume de la mort, du monde des faucheurs. Je le sens au plus profond de mon être. Nul autre que moi n'est en mesure de le vaincre, et ce grâce à mon lien direct avec les profondeurs. Alors, si je tombe, fuyez immédiatement. Je peux vous assurer que cette chose n'hésitera pas à vous arracher le cœur et à le grignoter pour son goûter.

Ainsi, nous attendîmes, immobiles, pendant ce qui parut une éternité, que les digues cèdent et que l'affrontement commence.

CHAPITRE 27

Aucun combat ne ressemble à un autre. L'esprit en est chaque fois différent. Sur les champs de bataille flottent moins les fantômes des victimes que l'âme de la guerre. De même, les lames ont une conscience. Un nom. Parfois, l'acier et l'argent restent silencieux jusqu'à ce qu'on les amène, doucement, à sortir de leur réserve. Il arrive qu'ils ne s'ouvrent jamais. Ou qu'ils s'éveillent d'eux-mêmes.

Alors que j'observais le Scytatian, je sentis ma dague palpiter dans ma main. Je cessai de respirer. Était-ce possible ? Elle ne m'avait jamais parlé. Pourtant une voix de femme, délicate, éthérée, aussi froide que la glace, murmurait dans ma tête :

— *Lysanthra. Tel est mon nom. Je suis ton arme.*

Sans quitter l'ennemi des yeux, je répondis de la même façon :

— *Je m'appelle Delilah. Je suis Fae, humaine et garou. Et je… je suis une fiancée de la mort.*

J'avais beau détester ce terme, il fallait bien regarder la vérité en face : j'appartenais aux royaumes des hommes, des fées et des félins, mais je marchais également dans l'ombre de la mort, sur les traces de mon maître.

Sur cet assentiment, la vérité que je tentais de refouler depuis plusieurs mois me frappa de plein fouet. Inutile d'essayer de fuir mon destin. Je devais affronter, et accepter, celle que j'étais en train de devenir.

Delilah. Delilah, la fiancée de la mort, qui fauche et oblitère. La moissonneuse des âmes.

Ma lame m'envoya un éclair d'énergie dans la paume. Son rire léger résonna à mes oreilles.

— *Ton père a fait le bon choix, en me donnant à toi. Réveille-moi, Delilah. Je t'aiderai à cheminer dans les ténèbres. Je t'apprendrai à devenir forte et à garder ton âme intacte alors que la folie fait rage autour de toi.*

La prédestination en marche. Arrêt sur image sur le tournant décisif d'une vie.

— *Comment dois-je procéder ?* m'enquis-je. *Et pourquoi ne m'avais-tu jamais rien dit ?*

Son souffle me chatouilla le coude, l'épaule, courut jusqu'à mon cœur.

— *Je ne me révèle qu'à l'être qui aime de toute son âme, et qui m'emploie pour protéger l'objet de son affection. Tu as bien failli me réveiller plusieurs fois déjà, mais aujourd'hui… Aujourd'hui tu es prête à mourir plutôt que de voir souffrir celui que tu chéris.*

Chase. Il ne pouvait s'agir que de lui. Oui. J'étais amoureuse de Chase. Malgré ses mensonges, et la passion que m'inspirait Zachary, je l'aimais toujours. Insensé ? Peut-être. Mais parfois, le cœur a ses raisons… Les sorcières du destin aiment s'amuser avec nous.

— *Dis-moi quoi faire.*

La voix de Lysanthra était si délicate qu'on aurait pu la prendre pour le tintement des carillons dans la brise, ou l'appel léger d'un oiseau de nuit à sa mie.

— *Prononce trois fois mon nom à voix haute. Alors, je serai tienne. Mais je ne peux pas t'aider à tuer cette créature. Pour cela, tu vas avoir besoin de tes propres pouvoirs.*

Je levai le bras. Le Scytatian attendait, silencieux, maussade. Karvanak semblait s'impatienter, quoiqu'il ne fasse rien pour hâter le déroulement des choses. Sage décision. Le Scytatian pourrait en faire de la pâtée en moins de trois secondes.

—Lysanthra, Lysanthra, Lysanthra!

Un rai de lumière jaillit de sa pointe. Je me sentis rougir. Une force nouvelle s'écoulait dans mes veines. Ma dague se tut, mais je sus que nous étions liées.

Camille nous regarda en silence, mon arme, puis moi. Menolly ouvrit la bouche, mais notre grande sœur la fit taire d'un geste et me sourit, l'air grave.

Je me tournai vers nos ennemis.

—Hé toi, le démon de merde! Si tu es si sûr de toi, ramène un peu ton cul par ici, et montre-nous ce que tu sais faire! Ça va, le Scytatian te protège. Qu'est-ce que tu attends encore? Ne me dis pas que tu as peur!

Karvanak émit un grondement sourd et se mit à scintiller. Ses traits se changèrent en face de tigre et ses ongles se fendirent sous la poussée d'énormes griffes. Il s'avança.

Soudain s'éleva un bruit de train lancé à toute allure. Un tourbillon d'argenté et de blanc dévala l'escalier, renversant le démon. Tout droit jailli de la mer ionique, Flam atterrit à califourchon sur le Rāksasa, et entreprit promptement de le rouer de coups. Mais l'autre était coriace. Parvenant à dégager une main, il balança les griffes en travers du visage du dragon.

—Hé! Pas touche! cria Camille.

Elle brandissait la corne de cristal, qu'elle avait pourtant utilisée quelques jours plus tôt. Disposerait-elle encore de beaucoup de puissance?

La réponse me parvint sous la forme d'un rayon de glace, qui bondit de la pointe comme un éclair gelé, et frappa Karvanak en pleine tête, entre les deux oreilles. Profitant de la distraction, Vanzir et Menolly chargèrent.

Le Rāksasa rugit, culbuta le chasseur de rêves et le piétina pour atteindre Zachary qui tentait de protéger Chase. D'une gifle, il l'envoya valser contre le mur, puis se tourna vers le policier, toujours en état de choc.

Menolly s'élança mais Zach fut plus rapide. Il se releva péniblement et chargea, frappant le démon d'un coup de tête au creux de l'estomac qui le fit tituber en arrière. Ma sœur mit ce temps à profit pour entraîner Chase un peu plus loin.

Karvanak pivota en hurlant de rage et jeta le puma-garou au sol d'un coup de pied dans les reins. Au moment où Flam intervenait, mon attention s'égara. Le Scytatian passait à l'offensive.

Pour moi, ça ne faisait aucun doute : il avait l'intention de tuer tous ceux qui se trouvaient dans cette pièce. Nous finirions peut-être en amuse-bouches mais Karvanak, s'il était encore vivant, suivrait sur le menu. L'invocation d'esprits, fût-ce par un démon, ne fonctionnait jamais vraiment comme on l'avait prévu.

Je rangeai Lysanthra dans son fourreau en me concentrant sur l'énergie tournoyante qui pulsait sur mon front.

— Hi'ran, murmurai-je, prête-moi ta force. J'ai besoin de ton aide.

Un petit rire, mêlé au crépitement des flammes, me parvint dans un souffle aux odeurs de cimetière.

— Je t'envoie de l'aide. Laisse-toi aller, maintenant. Transforme-toi. Tu es la seule à pouvoir tuer cette créature. Tes sœurs mourront si tu ne le fais pas.

Ainsi, je libérai Panthère. Ma colonne vertébrale s'étira en même temps que mes membres se changeaient en pattes. La fourrure recouvrit tout, paumes, face, oreilles pointues. Mes canines s'allongèrent, luisantes et aiguisées. Le monde était baigné de gris. Les odeurs devenaient plus intenses, les pulsions impérieuses.

Laissant la transformation s'achever, je sombrai dans l'énergie somptueuse de mon être-panthère. Alors que la brume se levait autour de moi, j'aspirai profondément, et me retrouvai face au Scytian. Une fois encore, tous les autres avaient disparu. Je me battais seule, dans l'astral.

Sous ma forme de bipède, j'avais peine à distinguer la créature drapée d'obscurité. Maintenant, je percevais clairement ce qu'elle était : une incarnation de la mort. Débarrassée de ses voiles, elle se tenait là, lumineuse et blanche, aussi brillante que le magma qui court vers la surface du monde.

Elle étincelait avec tant de force que je ne pouvais presque pas la regarder. Heureusement, ma troisième paupière me protégeait. J'avançai lentement. Les griffes d'un garou normal n'auraient jamais pu l'effleurer. Les crocs rebondiraient sur sa peau. Mais, ainsi soutenue par l'énergie du seigneur de l'automne, j'avais le pouvoir de vaincre les êtres venus des profondeurs.

Je m'accroupis, laissant le Scytian approcher. Un… encore un tout petit peu de patience… Deux… mouvement de croupe. Légère modification de l'angle… Trois… à l'assaut ! Je bondis et le saisis entre mes pattes avant. Pendant une fraction de seconde, je sentis son champ d'énergie aspirer mon essence, mais je me dégageai brusquement. Il vacilla, à peine, en comprenant sans doute qu'il m'avait sous-estimée.

Soudain, il me mit à terre avec une force et une aisance phénoménales. Je fis tout mon possible pour l'empêcher de me broyer contre lui. S'il parvenait à me passer les bras autour du cou, je serais foutue. Je jetai la tête en arrière et lui plantai les crocs dans l'épaule tandis que nous roulions sur le sol.

C'est alors que je commis une erreur.

Dans l'espoir de trouver une meilleure prise, je le lâchai un instant. Il en profita pour me faire basculer au-dessus de lui, en glissant un bras autour de mon ventre, et l'autre de ma gorge. Les pattes dressées vers le ciel, je me contorsionnai, en vain. L'oxygène commençait à me manquer. Je me débattis encore sans oser me retransformer, de peur qu'il me brise la nuque comme un cure-dents. Langue pendante, je sentis que je perdais conscience.

Dans la grisaille brumeuse, je crus percevoir un grondement sourd au loin. Mais déjà l'obscurité gagnait. J'avais échoué. Je n'étais pas assez forte pour protéger mes sœurs. Menolly, Flam et Rozurial parviendraient peut-être à s'enfuir, mais cette créature balaierait tous les autres, y compris Vanzir. Je cessai de me battre.

Mon âme tourbillonnante quittait son enveloppe. Hi'ran me laisserait-il le temps de saluer mes ancêtres avant de m'appeler auprès de lui ? J'espérais voir ma mère, au moins une dernière fois…

MAIS AÏE HEU !!!

On m'avait mordu la queue, et fort ! Assez pour m'imposer de réintégrer mon corps. J'ouvris les yeux. Le Scytatian avait relâché son étreinte. Je pouvais de nouveau respirer. Je me dégageai d'un bond pendant qu'il se relevait. L'énergie palpitait autour de lui. Il tentait sans doute d'invoquer quelque chose. À mon avis, ça ne risquait pas d'être beau.

Je cherchai autour de moi ce qui m'avait sauvée *in extremis*, et à ma grande surprise, je découvris un léopard. Aussi tacheté que j'étais noire, avec un bout de tissu dans la gueule, il – ou plutôt, elle, car je sentis qu'il s'agissait d'une femelle – cligna des yeux et gronda doucement. Elle me semblait terriblement familière. Pourtant, j'avais l'impression qu'elle était morte sur le plan physique. Ici, en tout cas, elle était forte, toute en finesse, et oh bon sang, elle pouvait blesser mon ennemi! Ce morceau de haillon, dans sa bouche, provenait de sa robe!

À cet instant, celui-ci libéra un éclair d'énergie dont je reconnus la saveur. Magie de la mort. Il n'affecterait pas mon amie fantôme, mais moi, si. Je parvins à l'éviter de justesse. Il s'écrasa à un cheveu de moi.

Le léopard chargea. Je m'ébrouai, cherchant à faire passer mes crampes, puis attaquai à mon tour, par l'autre côté. Quand le Scytatian se décala légèrement pour éviter ma compagne, je m'aplatis derrière lui. Il trébucha, et s'effondra en arrière.

Elle s'empressa de lui planter les crocs dans le bras pendant que je lui bondissais sur le torse. Pesant de tout mon poids, je contemplai un instant son visage lumineux, si blanc, si magnifique, que je parvenais à peine à distinguer ses traits, puis j'entrepris de lui déchiqueter la gorge à coups de dents. Les pattes de mon alliée, à présent occupée à l'éviscérer, me chatouillaient le ventre.

La créature s'agita en poussant un cri strident. Je resserrai ma prise, jusqu'à ce que je sente son énergie s'échapper comme l'air d'un ballon percé. Alors, d'un seul coup, elle disparut. Pouf. Envolée.

Je demeurai immobile, les yeux rivés sur l'endroit où elle se trouvait un bref instant plus tôt. Le léopard fantôme enfouit doucement le nez dans mon cou, puis recula. Je la regardai. Je savais ne jamais l'avoir vue. Pourtant, je la connaissais.

— Qui es-tu ? demandai-je.

Elle gronda légèrement.

— Je comprends que tu ne t'en souviennes pas. Je te suis depuis le premier jour. Comment te sens-tu ?

— Bien, je crois. Attends, comment ça, « depuis le premier jour » ?

Je penchai la tête de côté, en savourant la solidité rassurante de mon corps musclé. Je me sentais presque invulnérable quand Panthère entrait en scène – tout en sachant que je ne l'étais pas.

Elle soutint mon regard. Ses yeux brillaient comme des émeraudes. Dans l'auréole de lumière qui l'encadra soudain, je perçus une image de cheveux dorés flottant dans le vent. Mais déjà, elle commençait à s'estomper. Trop tard, je compris, et m'élançai vers elle.

— Non, attends, ne pars pas ! Reviens !

J'atterris à l'endroit où elle se tenait jusqu'alors, et de loin me parvint un ultime message :

— Je serai toujours là, sœurette. Je veille à jamais sur toi.

Sur ce, elle disparut. Je sentis une odeur de feux de bois s'élever tout autour de moi, et je m'évanouis.

Quand je revins à moi, j'avais repris ma forme coutumière, et Camille me tapotait les joues.

— Delilah ? Delilah, ça va ?

Je clignai des yeux, aveuglée par une lumière violente, et m'appuyai sur ma sœur qui m'aidait à m'asseoir. Merde, mais où est-ce que j'étais ? Un coup d'œil circulaire m'apprit qu'il s'agissait de l'infirmerie du FH-CSI. On m'avait installée sur une table.

— Combien de temps je suis restée dans les vapes ? grimaçai-je.

J'avais un mal de crâne à se le défoncer contre un mur.

— Une heure, environ. Tu t'es cognée sur un tuyau en tombant, mais Sharah pense que ça devrait aller. Comment tu te sens ? (Attirant une chaise roulante jusqu'à moi, elle me força à y prendre place.) Interdiction de marcher tant qu'on ne sera pas sûrs que tu ne nous fais pas de commotion cérébrale.

En me rappelant comment j'étais arrivée ici, je fus prise de panique.

— Chase… Comment va-t-il ? Et… Karvanak… ?

J'essayai de me lever, mais un vertige effroyable me força à me rasseoir. Je devais m'être méchamment cognée, ouais.

Tandis que Camille me poussait dans le couloir, la mémoire me revint peu à peu. Karvanak. Chase. Et… ma sœur. Le léopard fantôme. Ainsi, c'était donc vrai. J'avais eu une jumelle. Je ressassais la nouvelle en silence. Nous franchîmes des doubles portes et entrâmes dans une grande salle de réveil, qui contenait trois lits et plusieurs chaises.

Chase était là, assoupi. Dans la série « bizarre », Menolly se trouvait près de lui et lui tenait la main.

Enroulé dans des bandages qui le faisaient ressembler à une momie, Zachary dormait lui-même un peu plus loin. Flam, assis sur une chaise, me parut épuisé pour la toute première fois. Quant à Vanzir, il avait un bras en écharpe et portait plus de bandes et de pansements que je pouvais en dénombrer. Tout le monde, y compris Camille, était couvert de bleus.

Morio et Sharah entrèrent derrière nous.

—Comment va Chase? m'enquis-je, en faisant signe à Camille de me pousser jusqu'au lit.

Menolly recula avec un petit sourire qui, chez elle, se traduisait par : « Victoire ! »

—Il va s'en tirer, m'assura Sharah. Quoique nous n'ayons aucun moyen de lui recoudre le doigt. C'est surtout pour son esprit que je m'inquiète. Je reconnais les signes de torture, y compris ceux qui ne laissent pas de marque. Il a connu l'enfer. Je lui ai donné un sédatif. Le repos est essentiel dans le processus de rétablissement.

Je regardai mon policier en me demandant comment nous allions surmonter tout cela. Allait-il parvenir à combattre les nouveaux démons qui viendraient le hanter ?

—Et Zach ? demandai-je doucement.

Elle haussa les épaules.

—Ses jours ne sont pas en danger, mais son dos mettra sans doute un moment à guérir. Il s'en est fallu de peu que Karvanak lui brise la colonne vertébrale. Il aurait pu rester paralysé. En l'occurrence, il lui a fracturé le coccyx, la hanche, la jambe, deux vertèbres et le poignet… Sans compter les innombrables dégâts tissulaires. Je doute qu'il puisse marcher tout seul avant six mois, et il risque de boiter jusqu'à la fin de sa vie. Il est encore trop tôt pour se prononcer.

—Il a été blessé alors qu'il tentait d'aider Chase, me rappela Menolly. Il s'est jeté entre le Rākṣasa et lui.

Je me levai malgré les récriminations de Camille et me dirigeai prudemment vers Zachary. Les images du combat me revenaient brutalement en mémoire. Du sang, tellement de sang sur nos mains… Mon pouls s'accéléra soudain et je réalisai qu'aujourd'hui, au lieu de craindre mes souvenirs, je brûlais de continuer la chasse, de trouver et lacérer l'ennemi.

—Tu as sauvé Chase, murmurai-je en l'embrassant sur le front. Je m'en souviens maintenant. Juste avant ma transformation... je t'ai vu t'interposer. (Je me retournai vers les autres.) Et Karvanak, alors ?

—L'union fait la force. Nous en sommes venus à bout, m'expliqua Flam. (Il fit signe à Camille de s'asseoir sur ses genoux et la prit par la taille en poussant un soupir.) C'était un démon supérieur, soit ; mais un *seul*. Il y en a des milliers comme lui dans les Royaumes Souterrains...

Il laissa sa phrase en suspens, mais nous entendîmes tous ce qu'il n'avait pas dit. Des milliers, qui n'attendaient qu'une chose : que l'Ombre Ailée leur ouvre grand les portes.

Je remarquai soudain l'absence de Rozurial et de Fraale, et m'en inquiétai. Menolly fronça les sourcils.

—Ils sont partis après le combat. Roz a dit qu'ils avaient besoin de parler.

—Eh bien. On a sauvé le sceau, cette fois-ci. Mais on a bien failli perdre deux des nôtres.

Je retournai auprès de Chase et le pris par la main. Que se passerait-il quand il se réveillerait ? Pour lui... pour nous ?

À la couleur de la chair dépassant du bandage, je compris qu'ils avaient enrayé la gangrène. Mais le bout de doigt manquant et les infections n'étaient rien à côté des souvenirs.

—Je crois comprendre que tout le monde est relative-ment indemne ? repris-je.

—Ouais, fit Camille. (Elle retint sa respiration, puis la libéra dans un léger sifflement.) Et toi... Tu nous as tous sauvés. Le Scytatian aurait massacré tout le monde si tu n'avais pas... heu, agi comme tu l'as fait.

Je cillai. Je ne leur avais toujours pas parlé du léopard fantôme. De ma défunte jumelle, venue se battre à mon côté. Je cherchai mes mots, mais renonçai en jugeant le moment mal choisi. J'étais épuisée et moulue. Je pensais à mes deux amants blessés, au fait que ma dague m'ait parlé, et que mon maître, le faucheur, souhaite que je porte son enfant. Je me sentis soudain submergée au point de ne plus savoir par où commencer.

Alors un miracle se produisit – à moins que les sorcières du destin nous aient souri un bref instant. Chase ouvrit les yeux et me serra la main. Je fis signe à Sharah.

—Il est réveillé. Tu as dit que tu lui avais donné un anesthésique !

—Non ! murmura-t-il alors que l'elfe approchait. J'ai besoin de parler à Delilah avant de dormir. S'il te plaît ?

Sharah recula en hochant la tête.

Je me penchai, l'oreille collée à ses lèvres.

—Qu'est-ce qu'il y a, mon amour ?

Il frissonna légèrement et chuchota :

—Je suis désolé… Désolé, pour Erika. J'ai été stupide. Je pensais… Je ne sais pas ce que je pensais. Mais s'il te plaît, ne me quitte pas. Promets-le-moi ?

Je regardai ces yeux d'un brun profond, et je sombrai. Avec tant de force que j'anéantis toutes mes chances de faire marche arrière.

—Je suis là. Je n'irai nulle part. On parlera quand tu iras mieux. Tout s'arrangera, tu verras. On y arrivera.

Une larme roula sur sa joue.

—C'est toi, Delilah. Toi et toi seule. Je ferai tout ce que tu voudras pour me rattraper de t'avoir menti. Quoi que tu me demandes, j'accepterai. Même… Même si tu veux être avec Zach. Il m'a sauvé la vie. Il a failli mourir. Comment pourrais-je l'oublier ? Je lui serai à jamais redevable.

Je posai un doigt sur ses lèvres.

— Chut. Garde tes forces. Dors, et sache que je serai là à ton réveil. On s'en sortira, Chase. Si mes parents ont réussi, nous le pouvons aussi.

Ses yeux se refermèrent et un ronflement léger s'éleva. Je souris. Oui, tout irait bien.

Il le fallait.

CHAPITRE 28

J e passai la nuit dans un lit d'hôpital, près de Chase. Mes sœurs étaient rentrées pour s'occuper de la maison. Malgré le travail, considérable, déjà effectué par la Talon-Haltija, nous aurions du pain sur la planche pour faire disparaître, et remplacer, tout ce que le Rākṣasa avait détruit. Camille et Morio voulaient également renforcer les barrières magiques et trouver un moyen de nous prévenir si elles devaient tomber.

Malgré la fatigue, je ne pensais pas pouvoir trouver le sommeil. Mais Sharah m'apporta une tasse de thé « dors-tranquille » d'Outremonde, et le tour fut joué. Je m'assoupis en un rien de temps et m'éveillai sous la caresse d'un rai de soleil inattendu. L'astre radieux brillait derrière la fenêtre, et remplissait la pièce de sa chaude lumière. Je m'étirai en bâillant, quelque peu soulagée. Nous regardions peut-être l'enfer dans les yeux, mais au moins, ce matin, ce serait au soleil.

— Tu es réveillée.

Je me retournai. Chase était assis, la main prudemment posée sur un oreiller. Ses ecchymoses accentuaient encore sa fatigue, mais son sourire illuminait les lieux.

— Toi aussi, remarquai-je en venant m'asseoir sur son lit. Comment te sens-tu, ce matin ? Et Zach ? Où est-il passé ?

— Ils l'ont emmené en salle d'opération, pour intervenir au plus vite sur son dos. Il a pris des coups pour moi, j'en suis conscient. Je ne suis pas sûr de trouver un jour un moyen de le remercier correctement... (Il haussa les épaules et se laissa aller contre ses coussins.) Quant à savoir comment je vais... Bonne question. Ils n'y sont pas allés de mainmorte avec moi, Delilah. J'ai connu d'autres sévices que le doigt sectionné. (Il contempla sa main bandée et secoua la tête.) Mais tu sais quoi ? Maintenant, je comprends.

— Quoi donc ? dis-je en cillant.

Je m'étais attendue à de la fragilité. C'était tout le contraire : il était fort, décidé.

— Ce pour quoi vous vous battez. Ce pour quoi *nous* nous battons. Je saisis mieux la nature démoniaque à présent. L'attitude de Menolly me paraît bien plus claire, et je vois pourquoi les règles ne s'appliquent plus à elle. Je crois que ça va m'aider à mieux faire mon travail. Et je pense... que je viens de m'enrôler dans ton armée, moi qui jusqu'alors hésitais au bord du chemin. (Il me sourit, hésitant.) Si tu veux toujours de moi, bien sûr.

Je baissai les yeux. Ce n'était vraiment pas l'homme que je pensais retrouver. Et ça me plaisait plutôt bien.

— Chase, nous avons besoin de toi. Indépendamment de ce qu'il se passe entre nous.

Il ferma les yeux en soupirant.

— Je t'ai fait du mal. Je n'arrive pas à le croire...

— C'est inutile. Menolly m'a tout expliqué. Tu avais besoin de te sentir fort parce que je te donne l'impression d'être moins homme à cause du sang de mon père, qui me rend plus robuste... (Je m'arrêtai en voyant son étrange expression.) Quoi ? Qu'est-ce que j'ai dit ?

— Tu n'y es pas du tout. À ta place, je n'irais pas chercher Menolly comme conseiller conjugal ! En vérité, j'ai agi

380

comme ça parce que je suis un porc. Je ne suis pas très doué en matière de relations, Delilah. (Il tendit sa bonne main vers la mienne.) Cette histoire d'engagement, c'est vraiment dur pour moi. Je me suis toujours servi des femmes, comme d'autres usent de l'alcool ou de la drogue – y compris d'Erika. Je n'ai jamais pris nos fiançailles au sérieux, et je l'ai blessée. Quand je l'ai revue, j'ai merdé. Tout simplement. Aucun motif inavoué. Aucune excuse. Elle est jolie, c'était marrant avec elle, avant qu'elle me plaque, j'ai décidé de tenter ma chance. Je n'aurais jamais cru que tu découvrirais ce qui, pour moi, n'était rien de plus qu'une aventure.

Je le dévisageai en songeant que je préférais la thèse de la crise existentielle.

— Je ne suis pas trop sûre de savoir quoi répondre, là, bonhomme. Ce n'est pas le fait que tu aies couché avec elle qui m'a le plus contrariée.

Son sourire s'effaça. Soudain, il ressemblait à un chien qui s'attend à prendre des coups de balai.

— Continue.

— Tu m'as menti. Alors que tu me faisais culpabiliser d'avoir envie de Zachary. Tu fais tout un pataquès, et ensuite tu vas sauter une femme que je n'ai même pas rencontrée ? Si seulement tu m'avais parlé de l'effet qu'elle te faisait, on aurait pu éviter tout ce merdier ! Je ne supporte pas le double jeu.

J'attendis que le jeton tombe.

Il soupira.

— Ouais, je sais. Je pensais ce que je t'ai dit. Demande-moi ce que tu veux. N'importe quoi. J'obéirai. Je ferai toutes les promesses, tous les serments que tu voudras. Si tu veux toujours être avec Zach, ça m'ira. Depuis que tu m'as surpris avec Erika, je réalise à quel point je t'aime, et combien j'ai besoin de toi dans ma vie. C'est sans doute vrai : chaque relation est différente. Si j'arrête d'attendre que le couple ressemble à l'idée mythifiée que je m'en fais, nous connaîtrons peut-être enfin l'histoire qui nous correspond.

Il avait beaucoup grandi au cours des jours passés. Je lui donnai une pichenette sur le nez.

— Nigaud. Quand est-ce que tu es devenu aussi sage ? Pour bien commencer sur ces nouvelles bases, je vais être honnête : j'ai de nouveau couché avec Zachary. J'étais très en colère contre toi, et hyperfrustrée après un combat… et j'en avais envie. Mais Chase, c'est toi que j'aime. Je tiens à Zach, nous sommes sur la même longueur d'ondes, nos natures profondes se ressemblent. Mais je ne l'aime pas.

J'étudiai ses traits, guettant sa réaction. Il serra les lèvres, et j'eus l'impression de lui avoir asséné un coup de poing dans le ventre. Mais bientôt il soupira et sourit.

— Ouais. OK. Ça se reproduira sans doute de temps à autre. Je peux l'accepter. Et si je… je vois quelqu'un…

— Tu m'en parles avant de faire quoi que ce soit. Une chose après l'autre, tu veux bien ?

Je me penchai pour l'embrasser. Sa langue s'insinua doucement entre mes lèvres, et sa main valide se retrouva sur mon sein. Je me mis à geindre du désir de le sentir, lui, mon amour, en moi.

— Tu te sens d'attaque ? demandai-je en lançant un coup d'œil vers la porte.

Il hocha la tête, une étincelle passionnée dans les yeux.

— Regarde un peu si je suis prêt, rétorqua-t-il en levant le drap. (Il était effectivement raide, et fort bien disposé. Je m'en léchai les babines, ce qui le fit rire.) Hé là, ma p'tite dame, interdiction de mordre ! Allez ! Montez là-dessus, la visite va bientôt commencer.

J'enlevai ma culotte en souriant et me glissai dans son lit. Il m'accueillit en prenant mon sein droit dans sa bouche. Alors qu'une onde de chaleur courait du sommet de mon crâne à l'extrémité de mes orteils, je m'accroupis sur lui, glissant sur son sexe délicieusement dur. J'avais hâte de me reconnecter à lui. En rythme, mes hanches se mirent à rouler dans un mouvement régulier et lent, tandis que sa bonne main venait me caresser l'entrejambe, envoyant des vagues d'électricité dans tout mon corps. Haletante, je m'abaissai encore de sorte qu'il me remplisse entièrement. Il me faisait mouiller à un point tel que j'avais l'impression de ne plus jamais pouvoir me passer de lui.

Dans notre précipitation, nous avions dû oublier d'éloigner le bouton d'appel, car alors que j'étais sur le point de jouir, la porte s'ouvrit sur Jessila, une infirmière elfe.

—Vous avez sonné, monsieur Johns… oh.

Je lançai un coup d'œil par-dessus mon épaule. Figée, elle secouait la tête avec un grand sourire. Je sais que nous aurions dû en rester là, mais j'étais si proche, et Chase tellement délectable, que lorsqu'il toucha une nouvelle fois mon clitoris, je poussai un cri et me laissai emporter par l'orgasme qui déferla dans tout mon corps en rouleaux successifs, culminant dans le plaisir de mon amant.

—Ne vous dérangez pas pour moi, lâcha l'infirmière hilare avant de ressortir.

Chase partit d'un grand éclat de rire tandis que nous nous séparions et que je me glissai sous le drap près de lui.

—La vache, tu as vu sa tête ?

—Tu es un vilain, un très vilain garçon ! ricanai-je en m'installant confortablement dans ses bras. (Levant sa main blessée à mes lèvres, j'y posai un baiser délicat.) Je vais devoir te punir. Tiens, et si je t'ordonnais de me prendre encore, là, tout de suite ?

Il ne répondit rien. Il s'était endormi et ronflait bruyamment. Je secouai la tête. Il avait besoin de repos, et moi aussi. Je me coulai hors du lit pour lui laisser plus de place, remontai les couvertures jusqu'à son menton, puis me transformai en chat. D'un bond, je m'installai près de lui sur l'oreiller. Le sommeil m'appelait comme par une de ces journées paresseuses et chaudes.

Pour l'heure, le monde était en paix.

CHAPITRE 29

Trois nuits plus tard, tout un mélange de créatures surnaturelles et d'humains se réunissait chez Flam pour une véritable rencontre au sommet. Mes sœurs et moi étions présentes, bien sûr, tout comme Iris, Maggie, Chase, Morio, Vanzir, et Rozurial.

Parmi les invités, nous comptions Vénus, l'enfant de la lune (le chaman de la troupe des pumas de Rainier), Wade, des Vampires Anonymes, notre cousin Shamas, Lindsey Cartridge, la directrice du refuge pour femmes *La Déesse verte*, et Tim Winthrop, un travesti, grand gourou de l'informatique, qui nous apportait une aide primordiale dans la constitution de la grande base de données de la communauté surnaturelle.

Mais les plus intimidantes de nos convives étaient sans conteste les trois reines Fae, Aeval, Morgane et Titania. Une énergie palpable flottait dans l'air.

— Trenyth, le conseiller de la reine Asteria, nous a fait parvenir un message par le portail de Grand-mère Coyote, annonça Camille, profitant d'une pause dans la conversation. Ils comptent se joindre à nous ce soir, et ne devraient plus tarder à arriver. Apparemment, la guerre qui sévit chez nous connaît de nouveaux développements.

Sur ce, elle alla s'asseoir en tête de table à côté du dragon. Morio s'installa à sa gauche, face à la chaise vide qu'ils gardaient dans l'espoir que Trillian nous revienne.

De l'assiette au verre en passant par le mobilier, Flam ne possédait rien qui ne soit absolument exquis. *Logique*, songeai-je. Les dragons aiment l'argent et les belles choses. Il n'y avait pourtant rien d'ostentatoire dans l'incroyable assortiment de biens extraordinairement chers, sans doute amassés au fil des siècles, qui s'offrait aux yeux. Les meubles, faits main, semblaient venir du Vieux Monde, et dans les verres en cristal soufflé à la bouche coulaient des vins produits par les plus nobles cépages, issus des meilleures années.

Je promenai mon regard alentour, émerveillée par l'espace qu'une motte de terre d'apparence anodine pouvait dissimuler. Cette taupinière aurait pu être une montagne. La demeure de Flam s'étendait aussi bien dans les profondeurs de la terre que dans d'autres royaumes. Je comprenais mieux pourquoi Camille disait avoir l'impression de se trouver dans une sorte de palais englouti aux accents de Pays des Merveilles.

Le plafond devait bien culminer à neuf mètres au-dessus de nos têtes, et des parois de granit nous entouraient sur trois côtés. Le quatrième s'ouvrait sur un profond ravin, dont s'élevait le grondement distant de l'eau qui court. Un ruisseau, ou une rivière, peut-être. L'obscurité et la distance m'empêchaient de trancher. J'aurais bien voulu aller y jeter un œil. Toutefois, je réprimai ma curiosité. Nous avions, pour l'heure, des choses bien plus importantes à discuter.

Chase venait de sortir de l'hôpital. Nous étions, de nouveau, officiellement ensemble. Les règles de base de notre relation restaient à établir, mais nous étions bien décidés à faire en sorte que ça marche. Assise ici, sa main dans la mienne, je bénissais le fait qu'il soit encore en vie.

Mes yeux passèrent d'un visage à l'autre. Je n'avais encore parlé à personne de la rencontre avec ma sœur, et je n'étais pas tout à fait sûre de comprendre pourquoi. Je crois que quelque part, j'avais envie de garder cette expérience pour moi seule aussi longtemps que possible, avant de laisser les autres s'en emparer et la disséquer.

On frappa à la porte. Flam alla ouvrir et s'inclina gracieusement pour laisser entrer la reine des elfes et son conseiller. Je crus voir passer de la surprise sur ses traits alors qu'il refermait la porte, mais, sans rien dire, il revint s'asseoir avec nous.

Après un tour de présentation, Vénus, l'enfant de la lune, prit le premier la parole :

— Zachary s'en sortira, mais il est hors-jeu pour l'instant. Ses projets d'élection au conseil municipal sont, de fait, en attente, et nous poussons Nerissa à se présenter à sa place. Il a, certes, fallu que je hausse le ton, mais les aînés ont accepté de la soutenir, et ils admettent aujourd'hui qu'il est de notre intérêt de vous offrir toute l'aide possible. Nous nous sommes entretenus avec d'autres tribus qui souhaitent également signer le traité de la communauté surnaturelle. D'ici un mois, nous aurons constitué une milice. Disons que la cruauté dont le Rākṣasa a fait preuve envers Zachary, en plus de ce qu'on a pu lire au sujet de l'incident entre Camille et le troll, les a enfin décidés à agir.

Tim se leva.

— J'ai presque fini le programme. Très bientôt, nous imprimerons un arbre téléphonique assez important, qui sera distribué aux aînés de chaque tribu participante, ainsi qu'aux membres dirigeants des divers comités.

Vénus se pencha en avant.

— Bonne nouvelle. Mais qu'en est-il du respect de la vie privée ?

—J'ai fait en sorte de le protéger autant que possible, tout en permettant à chacun de contacter tous les autres membres de la liste en moins de une heure, pourvu, bien sûr, qu'ils soient à côté de leur téléphone. Mais seuls les membres du conseil, une fois élus, ainsi que les sœurs D'Artigo ici présentes et moi-même, auront jamais accès à la totalité des dossiers de l'organisation.

Camille hocha la tête et se tourna vers Lindsay.

—As-tu quelque chose à nous dire ?

La future maman rayonnante adressa un timide sourire à la ronde. Prêtresse réputée parmi les sorcières HSP, elle offrait un soutien remarquable à notre amie Erin Mathews depuis son changement, et se montrait ravie de sa nouvelle accession à notre groupe. Bien sûr, elle avait été terrifiée à l'évocation des démons, mais elle se sentait prête, et bien décidée à nous aider.

—Comme vous le savez, les médiums et les païens humains sont des individus relativement isolés, qu'on ne prend pas tout à fait au sérieux. J'ai pourtant réussi à convaincre plusieurs groupes magiques importants que de dangereux ennemis nous menaçaient, et que vous vous efforciez de les en empêcher. Nous travaillons ensemble à poser des runes de protection sur diverses parties de la ville. Il est encore trop tôt pour les premiers résultats, mais nous devrions garder un œil sur le taux de criminalité de ces zones. Nous sommes allés voir les Fae que vous nous aviez recommandés. Ils nous apprennent à rendre notre magie plus forte. C'est assez terrifiant, mais on est avec vous.

—Il semblerait que les rangs de nos alliés se soient encore étoffés, commenta Menolly.

—C'est bien, décréta simplement la reine des elfes. Mais, en parlant d'alliés, nous avons beaucoup de choses à nous dire, et peu de temps à perdre. Aussi, si vous me permettez d'intervenir maintenant, je pourrai rentrer à Elqavene avant le matin. (Son regard fit le tour de la table, en s'attardant sur les trois reines.)

» Tout d'abord, j'ai d'importantes nouvelles à vous communiquer concernant la guerre d'Y'Elestrial. Les forces de Tanaquar ont envahi la ville. Elle a pris le pouvoir. (Mes sœurs et moi poussâmes un «hourra!» retentissant, mais Asteria leva la main.)

» Lethesanar est en fuite. Son armée et elle assassinent tout ce qui se tient sur leur chemin. La ville est à feu et à sang. Elle a préféré la raser plutôt que de la laisser à sa sœur.

Mon estomac se souleva, et Camille blêmit. Les yeux de Menolly, braqués sur la souveraine, pleuraient des larmes de sang. Notre maison, notre magnifique maison! Non seulement nos proches avaient disparu, mais la ville de notre enfance était en ruines!

Camille soupira.

—Au moins, Lethesanar a perdu son trône. Si Tanaquar parvient à la détruire, nous pourrons toujours reconstruire Y'Elestrial.

La reine hocha la tête.

—Il faudra certainement du temps pour que la ville retrouve sa grandeur ancestrale, mais cela reste une excellente nouvelle.

—Pensez-vous que Tanaquar nous aidera, une fois qu'elle aura remis de l'ordre? demanda Menolly en s'avançant, les coudes sur la table. Ou faudra-t-il quand même qu'on se débrouille tout seuls?

Asteria poussa un long soupir.

—Elle a levé la menace de mort qui planait sur vos têtes. En revanche, je doute que l'OIA se reforme avant un bon moment. Tanaquar ne cache pas son intention de remanier intégralement le gouvernement. J'ai bien souligné la gravité de la situation, mais elle a, comme sa sœur, un caractère très affirmé. De plus, nous rencontrons un sérieux problème, qui risque fort d'empirer encore à l'avenir. (Elle s'interrompit, et regarda Camille.)

» Ma chère, je sais que tu n'as fait qu'obéir aux ordres des sorcières du destin, mais le fait que tu aies levé le sort qui retenait Aeval en stase suscite beaucoup d'inquiétude, tout comme celui, d'ailleurs, que tu possèdes la corne de la licorne noire. J'ai soigneusement tu ces deux informations. Pourtant, la rumeur a réussi à filtrer jusqu'en Outremonde. Tes sœurs et toi – mais surtout toi – alimentez les débats dans tout le pays.

Camille rougit. Elle semblait si abattue que j'eus envie de la serrer dans mes bras.

— Merveilleux ! grondai-je. On se casse le cul pour protéger notre maison, tout ça pour qu'on nous montre du doigt en nous accusant de controverse ? Mais qu'ils viennent, eux ! Qu'ils amènent leurs *miches* sur le front, et on verra s'ils parlent toujours autant !

La reine Asteria me sourit.

— Tout doux, mon enfant. Nul ne peut prendre sur lui de châtier Camille. C'est aux seigneurs élémentaires et aux Sidhes initiateurs de la Grande Séparation qu'il revient de le faire. Cependant, nombre de magiciens se demandent comment s'emparer de ses pouvoirs. Soyez très prudentes. L'ennemi n'est plus uniquement celui que vous voyez devant vous. Ce pourrait être l'ami dont vous pensiez avoir tout le soutien.

— Vous voyez ? intervint Aeval en secouant la tête. Voilà tous les remerciements que vous obtiendrez de ceux qui ont préféré fuir ! Vous feriez mieux de rester là, mesdemoiselles. Vous aussi faites partie de ce monde.

—Silence! ordonna l'elfe en se levant, les yeux rivés sur la reine de l'ombre et de la nuit. Cessez d'envenimer les choses! Je ne fais qu'apporter des nouvelles. En outre, je suis venue vous proposer d'unir nos forces afin d'aider ces filles dans leur combat contre les démons. Elles semblent destinées à mener notre armée contre les damnés, et nous devons les soutenir.

Aeval soupira.

—Oh, très bien! Laissons de côté les petites doléances mesquines pour le moment! Permettez-moi de m'adresser à vous au nom de la *triple Menace*, continua-t-elle avec un sourire méchant qui me fit rougir jusqu'aux cheveux. Le jour du solstice d'été se tiendra le plus grand rassemblement de Fae terriens que ce monde ait vu depuis plusieurs milliers d'années. À cette occasion, nous rétablirons notre souveraineté par l'instauration des Cours des trois reines. Nous ne nous alignerons sur aucune nation, mais nous engageons à combattre tous les ennemis qui menaceraient ce monde.

Titania se lissa les cheveux avec un sourire charmant.

—En retour, nous déclarons notre indépendance. Nous avons acheté une parcelle de terrain pour y ériger un palais, siège de notre autorité dans cette dimension, que nous voulons terre d'asile pour chaque Fae. Nous servirons principalement d'intermédiaires entre les mondes, et nous nommerons un ambassadeur pour nous représenter.

Tout le monde se mit à parler en même temps.

La reine de la Cour de lumière se leva, main dressée.

—Nous entendons également former une brigade militaire et magique, que nous mettrons, si besoin, à votre disposition, continua-t-elle. Considérez-les un peu comme une unité des Forces spéciales. Au fait, policier Johnson, ces guerriers seront rattachés à la brigade Fées-Humains. Vous disposerez de renforts bien plus tôt que prévu.

Le silence tomba sur la salle. Je sentis mon cœur se gonfler de joie. Enfin, de bonnes nouvelles ! Plus qu'un mois, et nous aurions des alliés, de l'aide et du soutien !

La reine Asteria sourit.

— Encore une chose. Sitôt que j'aurai fait les arrangements nécessaires, de nouveaux spécialistes intégreront l'unité médicale du FH-CSI. En outre, Tanaquar et moi désignerons chacune un délégué permanent sur Terre. En attendant, elle m'a priée de vous présenter son nouveau conseiller.

Super, mais pour quoi faire… ? Sauf bien sûr si nous étions amenées à lui faire nos rapports…

Trenyth coula un regard vers la reine.

— M'accorderiez-vous cet honneur, majesté ?

— Bien sûr, opina-t-elle en se rasseyant avec grâce.

Il tourna vers mes sœurs et moi un visage radieux.

— Après toutes les mauvaises nouvelles que je vous ai apportées par le passé, j'ai l'immense plaisir de vous présenter celui qui travaille aujourd'hui au côté de la Cour et la Couronne.

Flam alla silencieusement ouvrir la porte.

Un homme entra, dissimulé sous un habit aux couleurs d'Y'Elestrial – le bleu profond et l'or. Lorsqu'il rejeta sa capuche en arrière, Camille poussa un petit cri. Les yeux de Menolly s'arrondirent comme des soucoupes. Je me levai, tremblante. Incapable d'en croire mes yeux, je me mis à pleurer.

— Delilah, qu'est-ce qui se passe ? appela Chase alors que mes sœurs et moi courions vers notre père.

D'un même mouvement, Camille et moi nous jetâmes dans ses bras. Menolly, toutefois, attendit légèrement en arrière. Il semblait fatigué, mais ses cheveux tressés demeuraient aussi noirs que l'ébène, et les larmes roulaient sur ses joues éternellement lisses.

— Mes filles ! Mes petites ! Oh, j'étais tellement inquiet… !

J'enfouis le visage dans son épaule. Plus jamais je ne le lâcherais ! Père était là, sain et sauf, avec nous ! Tout irait bien maintenant !

Au bout d'un moment, il se dégagea avec douceur et s'avança vers une Menolly aux joues maculées de striures écarlates. Notre père, Sephreh ob Tanu, avait toujours détesté les vampires. En fait, ils lui inspiraient le plus profond mépris. Quand nous nous étions quittés, ses relations avec sa cadette étaient plutôt tendues. Il *voulait* lui montrer sa tendresse, mais son combat intérieur se lisait sur ses traits.

Il baissa la tête et lui ouvrit les bras.

— Je te demande pardon, mon enfant. Pour tout. J'ai eu tort. Tu es ma fille, dans la vie, la mort, et la renaissance. Excuse-moi, je t'en prie. Je t'aime, et je t'accepte telle que tu es, avec les crocs, et tout le reste.

Alors qu'il attendait, Menolly me lança un regard paniqué. Je vis l'espoir et l'incrédulité batailler dans ses yeux. Et soudain, Roz se leva pour la pousser en avant. Juste assez fort pour qu'elle trébuche et tombe contre le cœur de Père. En les voyant tous les deux enlacés, je songeai qu'en dépit d'un futur inquiétant et lugubre, nous commencions enfin à trouver notre chemin, à signer des alliances, et à échafauder des plans.

Je me tournai vers Chase. Les conditions jouaient, certes, entre notre défaveur, mais avec un peu d'efforts, nous avions peut-être, après tout, une chance d'y arriver.

Mes sœurs et moi étions assises près de l'étang aux bouleaux. Le jour poindrait dans un peu moins de une heure. Nous avions encore un peu de temps avant que

Menolly se retire pour la journée. Iris et Maggie dormaient blotties ensemble, et Père couchait dans le petit salon.

—La maison va bientôt devenir trop petite pour nous, remarqua Camille. Mon lit est assez grand pour Morio et Trillian, mais je pense qu'il va falloir faire construire une espèce de studio sur le terrain, un endroit où Roz, Shamas et Vanzir pourraient passer la nuit au besoin. Un peu comme une étable, dit-elle en regardant l'eau se rider sous les étoiles pâlissantes.

—Bonne idée, acquiesça Menolly. Est-ce que la reine Asteria t'a parlé de Trillian ?

—Non, répondit-elle en secouant la tête. Et je n'ai pas demandé. Je ne suis pas censée savoir qu'il est en mission secrète. Mais maintenant que Père nous est revenu, nous ne devrions plus tarder à entendre parler de lui. J'espère juste qu'il saura s'adapter à tous les changements. (Elle soupira, un peu nerveuse.) Je suppose qu'on n'a plus qu'à se mettre à la recherche du cinquième sceau, à présent.

En fait, notre père avait été capturé par un groupe de Goldensün, ou de Fae dorés, comme on les appelait également. Ce peuple xénophobe, à la peau d'or et aux yeux de jais, vivait reclus dans les montagnes. En le voyant débouler par mégarde dans leur antre, ils s'étaient empressés de le faire prisonnier – non sans civilité, toutefois. Il lui avait fallu un moment avant de parvenir à s'évader, et de transmettre à la reine Asteria la fameuse information qui avait permis à Tanaquar de mettre l'armée de sa sœur en déroute. Notre père était aujourd'hui officiellement un héros. Il l'avait toujours été, à nos yeux.

—Et Fraale ? demandai-je. Qu'est-ce qui lui est arrivé ? Je l'ai perdue de vue pendant le combat.

—Elle est rentrée en Outremonde, répondit Menolly. Roz dit qu'ils ne peuvent pas rester dans la même pièce sans se disputer. Elle l'aime toujours, mais il ne pense pas que ça puisse marcher.

— Il devrait peut-être leur laisser une chance…, murmurai-je.

Là, sous la coupe profonde de la lune, sous les étoiles, je sus que le moment était venu.

— J'ai rencontré ma sœur jumelle, annonçai-je. (Je leur parlai d'elle, du combat, et conclus:) Mais elle ne m'a pas dit comment elle s'appelait. Je demanderai à Père. J'attends de lui une totale franchise.

— Alors, on était quatre sœurs? réfléchit Menolly. Ça fait bizarre.

— Qu'est-ce que tu comptes faire, à propos de Chase? me demanda Camille au bout d'un moment.

— Nous avons décidé de nous donner une chance. Pour l'instant, on ne se promet aucune exclusivité. Mais il m'a posé une question à laquelle je n'ai pas su répondre.

— Raconte? demanda ma petite sœur sans me quitter des yeux.

— Il veut en savoir plus sur le nectar de vie. Je crois qu'il compte rester avec moi, avec nous, sur le long terme. (Et moi je le souhaitais du plus profond de mon cœur.) Je vais en parler à Titania. Elle comprendra. Peut-être même qu'elle pourra lui éviter le sort de Tam Lin. S'il n'en prend qu'une toute petite dose, juste assez pour vivre avec moi jusqu'à la fin du temps qui m'est imparti, ça pourrait fonctionner.

Que pouvait-on ajouter à cela? En silence, nous regardâmes les vaguelettes s'échouer sur la rive. Au bout d'un moment, Menolly me prit par la main et m'aida à me remettre debout.

— Allez viens, chaton. *Jerry Springer* va bientôt commencer. Il me reste trois bons quarts d'heure. On va le regarder en donnant à manger à Maggie pendant que Camille et Iris prépareront un énorme petit déj.

Le cœur léger soudain, je poussai mes soucis dans un coin et m'enfonçai dans les bois en courant à perdre haleine. Camille et Menolly s'élancèrent après moi, nos rires se joignant sous la lune solennelle. Nous rentrions chez nous, retrouver notre père, nos amants ; la famille.

EN AVANT-PREMIÈRE

Découvrez la suite des aventures des
SŒURS DE LA LUNE
(version non corrigée)

Bientôt disponible chez Milady

Traduit de l'anglais (États-Unis) par Cécile Tasson

CHAPITRE PREMIER

—T u pourrais au moins attendre que j'aie ouvert la fenêtre pour secouer ce truc! s'exclama Iris en me regardant méchamment, tandis que je soulevais mon tapis tressé pour le taper contre le mur. Il y a tellement de poussière que j'arrive à peine à respirer!

Je laissai tomber le tapis d'un air coupable. La poussière ne me dérangeait pas, alors j'oubliais parfois que les autres avaient besoin de respirer.

—Désolée. Ouvre la fenêtre. Je vais le secouer dehors.

L'air exaspéré, Iris entreprit d'ouvrir la fenêtre à guillotine le plus haut possible. Je l'aidai. Aussitôt, une bouffée d'air chaud estival emplit la pièce, suivie de bruits de klaxons, de musique assourdissante et des rires des gamins du coin occupés à fumer de l'herbe dans l'allée derrière le *Voyageur*. Il flottait dans l'atmosphère une impression de légèreté, un brin d'excitation, comme si une fête allait éclater au beau milieu de la rue.

Je m'appuyai contre le rebord de la fenêtre et fis un signe de la main à l'un des garçons qui me regardait. Son vrai nom était Chester, mais il se faisait appeler Chit. Depuis quelques semaines, ses potes et lui étaient devenus des habitués des alentours du bar. Comme ils n'avaient pas l'âge pour entrer, ils traînaient derrière et s'arrangeaient pour obtenir les restes du grill. Je les aimais bien. Ils ne payaient pas de mine, mais ils avaient le mérite de ne pas causer de problème. Ce n'étaient pas des voyous, ni des junkies. Ils faisaient même fuir beaucoup d'indésirables.

Chit me rendit mon salut.

— Hé Menolly! Quoi de neuf, bébé?

Je ne pus m'empêcher de sourire. Malgré les apparences, j'étais beaucoup, beaucoup plus vieille que lui. Bien sûr, il ne le savait pas, et, comme un grand nombre de HSP que j'avais rencontré, il draguait toutes les femmes en dessous de quarante ans, surtout les Fae. Il ne semblait pas se soucier du fait que j'étais à moitié humaine et un vampire par-dessus le marché. Il me traitait comme n'importe quelle autre fille du coin.

— C'est juste le ménage de printemps, lui répondis-je.

Après un ultime signe de la main, je me tournai vers Iris qui s'occupait d'une vieille malle de l'ancien monde, dissimulé dans un coin de la pièce. À présent que tout le bâtiment du *Voyageur* m'appartenait, j'avais décidé de nettoyer certaines chambres au-dessus du bar pour les louer. Mes sœurs et moi pourrions les meubler et les proposer à des visiteurs outremondiens. Cela constituerait une nouvelle source de revenus.

Même si la Cour et la Couronne avaient recommencé à nous payer, l'argent sortait plus vite de notre compte en banque qu'il y entrait. Surtout depuis que nous avions engagé Tim Winthrop pour s'occuper du réseau informatique de la communauté surnaturelle.

Le premier étage du *Voyageur* comportait dix pièces, dont deux salles de bains. Visiblement, aucune n'avait servi depuis des années. Les ordures et la poussière recouvraient le tout. Avec l'aide d'Iris, j'avais déjà terminé de nettoyer une chambre, mais ça nous avait pris deux nuits pour trier toutes les boîtes remplies de journaux et de vieux vêtements. M'étirant de tout mon long, je secouai la tête.

— Quel bordel!

La pièce avait servi de débarras. Sûrement une idée de Jocko qui n'avait pas été le propriétaire le plus organisé du *Voyageur*. Malheureusement, le petit géant avait connu une triste fin entre les mains de Luc le Terrible, un démon des Royaumes Souterrains. Quand il était encore vivant, Jocko habitait en ville dans un appartement de l'OIA. J'étais presque sûre qu'il n'avait jamais dormi là. Après tout, nous n'avions découvert aucun vêtement de géant nulle part. Du moins, pas encore. En tout cas, il semblait évident qu'une femme outremondienne avait vécu ici pendant quelque temps car il restait beaucoup de ses affaires. J'avais reconnu le tissage des différentes tuniques. Rien à voir avec les techniques terriennes.

Iris ricana.

— Il n'y a pas d'autre mot, c'est vrai. Allez, bouge ton petit cul d'albinos et viens m'aider à déplacer cette malle!

Les mains sur les hanches, elle me désigna la caisse en bois d'un signe de la tête. Elle avait retiré tous les journaux qui la recouvraient. Sortant de mes pensées, je soulevai la d'une main et la portai sans effort jusqu'au centre de la pièce. L'avantage d'être un vampire. Je possédais une force surhumaine. Je n'étais pas beaucoup plus grande qu'Iris; je n'atteignais même pas le mètre soixante, soit à peine trente centimètres de plus qu'elle. Pourtant, j'étais capable de soulever une créature cinq fois plus lourde.

— Où diable se cachent tes sœurs? Elles ne devaient pas nous aider?

La Talon-haltija, esprit de maison finlandais, balaya une toile d'araignée de son front, y laissant une traînée grisâtre. Elle avait relevé ses cheveux longs jusqu'aux chevilles en une queue-de-cheval, avant de l'enrouler en un épais chignon pour éviter qu'ils la gênent. Elle portait un short en jean avec une chemise à carreaux rouge et blanc nouée sous la poitrine. Une paire de tennis bleue venait compléter son ensemble « fille de la campagne ».

—Elles nous aident à leur façon, dis-je en souriant. Camille est allée acheter d'autres produits ménagers et notre repas et Delilah nous cherche une camionnette pour pouvoir jeter tout ça.

J'avais confié le bar à Chrysandra pour la soirée. Elle savait où je me trouvais et c'était ma meilleure serveuse. De plus, Luke était derrière le comptoir. Il saurait s'occuper de la vermine en cas de problème. Et comme d'habitude, Tavah surveillait le portail au sous-sol.

—À leur façon, mon œil ! marmonna Iris, avec néanmoins, un sourire éclatant. (Elle avait de bonnes dents, pas de doute.) Voyons voir ce que contient cette vieille malle. Avec notre chance, on n'y trouvera que des cadavres de rats !

—Si c'est le cas, n'en parle surtout pas à Delilah ! Elle voudra jouer avec ! (Je m'agenouillai près d'elle pour examiner la serrure.) On va avoir besoin d'un passe-partout si tu ne veux pas que je la brise.

—Pas besoin de clé, dit Iris (Elle inséra avec dextérité une épingle à cheveux dans le trou et se mit à murmurer une incantation. Quelques secondes plus tard, le verrou s'ouvrit. Quand je lui jetai un regard effaré, elle se contenta de hausser les épaules.) Quoi ? Je peux forcer les serrures les plus basiques, c'est tout. La vie est plus simple quand on n'a pas à s'inquiéter de finir enfermée derrière des barreaux.

—Tout à fait d'accord, acquiesçai-je en soulevant le couvercle.

Le bois craqua doucement et un léger parfum de cèdre emplit l'air ambiant. Je n'avais pas besoin de respirer, mais je pouvais toujours sentir les odeurs, du moins, quand je le décidais, comme cette fois où je la laissai m'envahir. Un mélange de tabac et d'encens rendait le tout poussiéreux, une ambiance non sans rappeler celle d'une vieille bibliothèque remplie de reliures en cuir et de meubles en chêne. Un peu comme notre salon en Outremonde.

Iris jeta un coup d'œil à l'intérieur.

—Ça alors!

J'observai à mon tour les entrailles de la malle. Pas de rat mort. Ni de pierre précieuse ou de bijoux. À la place, il y avait des vêtements, plusieurs livres et ce qui ressemblait à une boîte à musique. Je la soulevai délicatement du coussin de robes sur lequel elle avait été déposée. Le bois venait sans nul doute d'Outremonde.

—De l'arnikcah! murmurai-je en l'examinant de plus près. Ça vient d'Outremonde.

—J'avais compris, rétorqua Iris en se penchant vers moi.

Le bois d'arnikcah était dur, sombre et épais, pourvu d'un lustre naturel, il étincelait lorsqu'on le polissait. Facile à reconnaître grâce à ses tons bordeaux, sa couleur se situait entre l'acajou et le rouge cerise.

La boîte était fermée par une charnière en argent. Je l'ouvris doucement et soulevai le couvercle où un petit cabochon péridot incrusté brillait. Le tintement des premières notes de musique retentit. Il ne s'agissait pas de flûte de Pan, mais d'une flûte en argent qui rappelait les chants des oiseaux des bois à l'approche du crépuscule.

Iris ferma les yeux pour mieux savourer la mélodie. Quand elle s'arrêta, la jeune femme se mordit la lèvre.

—C'est magnifique!

—Oui. (J'observai l'intérieur.) Ma mère avait une boîte comme celle-ci. Père la lui avait offerte. Je ne sais pas ce qu'elle est devenue. Camille s'en souvient sûrement. L'air est très connu en Outremonde. C'est une berceuse.

L'intérieur de la boîte à musique avait été doublé avec du velours chamarré que j'avais déjà vu sur les jupes de certaines femmes de la Cour. Couleur prune, le tissu avait pris l'odeur du bois d'arnikcah.

Passant les doigts sur la pierre fine, je frissonnai, envahie par un sentiment de tristesse intense. La mélodie recommença. Une succession de trilles au cœur de cette pièce empoussiérée. Les yeux fermés, je me laissai emporter en arrière, vers les longues nuits d'été de ma jeunesse, lorsque je dansais dans les champs pendant que Camille récitait ses sorts à la lune et que Delilah chassait les papillons sous sa forme féline. Tout ça me paraissait bien loin désormais.

Iris examina la boîte à son tour.

—Regarde, il y a un médaillon.

Après avoir délicatement déposé la boîte à terre, je m'emparai du médaillon en forme de cœur. Il était en argent, orné de gravures de roses et de vignes. À peine effleurai-je le rebord qu'il s'ouvrit, révélant une photo et une mèche de cheveux. La photo était terrienne, mais elle représentait un elfe. Un homme. La mèche de cheveux, elle, était si claire qu'elle était presque couleur platine. Pourtant, c'était naturel. Elle n'avait pas été décolorée. Je la tendis à Iris.

Elle la serra au creux de sa main et réfléchit intensément.

—Quel joli pendentif! Je me demande à qui il appartient.

—Je n'en ai pas la moindre idée, répondis-je. Qu'est-ce qu'il y a d'autre dans la malle?

Iris souleva les livres et la pile de vêtements. Les livres avaient visiblement été écrits sur Terre : *Vivre sur Terre pour les nuls* et *L'Anglais américain à l'usage des Elfes*. Et les vêtements étaient ceux d'une femme : une tunique, plusieurs paires de leggings, une ceinture, une veste, une brassière. Je pris le sous-vêtement dans les mains. Sa propriétaire avait vraiment de tout petits seins et je pouvais affirmer que le tissu était de fabrication elfique.

Sous les habits, au fond de la malle, se trouvait un journal intime. Je l'ouvris à la première page. On pouvait y lire « Sabele » en écriture manuscrite. Le nom avait été rédigé en alphabet romain, mais le reste du journal était en Melosealfôr, un langage Crypto d'Outremonde aussi beau que rare. Je savais le reconnaître, mais je ne le lisais pas. Ça, c'était la spécialité de Camille.

—On dirait un journal intime, remarqua Iris en le feuilletant. Je me demande… (Elle se leva pour jeter un coup d'œil dans la pièce, soulevant des tas de détritus.) Hé ! Il y a un lit ici ! Et une penderie dans le coin. Tu paries que c'était une chambre ? Celle de la propriétaire du pendentif et du journal ?

J'observai la pile de vieux magazines et de journaux, les vieux cartons d'alcool jaunis.

—Nettoyons d'abord ce bordel. On va tout mettre dans la pièce à côté pour l'instant. Je veux juste voir ce qu'il y a dessous.

Tandis que je remettais la boîte à musique et les vêtements dans la malle, j'entendis des rires résonner dans le hall d'entrée depuis les escaliers. Quelques instants plus tard, ma sœur Camille se tenait devant la porte, flanquée de ses deux hommes.

—Pizzas ! s'exclama Camille en entrant dans la pièce, enjambant un tapis roulé.

Comme d'habitude, sa tenue ne passait pas inaperçue : jupe en velours noir, bustier couleur prune et talons aiguilles. Morio la suivait de près avec cinq cartons de pizzas dans les bras. Derrière lui, Flam dépassait tout le monde, l'air intrigué, mais pas très content de se trouver parmi nous.

Iris se releva d'un bond avant de s'essuyer les mains sur son short.

— J'ai tellement faim que je pourrais manger un cheval !

— Tais-toi. Flam pourrait te prendre au mot ! dit Camille tout en adressant un regard taquin au dragon.

Sous ses apparences de grand homme aux cheveux argentés, Flam était en fait un dragon blanc. Il mangeait des chevaux, des vaches et quelques chèvres. Il aimait aussi nous dire qu'il mangeait des humains, mais aucun d'entre nous ne le prenait au sérieux. Toutefois, j'avais le sentiment qu'on pouvait lui attribuer certaines disparitions inexpliquées. Dans tous les cas, Flam n'était pas seulement un dragon qui pouvait prendre forme humaine. Il était aussi le mari de ma sœur. Enfin, l'un d'entre eux.

L'autre, c'était Morio, un Yokai-Kitsune ou démon renard japonais. Même s'il n'était pas aussi grand que Flam, il avait un charme tout en finesse avec sa queue-de-cheval qui retombait sur ses épaules et son ombre de moustache et de barbe. Camille avait également un troisième amant : Trillian, un Svartan, qui avait disparu depuis trop longtemps. Je savais qu'elle s'inquiétait beaucoup pour lui.

— Ne commence pas avec mes habitudes alimentaires, femme, rétorqua Flam en lui tapotant légèrement l'épaule.

Il se serait contenté d'offrir un aller simple pour le royaume du charbon à tout autre que Camille pour une telle remarque. On dit que l'amour rend aveugle, mais il avait surtout permis à Flam de développer une patience surhumaine.

Je fronçai les sourcils en voyant les pizzas. J'aurais donné n'importe quoi pour pouvoir en manger. Pour pouvoir manger tout court. J'avais besoin de sang pour vivre. Pourtant, ce régime n'était pas des plus savoureux. Toujours salé. Jamais de sucre.

Soudain, Morio me tendit un thermos. Ses yeux avaient un éclat particulier.

—Je n'ai pas soif, lui dis-je.

Le sang en bouteille, je préférais m'en passer. C'était un peu comme la bière sans alcool. Il me nourrissait, mais on ne pouvait pas appeler ça de la grande cuisine. Alors, quand je n'avais pas faim, je n'y touchais pas.

—Bois, insista-t-il.

Je penchai la tête sur le côté.

—Qu'est-ce que tu as derrière la tête?

Sans me faire prier plus longtemps, j'ouvris le thermos. Le sang n'avait pas l'odeur du sang, mais celle de… d'ananas? J'en approchai les lèvres avec prudence. Tout autre liquide que le sang me donnait d'affreuses crampes d'estomac. Toutefois, à mon grand étonnement et bonheur, même si c'était du sang qui coulait dans ma gorge, j'avais la sensation de boire du lait de coco mélangé à du jus d'ananas. J'observai intensément le thermos avant de reporter mon attention sur Morio.

—C'est pas vrai! Tu as réussi!

—On dirait bien, répondit-il tout sourires. J'ai enfin trouvé le bon sortilège. Alors, j'ai pensé qu'une piña colada serait un bon début.

Depuis quelque temps, Morio cherchait le moyen de donner la saveur des aliments qui me manquaient au sang que je buvais.

—Eh bien ça a marché!

Dans un éclat de rire, je m'assis sur le rebord de la fenêtre, une jambe relevée contre ma poitrine. À chaque gorgée, mes papilles gustatives faisaient la danse de la joie. Je pris conscience subitement que ça faisait plus de douze ans que je n'avais jamais goûté autre chose que du sang.

—Je suis tellement contente que je pourrais t'embrasser!

—Ne te gêne pas, me lança Camille avec un clin d'œil. Il est doué.

Ricanant, je reposai le thermos avant de m'essuyer soigneusement la bouche. Je préférais éviter de me balader avec des éclaboussures de sang sur le visage, comme un monstre assoiffé.

—Avec tout le respect que je dois à ton cher mari, je te laisse le soin de l'embrasser toi-même. Il n'est pas vraiment mon genre, remarquai-je en faisant un clin d'œil à Morio. Ne le prends pas mal.

—Pas du tout, répondit-il avec un sourire. La prochaine fois, j'essaierai avec de la soupe. Qu'est-ce qui te ferait plaisir?

—Voyons… Bœuf et légumes? Ce serait génial! (Plus heureuse que je ne l'avais été depuis un bout de temps, je jetai un coup d'œil à la pièce.) Pendant que vous mangez vos pizzas, je vais commencer à ranger un peu. Iris et moi avons trouvé quelque chose de bizarre. Ne jetez rien qui aurait pu se trouver dans une chambre ou qui aurait pu appartenir à une elfe.

J'empilai des magazines dans une boîte et les portai à l'extérieur, les stockant dans une pièce de l'autre côté du hall. Peu intéressé par les pizzas, Flam vint m'aider, suivi de Morio. Iris et Camille, elles, s'installèrent sur un banc et attaquèrent l'Hawaïenne.

Pendant que nous travaillions, Camille s'arrêtait de manger de temps en temps pour me tenir au courant de ce que j'avais raté pendant la journée. À l'approche du solstice d'été, ma période d'éveil avait été drastiquement raccourcie. Huit heures tout au plus. Autant dire que j'attendais l'automne et l'hiver avec impatience. J'en avais marre d'aller au lit à 17 h 30 !

— On a enfin reçu les faire-part de mariage de Jason et Tim. Ils ont décidé de l'organiser la nuit. Comme ça, Erin et toi pourrez être présentes.

Elle attrapa une nouvelle part de pizza et la porta à ses lèvres, laissant les fils de mozzarella couler dans sa bouche.

— Je suis contente qu'ils se marient. Ils forment un beau couple.

Tim avait gagné mon respect lorsque j'avais transformé sa meilleure amie, Erin, en vampire. J'avais juré que je ne le ferais jamais, mais je n'avais pas pu la laisser mourir. Et c'était elle qui avait pris la décision. Voilà comment je me retrouvais avec une fille qui semblait plus vieille que moi… Tim était toujours son meilleur ami. Ils nous avaient aidés lorsque nous avions le plus besoin de lui. Depuis, mon respect pour lui n'avait fait que s'amplifier.

— Au fait, repris-je, Erin va vendre *La Courtisane écarlate* à Tim. Comme elle ne peut pas y travailler la journée, il va prendre la relève. Maintenant qu'il a son diplôme, il va y ouvrir une entreprise de dépannage informatique.

— Je sais, il me l'a dit, répondit Camille. Je serai triste de ne plus voir Cleo Blanco… même si je n'ai jamais pensé que le costume lui allait. Il est bien plus beau en homme. Par contre, il était doué pour le play-back de Marylin Monroe. (Elle s'humecta les lèvres avant de continuer.) Oh j'oubliais ! Wade a appelé juste avant qu'on parte de la maison. Il doit te parler, apparemment. Je lui ai dit de passer au bar. Il ne devrait pas tarder.

Merde. Je n'avais pas la moindre envie de discuter avec Wade. On se prenait souvent la tête en ce moment et dans ce genre de cas, la distance ne pouvait être qu'une bonne chose. Je ne savais pas s'il s'agissait de la chaleur de l'été ou du trop plein de sommeil, mais on s'énervait pour un rien et le problème n'avait pas l'air de s'arranger.

—Génial, marmonnai-je. Flam, tu peux m'aider à porter ce tapis ? Je peux le soulever, mais il est trop long, je n'arrive pas à le transporter.

Flam se saisit aussitôt d'une extrémité du tapis persan enroulé et la mit sur son épaule. Je fis de même de l'autre côté. Nous le portâmes ainsi de l'autre côté du hall avant de le jeter sur la montagne de débris qui s'accumulaient.

—Où est Delilah ? Il faut déplacer tout ça avant que ça prenne feu. Une étincelle et on crame tous !

Je donnai un coup de pied au tapis qui tressauta.

—Patience, patience ! me souffla Flam. Pour le moment, je vais jeter un sort de givre. Si je recouvre tout de gel, ça prendra feu moins facilement.

—Oui, mais ça deviendra un lit de moisissure, grognai-je. Bah, vas-y après tout. Au moins, je ne m'inquiéterais pas pour le feu.

Une heure plus tard, nous avions retiré de la pièce tout ce qui semblait ne pas en faire partie. Nous avions révélé un lit, une penderie, une malle, un bureau, une bibliothèque et un rocking-chair. Tout portait à croire que l'occupant des lieux avait été une elfe.

—Qui habitait ici ? demanda Camille en attrapant les restes de la seconde pizza.

Flam et Morio les avaient rejointes pour manger. Les trois autres pizzas seraient bientôt de l'histoire ancienne. Je haussai les épaules.

—Je n'en ai pas la moindre idée. L'OIA ne m'a jamais dit qui s'occupait du *Voyageur* avant Jocko.

Iris s'assit dans le rocking-chair et passa la main sur l'accoudoir lustré.

410

—Est-ce qu'on pourrait obtenir cette information ?

—Non, répondit Camille en secouant la tête. Même si l'organisation a repris ses activités, la plupart des dossiers ont été perdus pendant la guerre civile.

—Oui, confirmai-je. Tout l'ancien personnel a été arrêté ou viré, selon son degré de loyauté envers Lethesanar. Sauf, étrangement, le chef de l'OIA. Père nous avait prévenues qu'il était un agent double, mais, à l'époque, j'avais du mal à y croire.

—Et Jocko est mort. Il ne peut plus nous aider, poursuivit Camille. Et tes serveurs ? Ils pourraient être au courant de quelque chose ?

—J'en doute, mais ça me donne une idée. (Je me relevai d'un bond avant de me diriger vers la porte.) Je reviens tout de suite. En attendant, continuez à fouiller les placards et le bureau. Essayez de trouver des indices. Oh et regardez sous le matelas aussi.

Je dévalai les escaliers. Chrysandra et Luke avaient commencé à travailler là après la mort de Jocko. Pourtant, il restait une personne qui se souvenait du géant : Peder, le videur de jour. Je parcourus le carnet d'adresses que nous gardions derrière le bar et attrapai le combiné du téléphone. Je composai rapidement le numéro.

Peder était aussi un géant, mais contrairement à Jocko qui avait été la bête noire de sa famille, Peder, lui, était dans la moyenne de poids et de taille de son espèce. Il décrocha au bout de trois sonneries.

—Ui ?

Son anglais était assez limité et son accent atroce. Heureusement, je parlais le Calouk, le dialecte commun utilisé par les espèces les plus brutales d'Outremonde.

—Peder, c'est Menolly, dis-je lentement tandis que je traduisais mes pensées en Calouk. Je sais que tu travaillais pour Jocko. Est-ce que, par hasard, tu te souviendrais du nom de la personne qui s'occupait du bar avant lui? Est-ce qu'il s'agissait d'une elfe? Son nom devait être…

—Sabele, finit-il pour moi. Ouais, Sabele s'occupait bien du bar avant Jocko. Elle est retournée en Outremonde. Elle a disparu sans rien dire.

Disparu? Ça me semblait bizarre après avoir vu le pendentif et le journal intime.

—Qu'est-ce que tu veux dire par « disparu »?

—Elle a démissionné. C'est Jocko qui me l'a dit quand il est arrivé.

Quelque chose clochait. Même si je ne doutais pas de la sincérité de Peder, ça ne signifiait pas qu'il me disait la vérité. Après tout, les géants n'étaient pas connus pour leur intelligence et Peder ne semblait pas le plus futé de son espèce.

—Tu es sûr? J'ai trouvé des affaires à elle au-dessus du bar en nettoyant l'une des pièces. Je doute qu'elle les aurait laissées derrière elle.

—C'est ce que Jocko m'a dit. Il a dit… que l'OIA lui avait dit que Sabele avait déserté son poste. Elle était très gentille, tu sais. Je l'aimais bien. Elle ne se moquait jamais de moi.

Au ton de sa voix, je compris que Peder avait la même sensibilité extrême que Jocko. Contrairement aux trolls ou aux ogres, les géants se révélaient très sensibles. Le fait d'être un lourdaud n'avait apparemment rien d'incompatible.

—Tu sais si elle avait des amis dans le coin? Un petit ami peut-être? Ou un frère? demandai-je quand la photo de l'elfe dans le pendentif me revint en mémoire.

—Un petit ami? Oui, elle en avait un. Il venait souvent au bar. Je pensais qu'ils étaient retournés ensemble en Outremonde pour se marier. Laisse-moi réfléchir… (Au bout d'un moment, Peder soupira.) Je ne me souviens que de son prénom : Harish. Oh et son nom de famille, à elle, était Olahava. Ça t'aide un peu ?

— Oui, répondis-je en notant rapidement les noms, bien plus que tu l'imagines. Merci Peder. Au fait, tu fais du bon boulot. Je l'ai tout de suite remarqué.

Les compliments faisaient toujours plaisir. Même aux géants.

— Merci patronne ! s'exclama-t-il d'un ton joyeux.

Tandis que je reposais le combiné, la porte s'ouvrit pour révéler Wade. Ses cheveux peroxydés semblaient encore plus blancs que d'habitude et il avait enlevé les lunettes derrière lesquelles il se cachait toujours. Il portait un jean en skaï sorti de je ne sais où avec un t-shirt blanc. Le tout était complété par une large ceinture en cuir noir brillant, ornée d'œillets en métal qu'il portait taille basse. Je clignai des yeux. Depuis quand s'habillait-il en punk ?

Avant d'être transformé en vampire, Wade Stevens était un psychiatre. Désormais, il dirigeait les Vampires Anonymes, un groupe d'entraide pour les nouveaux vampires. Il était devenu mon premier ami vampire quand Camille avait insisté pour que j'y participe. Pourtant, ces derniers temps, il était irritable et cassant et je n'avais pas l'intention de gaspiller mon énergie à comprendre pourquoi. J'avais assez de problème comme ça sans ajouter un vampire lunatique à la liste. Il ne fallait pas compter sur moi pour le réconforter. Sa mère s'en chargeait très bien. En fait, sa mère, également vampire, était une des raisons pour lesquelles j'avais cessé de sortir avec lui. Elle avait été l'antidote parfait à toute forme d'attirance que j'avais pu ressentir à son égard. Il s'appuya contre le bar.

— Il faut qu'on parle.

— Je suis occupée, rétorquai-je. (Je n'avais pas l'habitude de me défiler, mais je n'avais aucune envie qu'il me gâche ma bonne humeur.) Ça ne peut pas attendre ?

— Non. Il faut qu'on parle tout de suite, répondit-il avec les yeux rouges.

Aucune patience.

— Ok. Allons derrière. Je ne veux pas que les clients nous entendent.

Je le conduisis dans mon bureau avant de fermer la porte sur nous.

— Bien. Qu'est-ce qui est si important que ça ne peut pas attendre quelques heures ? Voir quelques jours ?

J'attendis qu'il réponde, mais il garda le silence. Énervée, je fis mine de retourner m'occuper du bar. Aussitôt, il me barra le chemin d'un bras.

— Ok, je ne sais pas comment te le dire, alors je vais aller droit au but. J'ai retourné tout ça dans ma tête pendant des semaines, pourtant, je n'ai toujours pas trouvé le meilleur moyen de te l'annoncer. Je dois mettre de la distance entre nous. Sinon, tu vas ruiner mes chances de devenir le régent du domaine vampirique du Nord Ouest.

Je le regardais sans vraiment le voir. Je n'en croyais pas mes oreilles !

— Tu plaisantes ?

— Non, dit-il en me réduisant au silence d'un geste. Je te demande de quitter les Vampires Anonymes sans faire d'histoires. Ne viens plus aux réunions. Ne me contacte plus en public… Toutes nos communications devront se faire en privé. Tu es devenue un poids, Menolly. Pour moi et pour le groupe.

Achevé d'imprimer en avril 2010
Par CPI Brodard & Taupin - La Flèche (France)
N° d'impression : 57730
Dépôt légal : avril 2010
Imprimé en France
81120311-1